戴文和著

文史哲學術叢刊

「唐詩」、「宋詩」之爭研究

文史哲出版社印行

國家圖書館出版品預行編目資料

「唐詩」、「宋詩」之爭研究 / 戴文和著. -- 初版. -- 臺北市 : 文史哲, 民 86
面 ; 公分. -- (文史哲學術叢刊 ; 3)
參考書目:面
ISBN 957-549-081-9 (平裝)

1. 中國詩 - 歷史與批評 - 唐(618-907) 2. 中國詩 - 歷史與批評 -宋(960-1279)

821.84 86006542

文史哲學術叢刊 ③

「唐詩」、「宋詩」之爭研究

著 者：戴 文 和
出 版 者：文 史 哲 出 版 社
登記證字號：行政院新聞局局版臺業字五三三七號
發 行 人：彭 正 雄
發 行 所：文 史 哲 出 版 社
印 刷 者：文 史 哲 出 版 社
台北市羅斯福路一段七十二巷四號
郵政劃撥帳戶一六一八〇一七五號
電話：八八六－二－二三五一一〇二八

實價新台幣四八〇元

中華民國八十六年六月初版

ISBN 957-549-081-9

自序

這本書是我的碩士論文，內有提要、目次、正文與參考書目舉要等等，讀者自可從中看出它的內容，毋庸我於本序裡再叨絮不休。而有關這本書之所以產生的來龍去脈，則我願意於此稍加敍述。

我的父母皆不識字，除去「要做一個有用的人」的叮嚀外，對我的教育並沒有太多的要求與限制。自幼，我對於數學物理有一份「知性的美感」，對於文學歷史有一份「直覺的美感」，非常樂意上學聽課與廣泛地閱讀任何課外書籍。然而當時（乃至今日仍是）一般的價值傾向，重醫科、重工科而輕視文、史、哲諸人文學科。由於我身居窮鄉僻壤的花蓮，不易獲得外界的資訊，遂隨人脚踵以行自己的人生。

考上國立中央大學電機工程學系後，平平凡凡地唸了四年，並沒有很大的成就感，反而是自己進修的文史哲諸書，較能吸引我的注意，滿足我求知的渴望。兩年服役期間，皆於離島度過。軍旅之暇，仍然繼續自我進修，而「轉行」之意開始萌焉。值得一提的是，在這期間，我一直反覆咀嚼孔子所說「朝聞道，夕死可矣！」的話，內心有著很深很深而難以釋懷的「形而上的焦慮」。退伍後，我下定了決心，將研究人文學科當作我終身的志業。除去在學校裡旁聽相關的課程外，又繼續進修了一年，而後考上國立中央大學中文研究所。

研一時，修了張師夢機的「詩學研究」的課程，開始閱讀衆多前人的詩作與詩話，對於頻頻出現在裡頭的「唐詩」、「宋詩」之爭，產生了不少的疑竇，也激起了研究的興趣。研二時，有幸聆聽顏師崑陽的「歷代文論選」的課，其學之博，其講之精，其論之細，都令我極度佩服，至今難忘。而龔師鵬程的「唐宋思想史」的課，則讓我對唐、宋二代的社會、思想、文化有一定程度的理解，這對我的論文大有助益。研三時，除待在圖書館裡翻查資料、整理論文外，也常向顏師崑陽請教問題。顏師不但不憚其煩地爲我一一解疑，並且還惇惇教誨我讀書、爲人、處世的大節，所謂「傳道、授業、解惑」之師，庶幾無愧。如今我雖然從研究所畢業了，顏師之言則鏤於心版，無時敢忘。

此外，必須補充的是，在我生命中曾遇到過一些人，如高中時的沈壽美老師、同班同學古定國、林中雄、陳建忠，大學時的詹德松老師、康來新老師、學長周坦正、同班同學陳國棟、林富章、陳啓南，研究所時的王邦雄老師、曾昭旭老師、蔡信發老師、胡自逢老師、岑溢成老師，以及自我進修時的朱建民老師。他們對我的「生命的追求歷程」都有著某種程度的影響，可以說是間接促成了這本書的誕生。同時，我也相當感謝余傳韜校長之力主外系可以報考中文、哲學研究所的苦心，因爲他對這一點的呼籲，造福了不少有心從事人文學科之研究、却非本科系出身的學子，這是大家有目共睹的事實，而我不過是受福者的其中之一罷了。最後，尤其要向我的太太孫淑芳致上我最深最深的謝意。撰寫論文時，我常試著將自己的觀念講述給她聽，並接受她的許多意見。寫完後，也多虧她將我的稿件逐一修改、謄清。若非她耐煩、耐勞且耐苦，這本書恐怕要較目前更爲粗糙而生澀了。

一九九〇年六月戴文和序於中央大學

提要

自南宋初以迄清末民初，數百年來，我國詩史與詩歌批評史幾乎就是以「唐詩」、「宋詩」之爭為中心而往前開展。諸家遞爭軌轍，分派詩歌，亦莫不因是而發。然學界至今仍罕見直接針對此一爭論而敍其歷史、論其得失之作，此所以有本書之撰述。

本書分三章，首《研究「唐詩」、「宋詩」之爭的基礎》，旨在正式說明其歷史、檢討其理論之前，建立起一定的了解基礎。舉凡對「唐詩」、「宋詩」此二名詞的認識，此一爭論之前提的介紹，及似是而非之觀念與事實的檢覈等等都是。次《「唐詩」、「宋詩」之爭的歷史概述》，旨在說明此一爭論的歷史事實，及各時期爭論的特色。由乎歷史的角度以了解此一問題，不致憑空玄想。末《「唐詩」、「宋詩」之爭的檢討》，乃立於前章歷史概述的基礎上，自文學理論的角度檢討此一問題。內又分「品鑑論」、「詩史論」與「學習創作論」此三範疇，重在對論者各式各樣的意見做歸納與整理，進而提出筆者的看法，評騭其得其失。

本書使用方法的特色有三：甲、名詞使用的力求精確，以避免歧義。乙、借助西方共時分析與歷時分析以爲研究的方法。或彼或此，交互運用，端視章節的需要而定。丙、本乎第一序的講法以說明此爭的歷史，本乎第二序的講法以檢討此爭之理論。前者是後者的基礎，章節亦本此次第而排。此外，本書使用的資料，以詩話、文論、詩選、箋註、詩文集與詩人小傳爲主。其它相關資料，舉凡提要、讀書志、墓誌銘、史書、地方志、筆記、小說，以及今人著作，則汰其冗雜，存其可採部份，雖有絲麻，無棄菅蒯也。

「唐詩」、「宋詩」之爭研究　目次

第一章 緒 論

第一節 論文撰寫的動機與目的

「唐詩」、「宋詩」之爭，數百年來，一直是我國詩壇上的重要諍辯。它包含宋、元、明、清四朝，不限於一時一代。諍辯的成員幾乎涉及這幾百年來所有的詩人（派）、批評家與理論家：其中或顯赫有名、或籍籍無聞；有些是思考謹嚴的提出論述，有些僅三言兩語的批評；也有些人雖然沒有發表意見，卻於作品中反映了他們的看法。諍辯的內容，一方面有時代積累的因素，即前代人影響、籠罩後代的主張，或後代人修正、反駁前代的意見。這使得問題不限於理論或抽象的層面，尚包括歷史經驗的事實。另一方面還有個人傾向的因素，如詩人作品特色的形成、批評家選擇上的愛憎、理論家思想或哲學上的興趣，這些又與師（親）友、地域、政治、社會、學術環境等等，有著一定程度的關係。這使得問題不純乎文學的內部層面，還必須對種種相關的外部層面加以考慮（註一）。

雖然「唐詩」、「宋詩」之爭是如此的重要與複雜，可是直接針對這一問題做詳細而深入的探討，卻非常稀少（註二）。楊家駱先生所編《中國文學百科全書》收有《唐宋詩比較》、《唐宋絕句》、《宋詩》、《宋詩與唐詩之比較》四條（註三），錢鍾書先生《新編談藝錄》內有《詩分唐宋》、《明清人師法宋詩　桐城詩派》二條，杜松柏先生《禪學與唐宋詩學》第二章有《唐宋詩學述要》、龔師鵬程撰有《知性的反省——宋詩的基本風貌》一文，都曾簡單地探討「唐詩」、「宋詩」之爭的問題。另外，楊松年先生的《中國文學評論史編寫問題論析——晚明至盛清詩論之考察》書中有一小節大略介紹明前後七子至盛清之間「唐詩」、「宋詩」之爭的情形（註四）。而各式各樣的《中國文學批評史》、《中國詩論史》、《中國文學史》、《中國詩史》，及專述一代或一派、一人的文學，偶有介紹或論及此問題，卻常不免要人披沙揀金，排簡始見。有鑒於此，乃引起筆者研究的動機。雖限於個人目前的學養，於處理此問題時，或力有未逮之處。不過，我們可以確定的是，研究中國古典詩學，必然要正視此一問題。

本文主要分爲三章，希望達到如下的目的：

一、《研究「唐詩」、「宋詩」之爭的基礎》：對於「唐詩」、「宋詩」此二名詞，及「唐詩」、「宋詩」之爭的前提有一定的瞭解，以建立起說明或探討「唐詩」、「宋詩」之爭的基礎。此外，尚檢覈似是而非的觀念與事實，使問題不致過份混淆不清。

二、《「唐詩」、「宋詩」之爭的歷史概述》：介紹「唐詩」、「宋詩」之爭演變的歷史，及各時期的特色。以歷史的角度來瞭解此一問題，不致憑空玄想。

三、《「唐詩」、「宋詩」之爭的檢討》：對於「唐詩」、「宋詩」之爭各式各樣的意見做歸納，檢覈彼此是否並行而不悖，或排斥而矛盾，並且提出筆者對「唐詩」、「宋詩」之爭的看法。

第二節 使用方法的說明

甲、名詞使用的力求精確

爲了清楚地探討或說明「唐詩」、「宋詩」之爭此一問題，本文在遇到可能產生歧義的詞語時，將審愼地採用與區別，力求達到精確無誤。例如諍辯之中，人所習用的「區別唐宋」之詞，往往隱含「尊唐貶宋」或「宗宋輕唐」之類評價的意義，這和單單區別「唐詩」、「宋詩」之意義是不同的。更何況，二者間的關係又具有多種的可能性（註五）。所以，在遇到使用這一詞語時，將審愼地注意論著使用的意義。又如一般人喜歡籠統地說唐詩、宋詩，實意指唐代的詩、宋代的詩。然而在「唐詩」、「宋詩」之爭中，「唐詩」、「宋詩」的定義和解釋卻常因人因時而異（註六）。爲了區分此二種用法，我們特別冠以引號，以避免過份籠統之弊。凡此，並非荀子說的：「好治怪說、玩琦辭。」（《非十二相篇》），而是覺得在這方面的注意，將有助於說明或探討罷了。

乙、共時分析與歷時分析

費爾迪南・德・索緒爾（Ferdinand de Saussure）在《普通語言學教程》（Course in General Linguistics）一書中，力圖分別共時的（Synchronic）與歷時的（Diachronic），「在方法和原則上對立的兩種語言學」（註七），進而強調共時的語言學的優越性。這一對概念的區別與強調，結構主義及符號學學者將之運用到文學的研究上（註八）。本文則借用來做爲研究的方法，在《研究「唐詩」、「宋詩」之爭的基礎》與《「唐詩」、「宋詩」之爭的檢討》兩章中，較爲偏向共時分析，即以「唐詩」、「宋詩」之爭爲一共時系統，探討其基本原則，及諍論的論點間所構成的邏輯關係。在此，歷史發展上的縱貫關係，將會比較忽略。而在《唐詩」、「宋詩」之爭的歷史概述》一章中，則剛好相反，我們使用的方法著重於歷時分析，注意縱貫的關係，比較忽略橫斷的系統。與西方學者不同的是，我們並不強調共時分析的優越性，且認爲這一對概念要絕對的區別是不可能的事情（註九）。基本上，這二者於本文常被交互運用，然撰述本有不同的偏重，或彼或此，完全視章節的目的而異。

丙、第一序與第二序的講法

所謂第一序（first order）的講法是指：「直接從正面敍述，把它的內容簡單地表示出來」（註一〇）。第二序（second order）的講法是指：「就著你已經有的基本知識來重新加以反省、衡量，來看看這裏面有些什麼問題」（註一一）。在《「唐詩」、「宋詩」之爭的歷史概述》一章中，我們偏向於第一序的講法。在《「唐詩」、「宋詩」之爭的檢討》一章中，我們傾向第二序的講法。前者是後者的基礎，所以在章節的安排上，先《「唐詩」、「宋詩」之爭的歷史概述》，後《「唐詩」、「宋詩」之爭的檢討》。

第三節　使用資料的說明

甲、主要資料

清顧炎武曾說：「今人纂輯之書，正如今人之鑄錢。古人采銅於山，今人則買舊錢，名之曰廢銅，以充鑄而已。」（《日知錄・序》）以今日的學術語來說，山銅者當指第一手資料而言；而舊錢則是輾轉的第二、三手資料。可見顧氏慨嘆時人之弊時，其實也暗示了第一手資料的可貴性。羅根澤先生認為「文學批評史之山銅為詩話文論」（註一二）即是說明了詩話與文論是研究文學批評及理論的第一手資料。不過，詩選與箋注也是不可忽略的部份。往往我們會於選集裏看到選者或隱或顯的詩觀，一方面可以和有關的詩話、文論相佐證，另方面，若選者無明確之文學主張，亦可藉此窺出。還有的情形是，選者個人的門戶之見、好名之心或者基於交誼等私情，也往往在選集裏表露出來。例如楊松年先生《李攀龍及其「古今詩刪」研究》一文就曾指出：「李氏選錄古、唐詩，頗能按其詩觀進行選輯工作，在選明詩時，卻可見其好用私情之一斑。」（註一三），即為一個很好的例證。箋註家之選擇某詩集，花費時間與精力加以箋註，本身就是觀念具體化的一種實踐；箋註內的評騭與批點，幾乎和詩話沒什麼差別（註一四）。古人談詩論藝，乃創作、批評、賞讀三位一體（註一五），詩選與箋註就表現了此一事實的一個側面，有時影響力還超過詩話文論，其重要性可見一斑。

研究「唐詩」、「宋詩」之爭，還必須注意詩集與詩人小傳。羅宗強先生說：「某種重要文學思想的代表人物，有時可能並不是文學批評家或理論家，有時甚至很少或竟至於沒有理論上的明確表述，他的文學思想，僅僅在他的創作傾向裏反映出來。」（註一六）所以，在沒有詩家明確地表述意見之下，必須從其詩集裏的創作傾向予以考察。有些時候，詩家的創作理想和其實踐，也並不必然一致，孤立地考察，恐將有片面之蔽，而未能作整全之認識，這也是需要從詩作裏去考察印證的。另外，一些詩家生平的小傳，也能幫助我們指出詩家的創作傾向。只不過在參酌之餘，必須注意其有違事實描寫之處，以免被誤導。總之，詩集與詩人小傳也是不容忽視的資料。

乙、次要資料

與本論文相關的其它資料如提要、讀書志、墓誌銘、史書、地方志、筆記、小說，以及今人的著作，汰其冗雜，存其可採部份，雖有絲廁，無棄菅蒯也。

【附註】

註　一：所謂文學內部、外部的區分，是依雷・韋勒克（REN'E WELLEK）和奧斯丁・華倫（AUSTIN WARREN）合著的《文學理論》（Theory of Literature）所作的區分。大致是以作品本身為文學的內部，而作家的生平、社會環境及文學創作的過程等等屬於文學的外部。國內譯本有二：㈠梁伯傑譯，書名《文學理論》，大林出版社。㈡王夢鷗譯，書名《文學論》，志文出版社。大陸則有多人編譯之本子，書名《文學理論》，三聯書店。其中以大陸譯本較佳，本文引用此書，以此一版本為主。

註　二：據龔師鵬程言大陸學者齊治平先生有《唐宋詩之爭概述》一書，惜無緣一見。

註　三：該四條分別出自胡雲翼《宋詩研究》、洪為法《絕句論》、呂思勉《宋代文學》、及《一九三二年中國文藝年鑑》諸書。

註　四：楊氏所謂的盛清，下限定在道光二十年（一八四〇），鴉片戰爭發生的這一年。是文見其書第三章：《背景研究之檢討》之第二節《前代詩論研究之重要性》，頁一五三～一八八，文史哲，民七十七年。

註　五：可參考本文第二章第二節的論述。

註　六：可參考本文第二章第一節的論述。

註　七：見該書第一編，第三章《靜態語言學和演化語言學》，頁一二一，弘文館出版社譯，民七十四年。

註　八：可參考羅里・賴安（Rory Ryan）等著之《當代西方文學理論導引》所介紹之結構主義與符號學部份，李敏儒、伍厚愷等譯，四川文藝出版社，一九八六年。此外，佛克馬、蟻布思合著的《二十世紀文學理論》亦有介紹及此，可參看，袁鶴翔、鄭樹森等譯。又T・霍克思著《結構主義與符號學》，介紹得更為詳細，陳永寬譯，南方，民七十七年。

註　九：這也或許是不同的文學傳統而造成的歧異，在中國我們很難想像孤立地談文學理論，而不涉及文學的歷史，而在西方重抽象思維的文化環境中，則不儘然如此。

註一〇：見牟宗三之《中國哲學十九講》第一講《中國哲學之特殊性問題》，頁一，學生，民七十五年。

註一一：同註一〇，頁一～頁二。

註一二：見羅氏所著《中國文學批評史》之《自序》，學海，民六十七年。

註一三：該文見《中外文學》第九卷第九期，頁三八～五三，可自行參閱。

註一四：例如清朱彝尊編的《明詩綜》，詩末即附有朱氏所著《靜志居詩話》以爲評註之語。此書之箋註實就是詩話。

註一五：見張師夢機《鷗波詩話》之《從傳統出發——兼介中國文學小叢刊》一文，頁一三七，漢光，民七十三年。

註一六：見羅氏所著《隋唐五代文學思想史》之《引言》，頁二，上海古籍出版社，一九八六年。

第二章　研究「唐詩」、「宋詩」之爭的基礎

小　引

「唐詩」、「宋詩」之爭，如前所述，不限於一時一代，不拘於一人一派，不純乎文學內部和抽象理論的層面。它是如斯的複雜，以致我們覺得在說明其歷史事實，或檢討其理論之前，有必要先建立基礎的觀念。如對論者所提及的「唐詩」、「宋詩」此類名詞的認識，對「唐詩」、「宋詩」之爭前提的了解，以及對似是而非的觀念與事實的檢覈等都是。

第一節《「唐詩」、「宋詩」名詞的探討》，旨在指出用「唐代的詩」、「宋代的詩」解釋「唐詩」、「宋詩」過份籠統，並介紹歷代論者對唐代、宋代的詩加以分期和分體分派，且用其中一期或一體一派來代表「唐詩」、「宋詩」的情形。

第二節《「唐詩」、「宋詩」之爭的前提》，筆者將此諍辯分析為狹義和廣義的「唐詩」、「宋詩」之爭，以便認識二者的前提，和彼此交錯的關係。進而知悉此諍辯具多式多樣的論點。

第三節《檢覈似是而非的觀念與事實》，我們將檢覈一些貌似或謬誤的「唐詩」、「宋詩」之爭

的觀念與事實。如此可以使我們的注意力更集中，問題更清晰，避開探討時可能有的歧路。

欲藉此三節以建立起研究「唐詩」、「宋詩」之爭的基礎，容或不全不備。然而在說明或探討「唐詩」、「宋詩」之爭時，這三節所論，至少是不能不加以考慮的部份。

第一節　「唐詩」、「宋詩」名詞的探討

甲、以「唐代的詩」、「宋代的詩」解釋「唐詩」、「宋詩」嫌過份籠統

中國古籍對於辭語的運用，很少像現代這麼重邏輯概念的界定。在文學研究方面，也不例外，朱東潤先生說：

讀中國文學批評，尤有當注意者，昔人用語，往往參互，言者既異，人心亦變。同一言文也，或則以為先王之遺文，或則以為事出沈思，功歸翰藻之著作。同一言氣也，而曹丕之說，不同於蕭繹，韓愈之說，不同於柳冕。乃至論及具體名詞，亦復人各一說，如晚唐之稱，或則上包韓柳元白，或則以為專指開成後。逐步換形，所指頓異，自非博綜於始終之變者，鮮不為所眢亂，此則分析比較，疏通證明之功之所以貴也。（註一）

朱氏指出的現象，在今日幾乎是學術界的共識（註二），也是每一位研究中國文學的學者所必須克服的困難。「唐詩」、「宋詩」正是面臨了此一困境。

就此二名詞言，現今的《辭典》、《辭源》、《百科全書》等類的工具書，絕大部份將「唐詩」、「宋詩」解釋成「唐代的詩」、「宋代的詩」（註三）。例如臺灣中華書局編的《辭海》載：「唐詩，唐代之詩。」中華學術研究院編的《中文大辭典》載：「宋詩，宋代之詩也。」其他研究中國文學的學術著作，情形也與此雷同，不待一一詳舉（註四）。

以這樣的解釋來說明或探討「唐詩」、「宋詩」之爭是不夠的。例如每一位詩選家所認爲的「唐詩」，就不儘相同。《四庫全書總目提要》說：「詩莫備於唐，然自北宋以來，但有選錄之總集，而無輯一代之詩共爲一集者。明海鹽胡震亨《唐音統籤》始蒐羅成帙，粗見規模。」（卷一百九十・評《御定全唐詩》）若此話不謬，明胡震亨以前，詩選家心目中的「唐詩」，並非純以時代爲標準。我們甚至可以說不僅北宋以來，即北宋以前的情形也一樣。《四庫全書總目提要》又說：「詩至唐無體不備，亦無派不有，撰錄總集者，或得其性情之所近，或因乎風氣之所趨，隨所撰錄，無不可各成一家。故元結尚古淡，《篋中集》所錄皆古淡。令狐楚尚富贍，《御覽詩》所錄皆富贍。方回尚生拗，《瀛奎律髓》所錄即多生拗之篇。元好問尚高華，《唐詩鼓吹》所錄即多高華之製。蓋求詩於唐，如求材於山海，隨取皆給，而所取之當否，則如影隨形，各肖其人之學識。自明以來詩派屢變，論唐詩者亦屢變。」（卷一百九十・評《御選唐詩》）其中元結、令狐楚即爲唐人，方回乃宋末元初人，元好問由金入元，對這些詩選家來說，所謂的「唐詩」，就因人因時而意義有別。所以，如果按照通俗的看法，拿「唐代的詩」來籠統地定義，可以說是不適當的。（註五）

由於歷史的因素，「宋詩」的編纂不若「唐詩」繁盛（註六）。然而如清朝著名的《宋詩鈔》的編者吳之振，就曾批評過李蓑、曹學佺拿近「唐調」爲標準來選「宋詩」（註七）。吳氏特別標榜的「宋詩」是：「變化於唐，而出其所自得。皮毛落盡，精神獨存。」（《宋詩鈔·序》）可是後來梁章鉅復批評吳氏不錄西崑體：「是其師心自用處」（《退庵隨筆》）（註八）曹庭棟《宋人百家詩存》，管庭芬、蔣光煦《宋詩鈔補》，則又蒐羅散佚，補吳氏所收之未備。諸人所謂的「宋詩」，和前述的「唐詩」的情形一樣，言人人殊，以「宋代的詩」加以解釋，亦有模糊籠統之弊。

此外，若以「唐代的詩」、「宋代的詩」解釋「唐詩」、「宋詩」，在說明或探討「唐詩」、「宋詩」之爭時，我們將不可避免的會遇到許多困難。例如宋朝的嚴羽屢說：「以漢、魏、晉、盛唐爲師」、「漢、魏、晉與盛唐之詩，則第一義也。」、「學漢、魏、晉與盛唐詩者，臨下濟也。」（上引皆見《滄浪詩話·詩辯》）嚴羽雖標榜「盛唐」，實合漢、魏、晉而立論（註九）。又如史書載李夢陽倡言「詩必盛唐」（註一〇），若仔細審核其論旨，不難發現李氏「古體必漢、魏，近體必盛唐」（註一一）。這些都不是「唐代的詩」就足以解釋得了的。同樣的情形，清朝推崇「宋詩」的「同光詩派」，若以「宋代的詩」實指之，則其論詩標舉的「三元」（即開元、元和、元祐），兼含唐、宋二代，我們也將莫知底蘊。

「唐詩」、「宋詩」不等於「唐代的詩」、「宋代的詩」，這是我們研究「唐詩」、「宋詩」之爭時，所應有的認識。

乙、分期問題

清薛雪說：「論唐人切不可分初、盛、中、晚，論宋人切不可分南、北。」（《一瓢詩話》）薛氏言之惇惇，如此的分法卻依舊廣泛流行。論者有時喜歡以某一期為「唐詩」、「宋詩」的代表，此又為研究「唐詩」、「宋詩」之爭所不可不知。

唐代的詩分初、盛、中、晚唐的說法，早為學界廣泛的接受，可是仍有四點必須加以說明：

㈠這樣的分法，要到明高棅的《唐詩品彙》一書使用後，始廣泛流行。在此之前，《新唐書》已將唐代的文章約略分為三期，只是尚未標初、盛、中、晚唐之名而已（註一二）。宋末的嚴羽在《滄浪詩話》裏純就詩而分，有二種分法：

1. 盛唐（含漢、魏、晉而言）、大曆以還、晚唐（見《詩辯》）

2. 唐初體（唐初猶襲陳隋之舊）、盛唐體（景雲以後，開元天寶諸公之詩）、大曆體（大曆十才子之詩）、元和體（元白諸公）、晚唐體（見《詩體》）

到了元楊士宏的《唐音》一書，則分為始音、正音、遺響三類。以李白、杜甫、韓愈「三家世多有全集，故弗錄焉。」（《唐音・凡例》）降及明代的高棅，承嚴、楊二氏之分，而有《唐詩品彙》一書之編。書中分五言古詩、七言古詩（長短句附）、五言絕句（六言附）、七言絕句、五言律詩、五言排律、七言律詩（排律附），各體再分正始、正宗、大家、名家、羽翼、接武、正變、餘響、旁流等九品目。是書《凡例》說：「大略以初唐爲正始，盛唐爲正宗、大家、名家、羽翼，中唐爲接武，晚唐爲正變、餘響，方外異人等爲傍流。」且不僅各體有初、盛、中、晚之分，即唐代三百多年的詩史，「略而言之，則有初唐、盛唐、中唐、晚唐之不同。」（《總序》）高氏的分法極爲精密，《明史》說他的書：「終明之世，館閣宗之。」（註一三）。直到今日，學者研究唐詩，大多接受這一分法。

㈡這樣的分法，並沒有一致而公認的時間斷限。高棅的分法是：

初唐：貞觀～開元初

盛唐：開元、天寶間

中唐：大曆、貞元間

晚唐：元和以降（註一四）

胡震亨也分初、盛、中、晚，同時將唐末五代初的一部份作家歸入「閏唐」（註一五）。徐師曾《文體明辨．近體律詩》則不立「閏唐」一名，所分初、盛、中、晚的年限也和高棅不同：

初唐：高祖武德初至玄宗開元初

盛唐：玄宗開元至代宗大曆初

中唐：代宗大曆至憲宗元和末

晚唐：文宗開成初至五季

除了考慮到唐末五代的問題外，高氏的初唐從貞觀開始，而徐氏自武德初算起；元和時期，高氏歸屬晚唐，徐氏則劃入中唐。清余承教說：「宋嚴羽，明高棅，以高祖武德至明皇開元初列爲初唐，以開元至代宗大曆初列爲盛唐，以大曆至憲宗元和、穆宗長慶列爲中唐，以敬宗寶曆、文宗開成以後列爲晚唐。」（《石園詩話》卷二）余氏雖打著嚴羽、高棅的旗號，斷限時間卻與嚴、高二氏略有不同。此外，清冒春榮甚至將初、盛、中、晚唐每一期的年限都清楚的計算出來：

初唐：高祖武德元年戊寅歲至玄宗先天元年壬子歲，凡九十五年。

盛唐：玄宗開元元年癸丑歲至代宗永泰元年乙巳歲，凡五十三年。

中唐：代宗大曆元年丙午歲至文宗大和九年乙卯歲，凡七十年。

晚唐：文宗開成元年丙辰歲至哀帝天祐三年丙寅歲，凡七十一年。（註一六）

大抵盛唐爲開元、天寶間較無異議，次爲開元之前的初唐。而中唐、晚唐則諸人多有出入，差異較大。

㈢這樣的分法，只是大略而分，實際上有不少例外的情形發生。前舉諸人雖對唐代的詩加以分期，卻也大多知道這種情形：

△盛唐人詩，亦有一、二濫觴晚唐者。晚唐人詩，亦有一、二可入盛唐者，要當論其大概耳。（宋嚴羽《滄浪詩話・詩評》）

△……間有一、二成家特立與時異者，則不以世次拘之。如陳子昂與太白列在正宗，劉長卿、錢起、韋、柳，與高、岑諸人，同在名家者是也。（明高棅《唐詩品彙・凡例》）

△然詩格雖隨氣運變遷，其間轉移之處，亦非可以年歲限定。況有一人而經歷數朝，今雖分別年

歲，究不能分一人之詩，以隸於每年之下。甚之以訛傳訛，或一詩而分載數人，或異時而互為牽引，則四唐之強分疆界，毋亦刻舟求劍之說邪？然初、盛、中、晚之年分起訖，初學又不可不識之。（清冒春榮《葚園詩說》卷之三）

其他如明王世懋也說：「唐律由初而盛，由盛而中，由中而晚，時代聲調，故自必不可同。然亦有初而逗盛，盛而逗中，中而逗晚者。何則？逗者，變之漸也，非逗，故無由變。……至于大曆十才子，其間豈無盛唐之句？蓋聲氣猶未相隔也。學者固當嚴於格調，然必謂盛唐人無一語落中，中唐人無一語入盛，則亦固哉其言詩矣。」（《藝圃擷餘》）在這段話裏，王氏不僅知曉例外的情形，更指出了一個漸變而交錯的詩史過程，使我們明瞭為何會產生例外。其兄王世貞也抱持類似的看法，只是立論不及其謹嚴罷了（註一七）。

反對唐詩分期的人，也喜歡藉此反駁分期之不當。如清錢謙益就曾說張九齡「亦初亦盛」，孟浩然「亦盛亦初」，錢起、皇甫冉「亦中亦盛」，極力抨擊分期之說：「揆厥所由，蓋創於宋季之嚴儀，而成於國初之高棅。承譌踵謬，三百年於此矣。」（《牧齋有學集》卷十五《唐詩英華序》）徐增在《而庵詩話》裏附益斯說。閻若璩更根據詩人生卒先後說：「張九齡卒於開元二十八年，孟浩然亦是年卒，而分初、盛何也？劉長卿開元二十一年進士，以《杜詩年譜》考之，所謂『快意八、九年，西歸到咸陽』，天寶五載。上溯其『忤下考功第，獨辭京尹堂』，當在開元二十六、二十七年。縱甫登第於是時，亦劉長卿之後輩矣，而分劉為中何也？」（轉引自《唐詩研究》，頁三十五）諸人雖言之鑿鑿，清葉矯然卻已駁之甚明：「論詩者謂初、盛、中、晚之目，始於嚴滄浪而成於高廷禮，承譌踵謬，三百年於茲，則大不然。夫初、盛、中、晚之詩具在，格調聲響，千萬人亦見，胡可溷也？又謂燕公曲江亦初亦盛，孟浩然、王維亦盛亦初，錢起、皇甫冉亦中亦盛，如此論人論世，誰不知之？夫所謂初、盛、中、晚者，亦不過謂其篇什格調中同者十八，不同者十二，大概言之而已，非眞有鴻溝之畫，改元之號也。學者謂有初、盛、中、晚之分，而過爲低昂焉，不可也。如謂無低昂而併無初、盛、中、晚之名焉，可乎哉？自前人言此，周元亮復廣而伸之，甚哉其勢力之見也！」（《龍性堂詩話》初集）葉氏反駁之言，甚爲有力。《四庫全書總目提要》也說：「然斷限之例，亦論大概耳。寒溫相代，必有半冬半春之一日，遂可謂四時無別哉？」（卷一百八十九・評《唐詩品彙・拾遺》）比喻極妙，見解也極公允。

㈣這樣的分法，不管是贊成或反對者，諸人所依據的文學標準，及其所欲達到的目的，常和「唐詩」、「宋詩」之爭有著密切的關係。嚴羽的分期，和他主張的「興趣」說牢牢結合：標崇盛唐，就是因爲「盛唐諸人，惟在興趣」（註一八）；鼓吹盛唐，也就不得不將之與大曆以下、晚唐區分開來，毋怪乎詆斥「宋詩」不遺餘力。高棅所分的九品目，盛唐佔了四品目，即正宗、大家、名家、羽翼，幾近一半。高氏自己也說：「是編之選，詳於盛唐，次則初唐、中唐，其晚唐則略矣。」（《唐詩品彙・凡例》）之所以如此，閩人林鴻和他「共開晉安一派」（註一九）的「論詩惟主唐音」（註二〇）、「規仿盛唐立論」（註二一），都是不可忽略的因素。而反對此分法最激烈的錢謙益，吳宏一先生說：

「他的攻擊七子……那就是七子『文必秦漢，詩必盛唐』的主張……只不過是溯流竟委，對嚴羽、高棅等人的說法，也一併加以攻擊而已。」（註二二）並且清初詩壇崇尚「宋詩」的風氣，錢謙益的影響很大。研究「唐詩」、「宋詩」之爭，這也是一個值得注意的地方。

宋代的詩的分期問題，不像唐代那麼複雜，一般多以南、北宋加以區分。之中，又以北宋詩較常爲「宋詩」的代表。如清潘德輿說：「漢魏詩似賦，晉詩似《道德論》，宋齊以下似四六駢體，唐詩則詞賦駢體兼之，宋詩似策論，南宋人詩似語錄，元詩似詞，明詩似八股文。」（《養一齋詩話》卷二）各朝的詩，都沒有疑問，唯獨宋代有「宋詩」和「南宋人詩」二種，可知所謂的「宋詩」是指北宋而言。而在北宋又常以元佑時期爲代表，嚴羽《滄浪詩話・詩體》中，以時而論，宋代就有「元祐體」（蘇黃陳諸公）之名。郭紹虞先生解釋說：「若就其特點而言，又當以元祐體爲宋詩的代表。」（《滄浪詩話校釋》頁五三）郭氏之言，頗合實情。

丙、分體分派問題

古今研究唐、宋代的詩，又喜歡將之分體分派，而以其中的一體或一派代表「唐詩」、「宋詩」。唐代的詩除分期外，古人又喜歡就兩方面加以區分：

㈠體製：唐代的詩約略分古體、近體。唐人凡絕句、律詩、排律之類皆言律詩，亦即近體，宋元以後始細分五言律詩、五言排律、七言律詩、七言排律、五言絕句、七言絕句諸體，沿用至今（註二三）。古體有古詩、樂府和騷體三類：古詩多七言、五言，而罕四言；樂府有借舊題發揮己意，與自擬名目、不借徑前人之別；騷體指學習《楚辭》而言，如盧照鄰有《獄中學騷體》之詩即是。此外尚有效柏梁體、聯句、諧謔等雜體詩。古典詩的體製，至此可謂大備，後代多承襲之，少有變化。

體製之分，直接而明顯地影響到詩選家。《唐人選唐詩》之一種如殷璠所選的《河嶽英靈集》，序言特別強調：「璠今所集，頗異諸家。既閑新聲，復曉古體。」表示其所選之體製全備。宋元選「唐詩」，有不少只取近體一類：「如宋趙師秀撰《衆妙集》，所錄都是唐人近體，五言居十之九，七言僅十之一。周弼撰《三體唐詩》，專錄七言絕句、七言律詩、五言律詩三體。洪邁撰《萬首唐人絕句》，專錄五言絕句和七言絕句。金元好問撰《唐詩鼓吹》，就專錄七言律詩。元方回撰《瀛奎律髓》，也是只錄五七言近體，不過兼錄宋詩。」（註二四）而宋姚鉉編的《唐文粹》，詩歌部份專取古體，《四庫全書總目提要》說他：「欲力挽（唐）末流，故其體例如是。」（卷一百八十六・評《唐文粹》）這些都反映了詩選家推崇的「唐詩」，尚有體製的考慮。

㈡作家風格：論者又喜歡就唐代詩人（有時不止一個）的風格（註二五），對唐代的詩加以區分。嚴羽《滄浪詩話・詩體》就曾據此將唐代的詩分為二十四體：

沈宋體（佺期、之問）

陳拾遺體（陳子昂）

王楊盧駱體（王勃、楊炯、盧照鄰、駱賓王）

張曲江體（始興文獻公九齡）
少陵體
李白體
高達夫體（高常適）
孟浩然體
岑嘉州體（岑參）
王右丞體（王維）
韋蘇州體（韋應物）
韓昌黎體
柳子厚體
韋柳體（蘇州與儀曹合言之）
李長吉體
李商隱體（即西崑體也）
盧仝體
白樂天體
元白體（微之、樂天，其體一也）

杜牧之體

張籍王建體（謂樂府之體同也）

賈浪仙體

孟東野體

杜荀鶴體

嚴羽的分法，固有値得商榷的地方（註二六），我們則可藉此以知依作家風格來區分唐代的詩的概貌。

今人黃景進先生認爲個人（或時代）風格是「家數」，「但發展到後來，會超越時代或個人，形成一種永恒性，如『體製』一樣具有形式要求。例如後人寫詩往往有意無意之間會模仿李白體或杜甫體等，而如果模仿得不到家，就被認爲不得體……他（筆者案：指嚴羽）着重的是時代與作者風格（即所謂家數），而且家數就是體製。」（註二七）證諸嚴羽所說：「辨家數如辨蒼白，方可言詩。（荊公評文章，先體製而後文之工拙。）」（《滄浪詩話・詩法》）可知家數與體製，嚴羽似即等同看待，黃氏之言不誤。而這亦即是論者以作家風格的「體」來區分唐代的詩，進而以某體代表「唐詩」的緣故。

嚴羽之前的楊萬里也曾說過，有「李太白體」、「杜子美體」（註二八）。後人雖沒有指明「體」，實際所指的是一樣的。如以李白的飄逸，杜甫的沈鬱，孟浩然的清雅，王維的精緻，韋應物的雅澹，劉長卿的閑曠等等之類來區分唐代的詩。

不少詩人喜歡「唐詩」、學習「唐詩」，是僅就這樣的一體而言，如：

△（宋）魏野處士，……其詩效白樂天。（宋司馬光《溫公續詩話》）

△（元）文質，……學行卓然，文章奇放，好爲長吉體。（清顧嗣立《元詩選》三集卷十二）

△（明）方豪，……方詩多出少陵蹊徑。（清朱彝尊《明詩綜》卷三十八，引顧玄言之言。）

△（明）譚昌言，……詩愛孟襄陽，第不多作。（清朱彝尊《明詩綜》卷六十四，《靜志居詩話》）

△（清）顧夢游，……其詩清眞絕俗，出于郊島。（民國鄧之誠《清詩紀事初編》卷一）

△（清）杜濬，……詩學太白，尤工五言。（民國鄧之誠《清詩紀事初編》卷二）

所舉之例，宋、元、明、清各代都有，而所喜歡、所學習的作家則各不相同。類此的情形極多，隨意加以查閱，即可獲得。

古人對唐代的詩分派較少，近代以「派」來分析唐代的詩，則近乎泛濫，然多附會穿鑿，不足爲訓，且與本論文的關係較少，此處不及一一辨析（註二九）。

研究宋代的詩，多體、派並用而加以區分（註三〇）。梁昆先生引古人區分之說，即有八條之多。梁氏隨引文而各加案語，頗値得參考，茲迻錄前三條如下（註三一）：

㈠清宋犖《漫堂說詩》：「（筆者案：梁氏所引，少了「唐以後詩派，略可指數：」數字）宋初晏殊、錢惟演、楊億號西崑體；仁宗時歐陽修、梅堯臣、蘇舜欽諸君，多學杜韓，王安石稍後，亦學杜韓；神宗時，蘇軾、黃庭堅謂之蘇黃；又黃與晁補之、張耒、陳師道、秦觀、李薦稱蘇門六君子；庭堅別開江西詩派，爲江西初祖；南渡後，陸游學杜蘇，號爲大宗；又有范成大、尤袤與劉克莊諸人，大概杜蘇之支分派別；其後有江湖、四靈徐照、翁卷等，專攻晚唐五言。」案宋氏所分，計㈠西崑，㈡杜韓，㈢蘇氏，㈣江西，㈤杜蘇，㈥江湖，㈦四靈七體，而杜韓體，杜蘇體之名，嫌於含混，不可用也。

㈡清全祖望《宋詩紀事序》：「宋詩之始也，楊劉諸公最著，所謂西崑體者也。慶曆以後，歐、蘇、梅、王數公出，而宋詩一變。涪翁以崛奇之調，力追草堂，所謂江西詩派者，而宋詩又一變。建炎以後，東夫之瘦硬，誠齋之生澀，放翁之輕圓，石湖之精緻，四壁俱開；乃永嘉徐趙諸公，以清虛便利之調行之，則四靈派也，而宋詩又一變。嘉定以降，《江湖小集》盛行，多四靈之徒也。及宋亡，而方謝之徒，相率爲迫苦之音，而宋詩又一變。」案全氏所論宋詩共四變，而爲派者六：即㈠西崑，㈡慶曆，㈢江西，㈣建炎，㈤四靈，㈥方謝之徒。雖言及《江湖小集》盛行，而斷以多四靈之徒，似尚無派之意。

㈢清汪槐堂《題宋百家詩存後》：「西崑沿五季，遺俗尚汰忸，能事王黃州，訓辭亦深厚；繼之梅歐陽，燦燿光列宿；髯蘇一代豪，落筆巨鯨叩；同時濂洛賢，風雅振先後，紛紛遞述作，南渡格又變；渭南富天才，崇臺九成構，楊監與蕭尤，下視匹篷霤；石湖頗排奡，簡齋劇孤秀；汐社多變壞，噍殺出泉竇；獨愛晞髮人，九歌可馳驟，變體雙井翁，造語獨矯揉；江西宗派圖，幾輩尚墨守；九僧格律初，四靈篇幅瘦，江湖諸小集，肴核分飣餖。」案汪氏分宋詩爲：㈠西崑，㈡王黃州，㈢梅歐，㈣髯蘇，㈤濂洛，㈥陸楊蕭尤范陳，㈦汐社，㈧九僧，㈨江西，㈩四靈，⑪江湖，十一體，而以陸楊蕭尤范陳合為一體，最龐雜不可從。

此三條本意在描述宋代詩歌的概貌，宜乎梁氏細察諸說，尚有二三案語加以補充修正。而我們則可藉此略窺古人對宋代的詩分體分派的情形。其中蘇軾、黃庭堅雖不同體（風格），卻常被並提為「宋詩」的代表。二氏又以黃庭堅為勝，如陳伯海先生說：「儘管時人以『蘇黃』並稱，而後來宗奉黃庭堅的人卻超過了蘇軾，以致形成一個很有勢力的宗派——『江西詩派』，由北宋後期一直延續到南宋之末，成為傳統所謂宋詩的正宗。」（《嚴羽與滄浪詩話》，頁五），這已是人所共知的事情。其他如歐陽修、梅堯臣、王安石、陸游等人，偶有被推尊外（註三二），宋初之白體、西崑體、晚唐體，與宋末之四靈、江湖二派，由於與唐代（特別是晚唐）的淵源較深，罕有人以此代表「宋詩」。至於宋亡節士之作，所抒多國破家亡之慟，亦罕聞有以之代表「宋詩」的。

第二節　「唐詩」、「宋詩」之爭的前提

甲、「唐詩」、「宋詩」之爭的界義

筆者將「唐詩」、「宋詩」之爭分為狹義與廣義兩類。狹義是指對「唐詩」、「宋詩」作評價性的判斷和選擇。這時「唐詩」、「宋詩」二者互相排斥，是此而非彼，是彼而非此。表現在理論上，

論者尊「唐詩」即是貶「宋詩」，而崇「宋詩」就是抑「唐詩」。詩家在創作時，要麼就單學習、摹倣「唐詩」，否則就純以「宋詩」爲師。廣義是指除了狹義的「唐詩」、「宋詩」之爭外，復包含對它的批判與反省。這時，「唐詩」、「宋詩」二者不一定互相排斥。論者尊「唐詩」，不必然貶「宋詩」；崇「宋詩」，也可能不抑「唐詩」。創作上，或者學習「唐詩」或者師法「宋詩」，也可能出「唐」入「宋」，或在這二者之外。

本文所論爲廣義的「唐詩」、「宋詩」之爭，而在探討此問題的基礎時，暫分爲二，由了解狹義的「唐詩」、「宋詩」之爭的前提，進到廣義的「唐詩」、「宋詩」之爭的前提，以便了解這一問題的多樣而複雜。

乙、狹義的「唐詩」、「宋詩」之爭的前提

狹義的「唐詩」、「宋詩」之爭的前提是：「唐詩」與「宋詩」有區別。所謂的區別，是描述性的詞語，不含評價的意義，但卻是評價的基本前提。例如甲與乙有區別（或直言甲與乙不同），並不等於甲優於乙，或劣於乙。可是當我們說甲優於乙，或是劣於乙時，必是認定了甲與乙的不同。同樣地，當我們說「唐詩」與「宋詩」有區別時，並不等於說就是狹義的「唐詩」、「宋詩」之爭。可是若「唐詩」與「宋詩」沒有不同的話，也就沒有狹義的「唐詩」、「宋詩」之爭了。

然而這個前提，仍有人提出異議：

△宋戴昺《答妄論唐、宋詩體者》：「不用雕鎪嘔肺腸，詞能達意即文章。性情原自無今古，格調何須辨宋唐？」（《東野農歌集》卷四）

△清袁枚：「詩分唐宋，至今人猶恪守，不知詩者人之性情，唐宋者，帝王之國號；人之性情，豈因國號而轉移哉？」（《隨園詩話》卷六）

△清延君壽：「人人讀書，具有性靈，安有唐、宋之別哉？」（《老生常談》）

這些說法是僅就詩的必要條件——即性情（或性靈）而立論，並未考慮到「唐詩」之所以為「唐詩」，「宋詩」之所以為「宋詩」的充份條件。若繼續衍伸下去的話，其實任何的詩都相同或都不相同，清邵陵就曾說過和戴昺很類似的話：「性情原自無古今，格調何須辨漢唐。」（民國鄧之誠《清詩紀事初編》卷一引），只不過變成「漢詩」與「唐詩」無別罷了。但從另一方面來說，每個人的性情都不相同，詩風也可說都不相同。不止如此，如果我們願意拿詩的任何必要條件，如格律、音韻等等來立論的話，都可以得到「無所分別」的結論。可是這樣子一來，我們就會忽略了該必要條件以外的因素，從而無法鑑別各體、各派、各時代詩之間的差異。不惟詩史無法成立，即詩歌批評也無由建立。另外，前已辨明「唐詩」、「宋詩」不等於「唐代的詩」、「宋代的詩」，而袁枚以為「唐」、「宋」只是帝王的國號，其謬誤無庸再述。

事實上，除極少數外，「唐詩」與「宋詩」有別，幾乎已是人們普遍的共識，嚴羽說：「唐人與本朝人詩，未論工拙，直是氣象不同。」（《滄浪詩話・詩評》）可為代表。其中有諍論的地方在於有些「宋代的詩」似「唐詩」，有些「唐代的詩」似「宋詩」，後文論及時會再說明。

丙、廣義的「唐詩」、「宋詩」之爭的前提

廣義的「唐詩」、「宋詩」之爭的前提是：有「唐詩」、「宋詩」的區別，或曾有過狹義的「唐詩」、「宋詩」之爭的事實；二者或可有一，或可兼有，不可兼無。蓋有「唐詩」、「宋詩」的區別，即爲狹義的「唐詩」、「宋詩」之爭的前提，而狹義爲廣義的「唐詩」、「宋詩」之爭中的一種。又曾有過狹義的「唐詩」、「宋詩」之爭的事實，始有對之作反省、批判的種種看法與主張。前所述的戴昺即是例子，他批判了「妄論唐詩、宋詩體者」；據袁枚與沈德潛諍辯的書信，我們知道他是抨擊明七子「詩必盛唐」的主張而發。戴、袁二氏雖否認了「唐詩」與「宋詩」有區別，然而卻是批判「曾有過狹義的『唐詩』、『宋詩』之爭的事實」，就廣義的「唐詩」、「宋詩」之爭而言，他們也代表了一種主張。

對於曾有過狹義的「唐詩」、「宋詩」之爭的事實加以批判與反省，除戴、袁二氏的主張外，尚有多種不同的情形。如經過明前後七子提倡「詩必盛唐」之後，清人對之反省與批判，至少就有如下相異的看法：

㈠仍然「專摹唐賢」，不悖七子的主張（註三三）。

㈡雖崇「唐」貶「宋」，仍承認「宋詩」有部份好。如厲志說：「宋人七言近體，甚有可觀者也。」

（《白華山人詩說》卷一）就是。

㈢「唐詩」與「宋詩」各有本色，各有佳處，如葉燮《原詩》之所論。

㈣推崇「宋詩」，如吳之振《宋詩鈔》之編。

㈤「唐詩」與「宋詩」俱不足觀，如費錫璜說：「一切唐宋皆屬雲礽。覺語近而味薄，體卑而格俚。」（《漢詩總說》）

所舉雖然仍嫌不足，卻也可以藉此知道廣義的「唐詩」、「宋詩」之爭的複雜之一端。

第三節　檢覈似是而非的觀念與事實

甲、選集中所收非詩的部份

「唐詩」、「宋詩」之爭，乃就詩的範疇而言，可是有些詩選集卻收有非詩的部份，如下列諸書：

㈠唐韋縠編《才調集》《四庫全書總目提要》批評說：「其中頗有舛誤，如李白錄《愁陽春賦》，是賦非詩，王建錄《宮中調笑詞》是詞非詩，皆乖體例。」（卷一百八十六・評《才調集》）

㈡宋陳起編《江湖小集》《四庫全書總目提要》云：「惟姚鏞、周文璞、吳淵、許棐四家有賦及雜文，餘皆詩也。」（卷一百八十七・評江湖小集》）

㈢金元好問編《中州集》《四庫全書總目提要》云：「今考集中小傳皆兼評其樂府，是樂府與

《中州集》合爲一編之明證。」（卷一百八十八・評《中州集》）現今之本子則樂府（案即詞）附於集末，單獨成卷。

㈣清康熙御定《全唐詩》　詞十二卷綴於書末。

凡諸如此類之情形，我們即將之排除在外，以便純就詩的範疇來探討問題。

乙、批評唐代（或宋代）的詩

有些言論批評到唐代（或宋代）的詩，雖貌似「唐詩」、「宋詩」之爭中的某種主張，而實際上卻不是。如唐初的楊炯批評龍朔初年的詩壇說：「文場變體，爭構纖微，競爲雕琢。糅之金玉龍鳳，亂之朱紫青黃，影帶以徇其功，假對以稱其美，氣骨都盡，剛健不聞。」（《楊盈川集》卷三《王勃集序》）另一方面楊氏推崇盧照鄰爲「人間才傑」，稱許王勃清廓「積年綺碎」。雖然對唐代的詩有所抑揚，可是足以代表「唐詩」的作品和概念，才開始在蘊釀和鼓吹，「宋詩」也尚未成形，根本還談不上「唐詩」、「宋詩」之爭。

又如宋楊元素疏論半山云：「臣竊見唐賢，多以所爲之文，見其人生平行事，如著蔡之不謬姓，李紳作《憫農詩》，當時文士稱其有宰相器。韓愈稱歐陽詹亦曰：『讀其書，知其慈孝最隆也。』近世丁謂詩，有『天門深九重，終當掉臂入』。王禹偁讀之曰：『入公門，猶鞠躬如也，天門豈可掉臂入乎？此人必不忠。』後果如其言。臣聞王安石文章之名久矣，嘗聞其詩曰：『今人未可非商鞅，商鞅能令政必行』。今睹其行事，已頗類矣。願陛下防其言而詳其志。」（宋吳聿《觀林詩話》）此疏雖推崇唐代的詩（如李紳、歐陽詹），批評宋代的詩（如丁謂、王安石），極似狹義的「唐詩」、「宋詩」之爭的主張。事實上，此疏只是引詩以立論，藉詩而發揮，重在人忠不忠，孝不孝的問題，而非談詩論藝，與「唐詩」、「宋詩」之爭了不相涉。

批評唐代（或宋代）的詩，不盡然就是「唐詩」、「宋詩」之爭的範疇。所以，在選取資料時，也必須加以注意。

丙、比較唐代和宋代一些詩的優劣

「唐詩」、「宋詩」之爭中，論者有時喜歡舉唐代和宋代的一聯一首、或多聯多首的詩來比較優劣，藉此增加自己論說的說服性。如清潘德輿《養一齋詩話》卷五載：「或曰唐宋眞有分乎？曰否。胡少汲『同是行人更分手，不堪風樹作離聲』，此即唐人語矣。胡猶宋之不甚著名者也。」潘氏於此就是舉出宋人的一聯詩，以其與「唐詩」無別，進而批評「唐」、「宋」之分。同一卷裏，潘氏又說：「宋絕句尤不似唐，然王漁洋《池北偶談》專錄宋七絕之似唐者數十首，何嘗不可與唐匹！予又從近人嚴長明用晦所選《千首宋人絕句》中，反覆揀擇，得其似唐者百數十首，承漁洋之風旨，廣漁洋所未備，世之於唐、宋分左右袒者，喙亦可以息矣。」這裡他就舉了百數十首宋代的絕句爲證據（案所引之詩，可查閱原書），用意則是批判「唐詩」、「宋詩」之爭中，對「唐」、「宋」分左右袒的人。

不過必須注意的是，舉唐代和宋代的一聯一首、或多聯多首的詩比較優劣，並不一定就是「唐詩」、「宋詩」之爭的意見。如宋許顗說：「東坡作《妙善師寫御容詩》，美則美矣，然不若《丹青引》云『將軍下筆開生面』，又云『褒公鄂公毛髮動，英姿颯爽來酣戰』。後說畫玉花驄馬，而曰『至尊含笑催賜金，圉人太僕皆惆悵』。此語微而顯，《春秋》法也。」（《彥周詩話》）許氏之意，唐杜甫的《丹青引》一詩，優於宋蘇軾的《妙善師寫御容詩》。可是我們卻不可據此就說許氏崇「唐」貶「宋」。事實上，許氏乃「宗元祐之學者」（註三四），整本《彥周詩話》，「所引述多蘇軾、黃庭堅、陳師道語，其宗旨可見也。」（註三五）其中許氏對蘇軾，尤其推崇備至，他說：「東坡詩，不可指摘輕議，詞源如長河大江，飄沙卷沫，枯槎束薪，蘭舟繡鷁，皆隨流矣。珍泉幽澗，澄澤靈沼，可愛可喜，無一點塵滓，只是體不似江湖，讀者幸以此意求之。」（彥周詩話》）所以若憑此條而說許氏崇「唐」貶「宋」則大謬。

像這種情形的比較，往往會發現論者本身的意見不惟不一致，有時還自相矛盾。如清賀裳說：

（梅堯臣）《送滕寺丞歸蘇州》曰……。此之謂眞溫柔敦厚，唐三百年間，無此一篇也。梅詩之可敬在此。（《載酒園詩話》）

據此，賀氏似乎以爲唐三百年諸詩，都趕不上梅堯臣這首詩的溫柔敦厚，不免讓人以爲賀氏尊「宋」貶「唐」。然而，在同本詩話裏，又有兩處不同的說法：

△（王安石）如此二詩（案：即《江上》、《初晴》），謂與唐人有異，吾不信也。

△(林景熙)如「開池納天影,種竹引秋聲」……,眞視唐人無愧。

言下之意似乎認爲「宋詩」可與「唐詩」並駕齊驅,無分軒輊。此外,於另一處,賀氏又說:

嘗歎宋人論詩如飲狂泉,如梅聖俞《詠芡詩》「蛸毛蒼蒼磔不死,銅盤矗矗釘頭生」,如此形容,直堪發笑,較之「一足獨拳」,尤爲惡趣。羅隱《牡丹詩》「若教解語應傾國,任是無情也動人」,何等風致,反謂不能臻其妙處。如此風氣,眞詩中百六之運。(《載酒園詩話卷一》)

撇開宋人論詩的風氣不談,賀氏曾批評唐雍陶《白鷺詩》「一足獨拳寒雨裏,數聲相叫早秋時」一聯詩爲「已成俗韻」、「黏皮帶骨」(註三六)。而梅堯臣《詠芡詩》這一聯,比之更不如,也遠比不上唐羅隱寫的《牡丹詩》那一聯了。據此,又似乎「宋詩」不如「唐詩」,與前面二種推測的意見相互牴牾。眞正的事實是,賀氏肯定部份的「宋詩」,而大抵則主崇「唐」貶「宋」之說,前二種推測之見,皆非賀氏眞正的主張。

舉唐代和宋代的一聯一首,或多聯多首的詩比較優劣,尙須仔細檢覈論者之意是否藉此而發表對「唐詩」、「宋詩」之爭的意見?以及所舉之詩,是否代表了他認爲的「唐詩」與「宋詩」?若然,自可說是「唐詩」、「宋詩」之爭中的一種意見。否則,我們不能單單據此,就說它是「唐詩」、「宋詩」之爭的表述。

同樣的道理,只就唐代和宋代的一個詩人、或一些詩人比較優劣,不即是「唐詩」、「宋詩」之爭,這種情形也須仔細檢覈。

丁、近人對「唐詩」、「宋詩」之爭的態度與看法

近人王國維《宋元戲曲史・自序》云：「凡一代有一代之文學：楚之騷、漢之賦、六代之駢語，唐之詩，宋之詞，元之曲，皆所謂一代之文學，而後世莫能繼焉者也。」復於其頗負盛名的《人間詞話》裏云：「詩至唐中葉以後，殆爲羔雁之具矣。故五代、北宋之詩，佳者絕少，而詞則爲其極盛時代」、「詞之有北宋，猶詩之有盛唐。」影響所及，學界看待中國詩史，恒只見「唐詩」與「宋詞」，卻極端輕忽「宋詩」。陸侃如、馮沅君之《中國詩史》述至唐即戛然而止，坊間不少書籍介紹中國詩史或只述「唐詩」而不及「宋詩」（註三七），或雖及「宋詩」卻草草帶過（註三八）。如此態度，既只見「唐詩」而不見「宋詩」，更遑論正視「唐詩」、「宋詩」之爭了。劉若愚先生便已指出這種偏差，他說：「二十世紀的中國文學史家認爲，詞是宋代文人天才的特殊表現，而將宋詩置之不顧，以爲宋詩只是模擬唐詩。毫無疑問的這是偏見，基於一種每個朝代都有它獨有的文學表現形式的可疑假設。」（註三九）

此外，民初新文化運動以來，論者多喜將中國文學作正統與通俗（註四〇）、白話與古文（註四一）的劃分，藉以彰顯其「革新」的主張，達到打倒傳統的目的。故使得學界認爲元、明、清詩已經沒落、毫無生氣可言，因而只將研究之重心放在戲曲、小說等文類上面。這種嚴重的缺失，卻是由日人吉川幸次郎加以指出：「元、明詩或以後的清詩，顯然有其獨特的發展和性質。可惜的是從前的文

學史家，卻往往置之不聞不問，拒絕給以公平而應有的評價。……其實，在這期間從頭至尾，詩及非虛構的散文，尤其是詩，依然被視之爲文學的重心，照舊被當作表現眞摯感情的不二法門。……旣然如此，那麼要研究元朝以後的文學，首先應該重視的當然是詩，至少不能把詩排除在外，視如敝屣。否則將無法正確而完全地認識當時文學史的實情。」（註四二）所以我們認爲元、明、清詩之發展，確實不容忽視。尤其「唐詩」、「宋詩」之爭又是此一期間詩壇上所最關注的焦點，更應給予重視。

過去少數論者雖注意到了「唐詩」、「宋詩」之爭此一歷史的諍論，重點卻多在於抉發「宋詩」的意義與價值。如胡雲翼的《宋詩研究》、龔師鵬程的《知性的反省——宋詩的基本風貌》一文。他們雖也對此一問題發表意見，其中容或有些值得參考之處，卻由於沒有經過詳密的整理，難以突顯「唐詩」、「宋詩」之爭獨立的意義。

小　結

本章所述，簡要的歸結如下：

㈠「唐詩」和「宋詩」的定義，在「唐詩」、「宋詩」之爭中，每每因人因時而異，以「唐代的詩」、「宋代的詩」解釋之，頗嫌過份籠統而不當。

㈡一般而言，大多是對唐代的詩加以分期和分體，對宋代的詩則是體派並用地加以區分；後人所論，常舉其中一期或一體一派爲「唐詩」、「宋詩」的代表。其中尤以盛唐代表「唐詩」，江西詩派代表「宋詩」，最爲普遍。

㈢「唐詩」、「宋詩」之爭有狹義和廣義的不同區分，本文所述爲廣義的「唐詩」、「宋詩」之爭。其前提是：「唐詩」與「宋詩」有區別，或曾有過狹義的「唐詩」、「宋詩」之爭的事實。在這樣的前提下，可以解釋何以產生多樣而複雜的論點，不拘於尊「唐」貶「宋」或崇「唐」抑「宋」的主張而已。

㈣「唐詩」、「宋詩」之爭，乃純就詩的範疇而言，一些選集收有非詩的部分，我們必須將之排除在外，以免混淆問題的界限。

㈤在「唐詩」、「宋詩」之爭中，免除不了會對唐代或宋代的詩有所抑揚，可是批評唐代或宋代的詩，卻並不一定就是「唐詩」、「宋詩」之爭的意見。

㈥論者比較唐代和宋代一些詩（或詩家詩派）的優劣，也不一定就代表了「唐詩」、「宋詩」之爭的表述，我們必須仔細地加以檢覈，始可確定。

㈦今人或承襲王國維「一代有一代之文學」的主張，遂重「宋詞」過於「宋詩」；或標榜通俗文學與白話文學，遂鄙薄元、明、清之詩史。凡此皆造成輕忽、漠視「唐詩」、「宋詩」之爭的態度。

【附註】

註一：見所著《中國文學批評史大綱》第一《緒言》，頁三，開明書局，民四十九年臺一版。

註二：例如楊松年《王夫之詩論研究》第一章《緒論》就有一小節專門探討中國文學批評用語所發生之問題，是書提到黃兆傑、徐亮之、王瑤等研究中國文學之學者亦有同感。頁一～頁十八，文史哲，民七十五年。又如黃維樑《中國詩學縱橫論》也指出：「論者常訾議詩話詞話的用語含糊不清」，頁八，洪範，民七十一年三版。對於這個問題，顏師崑陽、龔師鵬程、蔡英俊先生等學者嘗有心而積極地加以董理與介紹，讀者可參考《文訊月刊》中《文學批評術語辭典》部份。

註三：筆者所查過的工具書有：中華書局之《辭海》、三民書局之《大辭典》、臺灣商務印書館之《辭源》、中華學術研究院之《中文大辭典》、天成出版社之《文史辭源》、日人編之《大漢和辭典》、及中國文化大學與中華學術院編之《中華百科全書》。諸書或未收此二詞語，若有收錄，則皆取如是的解釋。

註四：當然也有學者不持如是的看法，如錢鍾書《新編談藝錄》之《一、詩分唐宋》載云：「唐詩、宋詩，亦非僅朝代之別，乃體格性分之殊。天下有兩種人，斯分兩種詩。」又如龔師鵬程也說過：「唐詩與宋詩，似乎不僅是時代的分劃，更有著本質上的差異，展現了不同的風格型態。」只是類此拔乎流俗的見解，僅為少數。斯言見《知性的反省——宋詩的基本風貌》一文，收於《意象的流變》一書中，頁二六八，聯經，民七十六。

註五：適合如是的定義，大概只有像《全唐詩》、《全宋詩》之類，以輯一代之詩為目的者。

註六：清宋犖《漫堂說詩》載：「明自嘉隆以後，稱詩家皆諱言宋，至舉以相訾謷，故宋人詩集，庋閣不行。」可知詩風轉變，有影響到宋人詩集之亡佚，也一定影響到「宋詩」的編纂，以致不若「唐詩」編纂之盛。另外，可參考龔師鵬程《江西詩社宗派研究》第一卷，頁二四～二七，有談到宋人詩集闕逸的情形，及其原因，文史哲，民七十二年。

註　七：吳氏《宋詩鈔・序》云：「萬曆間李蓘選宋詩，取其遠離於宋而近乎唐者。曹學佺亦云選始萊公，以其唐調也。以此義選宋詩，其所謂唐，終不可近也，而宋人之詩則已亡矣。」，世界書局。

註　八：清翁方綱《石洲詩話》卷三，亦論及此，見《清詩話續編》頁一四〇二，藝文。

註　九：嚴羽自己說：「後舍漢魏而獨言盛唐者，謂古律之體備也。」（《滄浪詩話。詩辯》）本此固可以知道他爲何獨標榜「盛唐」，也讓我們知道考慮嚴氏的「盛唐」，不能忽略漢魏之詩。

註一〇：見《明史》卷二百八十六，列傳第一百七十四，文苑二，《李夢陽傳》，頁七，臺灣中華書局，四庫備要本。

註一一：見《四庫全書總目提要》卷一百七十一，評《空同集》。又今人郭紹虞也有相近的看法，見所著《中國文學批評史》下卷第三篇第三章，頁一八二，臺灣明倫書局。

註一二：《新唐書》卷二百一，《文藝傳序》載：「唐有天下三百年，文章無慮三變，高祖太宗，大難始夷，沿江左餘風絺句繪章，……。玄宗好經術，群臣稍厭雕琢，……是時唐興已百年，諸儒爭自名家。大曆正元間，美才輩出，……於是韓愈倡之，柳宗元、李翺、皇甫湜等和之，……然爲一王法，此極也。」，頁一，書同註九。

註一三：同註一〇，附《林鴻傳》，頁一。

註一四：見《唐詩品彙總敍》，頁一～頁二，臺灣商務，四庫珍本。

註一五：見明胡震亨《唐音癸籤》卷三十《集錄一》，頁八，臺灣商務，景印文淵閣四庫全書本。

註一六：見《萇園詩說》卷之三，收於《清詩話續編》頁一六〇七，藝文。

註一七：王世貞《藝苑卮言》卷四載：「詩至大曆，高岑王李之徒，號爲已盛。然才情所發，偶與境會，了不自知其墮者，如……非不佳致，隱逗漏錢劉出來。至『百年强半仕三已，五畝就荒天一涯。』便是長慶以後手段，吾故曰：『衰中有盛，盛中有衰，各含機藏隙。盛者得衰而變之，功在創始。衰者自盛而沿之，弊繇趨下。」

註一八：見嚴羽《滄浪詩話．詩辯》。又可參考本文第三章第二節，談及嚴羽部份。

註一九：見《四庫全書總目提要》卷一百七十五，評高棅之《嘯臺集附木天清氣集》，藝文。

註二〇：書同註一九，卷一百九十六，評林鴻之《鳴盛集》。

註二一：書同註一九，卷一百八十九，評高棅之《唐詩品彙附拾遺》。

註二二：見所撰《清代詩學初探》第三章《擬古運動與反擬古運動》，頁一二五，牧童，民六十六年。

註二三：明胡震亨《唐音癸籤》卷一載：「今考唐人集錄所標體名，凡效漢魏以下詩，聲律未叶者名往體。其所變詩體，則聲律之叶者，不論長句絕句，概名爲律詩，爲近體。」，臺灣商務，景印文淵閣四庫全書本。

註二四：引自楊家駱所編《中國文學百科全書》之《唐詩選本中所見之唐詩觀念變遷》一條，該條出自陳子展《中國文學史講話》。楊氏之書爲頁文—〇—二一七，鼎文，民六十五年七版。

註二五：本文所謂的「風格」，是指作品表現出來的藝術形相，用今人的術語來說，比較類似「體貌」。而作家風格，則强調個別的主體性。可參考姚一葦《藝術的奧秘》第十章《論風格》，及徐復觀《中國文學論集》內之《文心雕龍的文體論》二文。

註二六：郭紹虞先生說：「此種分體（案：郭氏之言含以時與以人而分體），本只能論其大概，故滄浪……又云：『權德輿或有似韋蘇州劉長卿處』，『李頻不全是晚唐，有似劉隨州處。』則知以人而分之體亦是不能泥求的。……蓋此類分體，有出時人論定者，有出個人臆見者，故重複疎漏勢所難免，若泥而求之，則排之者固非，信之者更難免矮人觀場、隨聲附和之譏。」可謂允論，見《滄浪詩話校釋》，頁六三，東昇，民六十九年。

註二七：見所著《嚴羽及其詩論之研究》第五章第一節《辨家數體製》，頁二一五，文史哲，民七十五年。

註二八：見《誠齋詩話》，收於丁福保輯《續歷代詩話》，頁一五〇，藝文。

註二九：例如梁石就曾批評說：「至於唐代詩人的作風問題，論者更多。因爲其間詩人多而作品繁，研究唐詩的人往往把他們作科學性的論列，加以派系，普通分爲：

(1)綺靡派　以沈、宋、及四傑爲代表。
(2)反動派　以陳子昂、張九齡等爲代表。
(3)邊塞派　以王昌齡、岑參爲代表。
(4)自然派　以王維、李白爲代表。
(5)社會派　以杜甫、白居易爲代表。
(6)怪誕派　以孟郊、賈島、韓愈爲代表。
(7)脂粉派　以李商隱、杜牧等爲代表。

也有人分爲：

(1)神韻派　以李、杜爲代表。
(2)氣概派　以陳子昂、岑參等爲代表。
(3)性靈派　以元、白爲代表。
(4)豔情派　以小杜、李商隱等爲代表。

無論把他們分作四派也好，七派也好，或分爲十派九系也好，這種分法都有不當之處很多。現代寫文學史的人，多說派系，……這些觀念和手法，我都認爲不對和不通的。」，見《中國詩歌發展史》，頁一七一，經氏出版社，民六十五年。

註三〇：龔師鵬程極力反對此種體、派不分的情形，他認爲宋代只有江西詩派和睦州詩派可言派，其它之言派者，「乃清人不解宗派名義者之瞽談」。不過，這已是對歷史的反省與批判，本文則先介紹宋、元、明、清人之分法，暫不及此。

註三一：梁氏所引之另五條分別是一、《四庫全書總目提要》卷一百九十評《御定四朝詩》。二、元戴表元《序洪潛甫詩序》。三、元袁桷《書湯西樓詩後》。四、元方回《序羅壽可詩序》。五、宋嚴羽《滄浪詩話》。這些可合並加以參考。見所著《宋詩派別論》內之《分派法之商榷》一文，頁二～頁五，東昇，民六十九年。

註三二：如清陸鎣《問花樓詩話》就非常推崇歐陽修，卷二載云：「先廣文云：宋人譚詩，舍歐陽而崇蘇黃，亦是一病。」即是。南宋之劉克莊特別推崇梅堯臣與陸游，許之曰宋代之「集大成者」，可抗衡唐之李、杜，見《後村先生大全集》卷九十九《李賈縣尉詩卷跋》。清賀裳《載酒園詩話》則許王安石爲「宋詩中第一」。

註三三：七子影響到清代的詩壇，一般較少論及於此。事實上如明末清初的雲間詩派，及孫廷佺、曹貞吉等人，皆曾奉七子者。

註三四：見《四庫全書總目提要》卷一百九十五・評《彥周詩話》。

註三五：同註三四。

註三六：見《載酒園詩話》卷一《詠物》一條，頁二二五，收於《清詩話續編》，藝文。

註三七：除陸侃如、馮沅君之《中國詩史》外，陳鐘凡之《中國韻文通論》亦然。

註三八：幾乎坊間可見之書，多詳於唐詩而略於宋詩，如胡懷琛《中國文學史概要》、胡毓寰《中國文學源流》、趙景琛《中國文學史新編》、歐陽溥存《中國文學史綱》、劉麟生《中國文學史》等等都是。

註三九：見所著《北宋六大詞家》之《前言》，頁三，王貴苓譯，幼獅，民七十五。

註四〇：此一分法，始自鄭振鐸《中國俗文學史》之作。

註四一：此一分法，始自胡適《白話文學史》之作。

註四二：見所著《元明詩概說》之《序章》，頁七～一〇，鄭清茂譯，幼獅，民七十五。

第三章 「唐詩」、「宋詩」之爭的歷史概述

小引

本章旨在介紹「唐詩」、「宋詩」之爭演變的歷史，從唐初一直到清末，共一千多年的時間。這一段文學思想發展與演變的歷史，有時由創作實踐中反映出來，有時在理論主張中直接表述，而更常表現在二者交錯糾纏之中。所以此一「詩歌思想史」，雖然和詩史、詩歌批評史的關係極爲密切，卻有著自身發展的脈絡，與詩史、詩歌批評史並不是完全相同。

基本上，我們看待歷史的進行，並非如樂觀的進化論者或保守的崇古主義者所認爲漸佳或漸劣的的線性軌迹。我們以爲歷史之進行是正反迭蕩波動而發展，一種辯證而複雜的歷程（註一）。此外，我們亦認爲許多在理論層面似乎截然區分、互相排斥的概念，歷史事實的發展卻是漸進而成，並非突然發生、毫無徵兆可尋。例如「宋詩」的作品固以宋代爲主；可是我們認爲早在唐代「唐詩」盛行之時，即有近似「宋詩」的作品產生，逗啓宋人。本文就是持這種辯證而漸進的史觀，來介紹「唐詩」、「宋詩」之爭存在的狀況。

「唐詩」、「宋詩」之爭的發展與演變，自然地形成一個個的時間段落，有其明顯的特色可尋。因此，我們將摒棄一般《文學史》、《文學批評史》依朝代與政治而做的分期（註二）。雷・韋勒克（RENÉ WELLEK）說得好：「文學分期應該純粹按照文學的標準來制定。」（註三）又說：「一個時期不是一個類型或種類，而是一個以埋藏於歷史過程中，並且不能從這過程中移出的規範體系所界定的一個時間上的橫斷面。」（註四）準此，本章針對這一千多年的「詩歌思想史」，劃分為四期：

一、唐初到北宋末，約五百多年，為基礎與蘊釀期。
二、南宋初到元初，約一百多年，為江西詩派主導期。
三、元初到明末清初，約三百多年，為盛唐詩主導期。
四、清初到清末民初，將近三百年，為百家爭鳴期。

每一時期之特色即如所標之名，第一期為「唐詩」、「宋詩」之爭的歷史基礎，雖非正式開始，但已有朕兆可尋，故亦為蘊釀時期。第二、三期分別為江西詩派、盛唐詩所主導，一方面指其聲勢最大，另一方面指「唐詩」、「宋詩」之爭的各種思想由其引發。第四期則各種思想風起雲湧，諍辯極熾，故曰「百家爭鳴期」。

在介紹本章各節時，我們將儘量本著描述性的立場，避免直接加以抑揚、褒貶。不過，我們也知道在章節的安排設計與敘述篇幅的裁剪等，都難免會流露出筆者個人之「史」觀。我們則希望本文仍能符合史實，並不因此而降低了它的可信度。

第一節　基礎與蘊釀期（唐初到北宋末）

甲、「唐詩」作品逐漸地產生

唐五代近三百四十年的時間，詩歌的發展除了擺脫齊梁綺靡文風的影響，亦逐漸地產生後代所謂「唐詩」的作品（註五）。如前所述，後人喜歡就此一時期而分初、盛、中、晚唐，或區分體製和作家風格；各因「性情之所近」、「風氣之所趨」，舉此一時期的某類作品代表「唐詩」。這就說明了有「唐詩」作品逐漸地產生，人們才有可能在這些實際創作的成績上思考「唐詩」的概念，或將之視爲學習的典範。也惟有如此，「唐詩」、「宋詩」之爭始有存在的可能。

乙、唐人選唐詩的意義

大約與「唐詩」作品逐漸地產生的同時，唐人也開始對「唐詩」的概念加以思考；由於唐人罕有談詩論藝之作（註六），所以，大多表現於唐人選唐詩的選集裏。據明人毛晉所編《唐人選唐詩》一書，計有八種選集：

御覽詩一卷　　　　唐・令狐楚編

篋中集一卷　唐・元結編
才調集十卷　五代・韋縠編
極玄集二卷　唐・姚合選
中興間氣集三卷　唐・高仲武集
中興間氣集補遺
河嶽英靈集三卷　唐・殷璠集
國秀集三卷　唐・芮挺章集
搜玉小集一卷　唐・不著編人

其中《篋中集》後文會再詳述，《搜玉小集》由於不著編人，也不見序文，誠如羅根澤先生說：「選集的旨趣，無由探悉。」（註七）其它雖也有並錄已作（如《國秀集》），招惹不足爲訓之譏（註八）。然各書編選的主要着眼點，既不是同人宴會之集（如《高氏三宴詩集》），友朋唱和之錄（如《松陵集》），也不是兄弟合集（如《竇氏聯珠集》）、或專取一地（如《宜陽集》）；而在於汰取唐代詩歌的精華，具體表現了唐人對「唐詩」概念的思考結果。

殷璠、芮挺章、高仲武、韋縠分別地在其序言裏說明了編選的動機與目的。

△璠不揆，竊嘗好事，願刪略群才，贊聖朝之美，爰因退跡，得遂宿心。……如名不副實，才不合道，縱權壓梁竇，終無取焉。（《河嶽英靈集序》）

△自開元以來，維天寶三載，譴謪蕪穢，登納菁英，可被管絃者，都爲一集。……今略編次，……爲之小集，成一家之言。（《國秀集序》）

△武不揆菲陋，輒罄謏聞，博訪詞林，采察謠俗。起自至德元年首，終於大曆末。……今之所收，殆革斯弊（案：指悅權右、媚薄俗），但使體格風雅，理致清新，期觀者易心，聽者竦耳，則朝野通載，格律兼收。自鄶以下，非所附麗。（《中興間氣序》）

△暇日因閱李杜集、元白詩，其間大海混茫，風流挺特，遂採摭奧妙，……曰《才調集》。庶幾來者不謂多，言他代有人，無嗤薄鑒云爾。（《才調集序》）

可見他們並非將唐代的詩不分菁華糟粕，照單全收。觀「刪略群才」、「譴謪蕪穢」、「自鄶以下，非所附麗」諸語，可知他們意在汰取唐代詩歌的精華。有時爲了維持選詩的標準，甚至會特別標榜自己不畏權勢，不媚俗風的作法。

《御覽詩》一名《唐歌詩》（註九），乃令狐楚奉唐憲宗的勅令而編。《四庫全書總目提要》稱楚之詩「氣格色澤皆與此集相同」，進而評此集乃令狐氏「取其性之所近」（註一〇）。據此，可知令狐氏亦有他自己選詩的標準。《極玄集》前人多所推崇，如元蔣易說：「唐詩數千百家，浩如淵海。姚合以唐人選唐詩，其識鑒精矣。然所選僅若此，何也？……武功去取之法嚴，故其選精。選之精，故所取僅若此。」（《極玄集序》）《四庫全書總目提要》也稱讚姚合「選錄是集，乃特有鑒裁。」（註一一）這兩本選集，也和前舉諸家之選近似。

今日看來，這些選集雖未標名「唐詩」，然而汰取唐代詩歌的精華，實際上就具體表現了唐人對「唐詩」概念的思考結果。《唐歌詩》此一書名，更明顯地透露了此中消息。毛晉總集之曰《唐人選唐詩》（註一二），大抵可謂得其情。此外，《新唐書・藝文志》裏錄有李戡的《唐詩》三卷及顧陶的《唐詩類選》二十卷，原書未見（註一三），據《樊川文集》與《全唐文》的記載（註一四），可知二書性質類似前舉諸選，然已直標「唐詩」之名，尤其值得重視。

唐人對於「唐詩」的概念，雖有爲後代所承襲者（註一五），卻大抵與後代有別。根據我們的統計，後人言「唐詩」喜歡舉的李白、杜甫、高適、岑參，諸選集編入的作品數目皆排不進前五名之列，王維、孟浩然入選的作品也排不進前二名。這一點，宋姚寬也說：「殷璠爲《河岳英靈》不載杜甫詩，高仲武爲《中興間氣集》不取李白詩，顧陶爲《唐詩類選》，如元、白、劉、柳、杜牧、李賀、張祜、趙嘏皆不收，姚合《極元集》亦不收杜甫、李白，彼必各有意也。」（《西溪叢話》卷上）姚氏雖代爲解釋「彼必各有意也」，事實上，則如前章所言，所謂的「唐詩」，往往「因人因時而意義有別」。

後代「唐詩」、「宋詩」之爭中，論者選唐詩，不惟具體表現了對「唐詩」概念的思考結果，也往往就是他們在「唐詩」、「宋詩」之爭中所持的主張。唐人選唐詩，實爲濫觴。

丙、北宋與唐詩的關係

一、蒐輯校錄唐人詩集

五代編的《舊唐書》，其《經籍志》所收唐代的別集類僅一百一十二家（沙門、婦人不算），多爲唐初時人，且詩文不分，如虞世南、王績、魏徵、上官儀、四傑、蘇味道、李嶠、陳子昂、沈佺期、宋之問、杜審言、劉希夷、閻朝隱等人。總集則唐代無書。相形之下，北宋初編的《新唐書》，其《藝文志》所收就豐富得多了。其中詩文已經分開，文集有三百零九人，詩集計一百三十七家（沙門、婦人不算），唐代重要的詩人，多已登錄。總集則唐代詩文有七十二本，除前述諸多的唐人選唐詩之外，同人宴會、友朋唱和、兄弟合集、專取一地（或婦人）的選集，也不在少數。

衆所周知，唐代詩作之盛，爲唐以前朝代所未有（註一六）。而《舊唐書》所收的詩集（含別集與總集）竟然如斯的少，固與唐末五代之戰禍兵燹所導致的典籍散逸有關（註一七），也應與五代不若北宋人的重視唐人詩集有關。《舊唐書・經籍志序》言：「據開元經篇爲之志。天寶以後，名公各著文章，儒者多有撰述，或記禮法之沿革，或裁國史之繁略，皆張部類，其徒實繁。臣以開元四部外，不欲雜其本部。」根本沒有提到唐人詩歌創作的成就，也毋怪乎與《新唐書》相較，所收的詩集顯得如斯的貧乏。

羅根澤先生說：「現在看來，『韓柳文章李杜詩』，眞如日中天，有目共睹。但這有目共睹的地位，雖基於韓、柳、李、杜的詩文造詣，可也不能埋沒宋初人的甄理與鼓吹。」（註一八）羅氏所據，爲北宋人對韓、柳、李、杜集的序跋文，其中說明了他們蒐輯遺逸、整理錯簡的情形。其實不僅僅是韓、柳、李、杜集而已；許多唐人詩集，也多虧北宋人的蒐輯校錄而存在，如新、舊唐書所顯示的差異即是。而這也顯示了北宋人重視「唐詩」的一面。

二、推崇與擬效唐人唐詩

大抵北宋人以唐人唐詩爲優秀的典範，力加推崇與擬效。出現在衆多的詩話、筆記、小說裏，「唐人」、「唐賢」就彷彿是佳作、好詩的代名詞，如：

△閩人有謝伯初者，字景山，當天聖景祐之間，以詩知名。……景山詩頗多，如……之類，皆無愧於唐諸賢。（歐陽修《六一詩話》）

△潘閬字逍遙，詩有唐人風格，有云：……僕以爲不減劉長卿。（劉攽《中山詩話》）

△蘇子瞻見之（案：指胡瑗《經采石渡》詩），疑唐人作，歎賞不已。（《輿地紀勝》，引自《宋詩紀事》卷二十五）

△（方惟深）凡有所作，荊公讀之，必稱善，謂深得唐人句法。（龔明之《中吳紀聞》卷三）

△寇萊公（案：指寇準）詩「野水無人渡，孤舟盡日橫」之句，深入唐人風格。（釋文瑩《湘山野錄》卷上）

所引例子，雖意在推崇時人之作，且有些推崇是否允當，尚有爭議（註一九）；卻也難掩北宋人對唐人唐詩的推崇之意。其中歐陽修、王安石、蘇軾都是有名的詩家，劉攽專精史學，文瑩是沙門釋子，立場雖不同，稱讚起時人的作品，卻異口同聲的說：「有唐人風格」、「無愧唐賢」等類的話。且類似而未舉的例子尚多，可知這是個普遍的現象，即唐人唐詩是此時人心目中優秀的典範，成爲諸人評價好詩的標準。

也有直接表述對唐人唐詩的推崇之意，如范仲淹《唐異詩序》稱讚唐代諸詩人說：「此皆與時消息，不失其正者也。」（註二〇）《新唐書・文藝傳序》也說：「唐有三百年，……言詩則杜甫、李白、元稹、白居易、劉禹錫；譎怪則李賀、杜牧、李商隱，皆卓然以所長爲一世冠，其可尚矣。」（註二一）前所舉的劉攽，更說明唐人唐詩之所以好、佳的原因：「管子曰：『事無終始，無務多業』此言學者貴能成就也。唐人爲詩，量力致功，精思數十年，然後名家。杜工部云：『更覺良工用心苦』。然豈獨畫手心苦耶！」（《中山詩話》）言下之意，隱然以唐人作詩的精勤精神爲值得學習的典範。

對於唐人唐詩此一典範，北宋人除極力推崇外，也在創作上勤加擬效。其中有明言倣效摹擬者，如《彥周詩話》所載：「錢希白內翰作《擬唐詩》百篇，備諸家之體。自序曰：『今之所擬，不獨其詞，至于題目，豈欲拋離本集，或有事迹，斯亦見之本傳。』故其《擬張籍上裴晉公詩》曰：……。擬古當如此，方可傳。」此言所舉之錢易，其擬不拘一家，範圍極廣，有百篇之多。且其摹擬尚有許多講究，從詞、題目、到事迹都加以注意；口脗間似以如斯的摹擬爲能事。許顗從而稱許爲可傳之作，殆亦贊同錢氏的意見。

大多數的北宋人雖不像錢氏那般的摹擬「唐詩」，卻也或多或少摹擬倣效唐人的作品，如：

楊億　《讀史斅白體》　（《武夷新集》）

宋祁　《擬杜子美峽中意》　（《景文集》）

司馬光《久雨效樂天體》　（《傳家集》）

劉敞《雜詩效玉川體》　（《宋詩紀事》）

劉攽《效白公詩》、《效韋蘇州古調詩》　（《彭城集》）

文同《遣興效樂天》　（《丹淵集》）

馮山《效皮陸體藥名詩寄李獻甫》　（《安岳集》）

梅堯臣《擬王維偶然作》、《擬李益竹窗聞風寄苗發司空曙》、《擬張九齡詠燕》、《擬王維觀獵》、《擬杜甫玉華宮》、《擬韋應物殘燈》、《擬韓吏部射訓狐》、《刑部廳看竹效孟郊體和永叔用其韻》　（《宛陵集》）

文彥博《效唐杜牧之對酒絕句》　（《潞公文集》）

韓維《擬杜子美體賦夏日閒居三章》、《和晏相公泛南湖韋家園過西溪至許家園效杜子美體》　（《南陽集》）

歐陽修《彈琴效賈島體》、《太白戲聖俞一作讀李白集效其體》、《刑部看竹效孟郊體》、《欒城遇風效韓孟聯句體》、《春寒效李長吉體》　（《文忠集》）

王安石《擬寒山拾得二十首》　（《臨川文集》）

蘇轍《效韋蘇州調嘯詞二首》　（《欒城集》）

黃庭堅《丙寅十四首　效韋蘇州幷序》、《戲書效樂天》　（《山谷外集》）

張耒《宮詞效王建五首》、《白樂天有渭上雨中獨樂十餘首倣淵明，予寓宛丘，居多暇日，時屢秋雨，倣白之作得三章》、《古意效東野二首》、《福昌秋日效張文昌二首》、《效白體二首》、《效白體贈楊補之》、《效吳融詠情》（《柯山集》）

秦觀《秋興九首》：《擬韓退之》、《擬孟郊》、《擬韋應物》、《擬李賀》、《擬李白》、《擬玉川子》、《擬杜子美》、《擬杜牧之》、《擬白樂天》（《淮海後集》）

釋覺範《效李白湘中體》（《石門文字禪》）

晁以道《因誦張司業「無時焚香作，有時尋竹行」之句，擬其體作》、《落花學義山》（《景迂生集》）

李之儀《讀吳思道藏海詩集傚其體》、《築城詞效張籍體》（《姑溪居士集》）

呂南公《夜擬李義山四更四點》（《灌園集》）

賀鑄《田園樂　甲子八月，與彭城詩社諸君會南臺佛祠，望田畝秋成，農有喜色，誦王摩詰田園樂，因分韻擬之，予得邮字。》、《擬王少伯新興　丁卯四月京師賦》、《擬溫飛卿甲子七月代王文舉賦》（《慶湖遺老詩集》）

唐庚《採藤曲效王建體》（《眉山詩集》）

所舉北宋詩人共二十二家（註二二），摹擬倣效的唐人包括二十四人，其中尤以白居易、杜甫、韓愈、孟郊、韋應物等人，較常成爲摹擬倣效的對象。此外，如和詩（註二三）、次韻（註二四）、用題（

註二五）、摘句（註二六）、集句（註二七）之作，雖然不是標摹擬倣效之名，卻也都是對於「唐詩」此一典範，勤於擬效的表現，本文不再一一詳舉。

北宋人至今仍有夢杜甫、夢李白的事蹟流傳。如狄遵度夢到杜甫自誦逸詩，醒來時只記得兩句，於是有《佳城篇續夢中作》一詩的創作（註二八）。郭祥正的母親夢到李白而生了他，當時多以太白之後身許之（註二九）。而郭氏《青山樓》卷七，亦整卷追和太白之作，刻意加以學習。類此的情形尚有不少（註三〇），雖隸屬神怪幻夢，不足確信，卻也從另一個角度反映了北宋人推崇與擬效唐人唐詩的普遍情形。

三、與唐詩的辯證關係

北宋人的推崇與擬效唐人唐詩，大抵如前所述。唯仍須注意下列四點事實，始能較深入地了解北宋與「唐詩」的關係：

㈠雖然大多數北宋人有摹擬倣效唐人的作品，甚且有人以摹擬「唐詩」爲能事者（如錢易就是），可是撏撦字句，近乎竊取的擬效，則廣受批評，以杜詩爲例，蘇軾、陳師道、葉夢得分別說：

△天下幾人學杜甫，誰得其皮與其骨。（《東坡集》卷十三《次韻孔毅甫集古人句見贈五首》）

△陳無己先生語余曰：「今人愛杜甫詩，一句之內，在竊取數字以髣像之，非善學者。學詩之要，在乎立格、命意、用字而已。……學者體其格，高其意，鍊其字，則自然有合矣。何必規規然髣像之乎！」（《珊瑚鉤詩話》卷三）

△今人多取其（案：指杜甫）已用字模放用之，偃蹇狹陋，盡成死法。不知意與境會，言中其節，凡字皆可用也。（《石林詩話》卷中）

蘇、陳與葉氏，於元祐、紹述之黨爭中，立場相反；可是，批評死擬杜詩字句的情形卻是一致的。就正面而言，諸氏強調其皮、其骨、立格、命意、用字、意與境會等等，無非要人「善學」杜詩而已。類此之意見（註三一），對於北宋不致走上一味摹擬「唐詩」的途徑，是有一定的影響。

㈡北宋人的推崇與學習唐人唐詩，是有特定的選擇，如徐復觀先生說：「他們所法的唐人，乃與其資性及其時代精神相近之唐人，……。換言之，他們實際是以自己爲主體，在傳承中作了選擇。」（註三二）這也就是爲什麼前舉明言擬效之唐人僅二十四人，其中又以白居易、杜甫、韓愈、孟郊、韋應物等人爲較常被摹擬的對象的原因。前章提到「宋詩」分體、派而有白體、崑體（法義山）、晚唐體、法李白韓愈、法杜甫等之順序與區別，原因也與此相同。

㈢北宋人對唐詩既有特定的選擇，對非特定選擇的其它詩人，復有所抑揚。楊億目杜甫爲「村夫子」（註三三）；歐陽修重視李白過於杜甫，後代甚至說他不喜杜詩（註三四）；蘇轍批評李白：「華而不實，好事喜名，不知義理所在。」（註三五）；韓維不喜白居易而說：「何事香山白居士，每嗟衰老亦言貧。」（註三六）；王安石對韓愈頗有微詞：「力去陳言夸末俗，可憐無補費精神。」（註三七）；陳師道也批評韓愈說：「退之於詩，本無解處，以才高而好爾。」（註三八）；謝薖則批評元白：「多織豔無實之語。」（註三九）凡此之批評，乃與其肯定唐人唐詩同時並存，爲一體的兩面，並非相互矛盾。

(四)除「唐詩」爲推崇與擬效的主要典範外，北宋人也極推崇、擬效陶潛。蘇軾「前後和其詩，凡百數十篇」（註四〇），固不待言。其它擬效和韻者尚有：

劉敞《效陶潛體》（《公是集》）

梅堯臣《擬陶潛止酒》（《宛陵集》）

韓維《效陶呈景仁》（《南陽集》）

晁補之《飲酒二十首同蘇翰林先生次韻追和陶淵明》（《鷄肋集》）

李之儀《讀淵明效其體十首》（《姑溪居士集》）

此外，讀其詩，慕其人，推崇之意溢於言表者，多得不可勝數（註四一）。陶潛之外，詩經、楚辭、漢魏樂府與古詩、玉臺詩、阮籍、謝靈運、鮑照、何遜、徐陵、庾信等，亦間或有人加以推崇與擬效（註四二）。

北宋與「唐詩」是一種辯證的關係。北宋人由對「唐詩」的重視，進而加以蒐輯校錄。同時以之爲優秀的典範，力加推崇與擬效；復有所選擇、有所批判，反對一味的摹擬。且在「唐詩」之外，尚廣泛地推崇與學習唐以前優秀的詩作。由此，詩歌的發展到了北宋，不致成爲「唐詩」的複製品，而爲「變化於唐而出其所自得」（註四三）的「宋詩」的形成，提供了可能的基礎。

丁、「宋詩」作品逐漸地產生

一、唐代的蘊釀

對「宋詩」的溯源尋始，不得不歸諸唐代的蘊釀。蓋彼時已有近似「宋詩」的作品產生，逗啓宋人。一開始，數量固然極微，卻也不能說完全沒有端倪。例如岑參，清賀裳說：「嘉州《東亭送李司馬詩》……其下『簾前春色應須惜，世上浮名好是閒。西望鄉關腸欲斷，對君衫袖淚痕斑。』四句，竟開宋人門戶。」（《載酒園詩話》），雖然不過是半首詩，卻也說明並非絕對沒有。常建則稍多一些，清毛先舒說：「盛唐七絕，常建最劣，高得中唐，卑入宋格，如『過在將軍不在兵』是也。」（《詩辯坻》卷第三）毛氏所說，也不過是常建的七絕詩而已。若賀、毛二氏所言不謬，岑參、常建較之其所處時代的衆多詩人與作品，雖然只是少數而已，卻也有近似「宋詩」的作品的端倪可尋。

開元末，最常代表「唐詩」的盛唐發展到了極致，繁榮富庶的社會的黑暗面也逐漸地暴露出來。天寶十四年，安史之亂暴發，唐代的歷史開始由盛轉衰。因應社會歷史，繼續詩歌的發展，勢不能不有所變化。就中以元結和杜甫描寫民生疾病的創作傾向最爲代表，也因此而逗啓宋人不少。元結編《篋中集》，共選七人：沈千運、王秀友、于逖、孟雲卿、張彪、趙微明、元季川，詩二十四首。元結及這些作品的特色，都傾向於率直地描寫窮困的苦楚、人生的悽惻、社會的黑暗，確如《篋中集》序說：「凡所爲文，皆與時異。」清吳喬說：「元結、沈千運是盛唐人，而元之《舂陵行》、《賊退詩》，沈之『豈是林園主，卻是林園客』，已落率直之病。……宋人雖率直而不迫切。」（《圍爐詩話》卷之二）雖然吳氏認爲元結諸人的作品稍嫌迫切，不過就率直而言，二者已非常類似。

杜甫影響宋人極深，大量反映民生疾病的作品，比元結更加深刻，影響也更爲廣遠。以樂府爲例，楊倫說：「自六朝以來，樂府題率多模擬剽竊，陳陳相因，最爲可厭。子美出而獨就當時所感觸，上憫國難，下痛民窮，隨意立題，盡脫去前人窠臼，《苕華》、《草黃》之哀不是過也。樂天新樂府《秦中吟》等篇，亦自此出。」（《杜詩鏡銓》卷五）一方面指出了杜甫與其前之詩的差異，另一方面也提及杜甫影響白居易的情形；而從杜甫到白居易到「宋詩」，這是一線的發展。幾乎後代提及「宋詩」的特色，我們在杜詩裏都可以找到類似的例子。如嚴羽抨擊「宋詩」的三大特色：「以文字爲詩，以才學爲詩，以議論爲詩。」（《滄浪詩話・詩辯》）其中以文字爲詩，指重煉字琢句的傾向（註四四），杜甫煉字的功力極高，幾乎到了一字之下，無法移易的地步。如《六一詩話》所載：「陳公（案：指舍人從易）偶得杜集舊本，文多脫誤，至《送蔡都尉詩》云：『身輕一鳥』，其下脫一字，陳公因與數客，各用一字補之，或云『疾』、或云『落』、或云『起』、或云『下』，莫能定。其後得善本，乃是『身輕一鳥過』，陳公歎服，以爲雖一字，諸君亦不能到也。」就是很好的例子，其它杜詩煉字的例子尚多（註四五），此處僅舉一以概其餘也。煉句亦然，如《秋興八首》裏的「香稻啄殘鸚鵡粒，碧梧棲老鳳凰枝。」（《杜詩詳註》卷之十七）就是特意倒裝、錯綜的句法，可知他是自覺地在這方面用心下功夫。以才學爲詩，指在詩中表現才學，最常見到的則是典故的使用（註四六）。

杜詩用典之貌，明王世懋說得好：「杜子美出，而百家稗官，都作雅言；馬浡牛溲，咸成鬱致，於是詩之變極矣。」（《藝圃擷餘》），而之所以能如此，殆與其「讀破萬卷書，下筆如有神」（註四七）有關。最值得一述的是，杜詩用典之高明，已至於化的境界。如《春望》詩中的「白頭搔更短，渾欲不勝簪」，即使不明典故所出，也無礙對詩意的理解。《杜詩鏡銓》、《讀杜心解》即皆未加註解。《杜詩詳註》雖加註釋，也不過指出：古樂府有「白頭不相離」、《詩經》有「搔首踟躕」、鮑照詩有「白髮零落不勝簪」等詩句，爲此詩辭句之所出。事實上，張師夢機則指出此典故之所出：「張茂先謂其子曰：『利名摯鎖，未遂山林之興，短髮稍白，渾不勝簪矣。』」可知此一典故，連博學之註家也未注意到，更遑論一般讀者了。然明悉典故之所自出，無疑地更能幫助我們體會杜甫沈痛鬱致的心情（註四八）。宋人喜歡說「無一字無來處」（註四九），強調讀書、學問的重要，杜甫實爲之開先。以議論爲詩，指在詩中抒發議論的情形，清沈德潛說：「老杜古詩中，《奉先詠懷》、《北征》、《八哀》諸作；近體中，《蜀相》、《詠懷》、《諸葛》諸作，純乎議論。」（《說詩晬語》卷下）可知嚴羽所言的「宋詩」的三大特色，無不可在杜詩尋獲。

杜甫在後代有以其詩爲唐代的「變體」者（註五〇），今人或云：「唐人之開宋調者」（註五一）。實則杜甫居「唐詩」與「宋詩」的發展過程中，轉變而關鍵的地位；同時也是宋人極力推尊與效法的典範（幾乎就是最高典範），其崇高的地位也待宋人而後論定。日人吉川幸次郎說：「宋人心中的模範，詩人以杜甫爲第一。終唐之世，杜甫在詩史上的地位一直沒有十分確定。宋初亦然。只有到了北宋中期以後，大詩人如王安石、蘇軾、黃庭堅、陸游等，相繼從批評家的觀點大加推崇，又在各自的實際創作中，刻意加以仿傚追隨，才終於在中國文學史上，鞏固了詩聖杜甫的崇高地位，以至今日。因此，在某種意義上，宋詩的發展是一部認識杜甫、追隨杜甫的歷史。」（註五二）所言允爲諦論。

杜甫之後，不管是元白的尚實、尚俗、務盡，或韓門諸人的尚怪奇、重主觀（註五三），都可以統括在「元和體」一名之內（註五四）。他們的創作傾向雖異，但在上承杜甫（註五五），下啓宋人方面，卻相一致。明許學夷《詩源辨體》後集說：「宋人五七言古，出於退之、樂天爲多，其構設奇巧，快心露骨，實大變也。」上文提及北宋人較常擬效的唐人，除韋應物外，就是杜甫、白居易、韓愈、孟郊。一方面固可說北宋人的推崇與學習唐人唐詩，是有特定的選擇；另一方面，何嘗不是此諸人逗啓宋人而導致的結果。清葉燮說：「貞元、元和時，韓、柳、劉、錢、元、白鑿險出奇，爲古今詩運關鍵。」（《已畦文集》卷八《三代唐詩序》）「唐詩」與「宋詩」發展變化的關鍵，除元結、杜甫外，就是貞元、元和爲代表的「元和體」（註五六）。晚清推崇「宋詩」的同光詩派，即重視元祐與元和更甚於開元（註五七），依此，亦可知詩運之升降。

晚唐大抵承襲「元和體」諸詩人（註五八），唯發展不善，多爲人所詬病。後代厭惡「宋詩」者，有指其弊爲晚唐詩人所開、或晚唐之詩家類近宋人：

△義山七絕，使事尖新，設色濃至，亦是能手。間做議論處，似胡曾《詠史》之類，開宋惡道。

（清毛先舒《詩辯坻》卷第三）

△李義山……若「求之流輩豈易得，行矣關山方獨吟」，學杜而得其粗率者，又開宋人一派矣。

（清潘德輿《養一齋詩話》卷四）

△（皮日休、陸龜蒙）集中詩亦多近宋調，吳體尤爲可憎。（清賀裳《載酒園詩話》又編）

△（羅隱）……詩獨帶粗豪氣，絕句尤無韻度，酷類宋人，不知爾時何以名重至此！（同上）

△樂天之後，又有羅昭諫，安得不成宋人詩！（清吳喬《圍爐詩話》卷之五）

「宋詩」在唐代的蘊釀發展，龔師鵬程以「坎陷期」名晚唐詩風（註五九），頗能反映此一歷史事實。然晚唐亦非一無可取，北宋初有崑體、晚唐體，南宋末有四靈詩人，皆淵源於此，後代尚有以此爲「唐詩」的代表（註六〇）。雖是「宋詩」蘊釀發展的「坎陷」，卻不必定是「唐詩」發展的「坎陷」。

二、北宋的形成

與「唐詩」面貌迥異的「宋詩」，經唐代的蘊釀發展，至北宋而形成、確定。概略地說，北宋初，不管是效法白居易的「白體」，或學賈島、李賀的「晚唐體」（註六一），都尚未自覺地跨出「宋詩」的步伐。到了眞宗景德年間，楊億、劉筠、錢惟演諸人，館閣唱和，編有《西崑酬唱集》一書。是書之作，大抵遠承唐李商隱而又與之不同，當時號爲「西崑體」（註六二）。龔師鵬程認爲是「宋代詩學第一度自覺之創造與革新」（註六三），然諸人之作，雖或受到歐陽修、黃庭堅等人的讚許（註六四），而病其撏撦李商隱太過者，宋代已有伶人伴裝嘲諷的故事流傳（註六五）；後世甚至有不少人將李商隱與西崑體混爲一談（註六六）。此外，政治上的下詔禁絕（註六七），宋代文化走向的差異

（註六八），都使其很快地步上銷亡一途。

仁宗天聖年間，梅堯臣、歐陽修等推崇擬效韓孟諸人之詩，而論詩主含蓄與平淡（註六九），不僅取代西崑體的地位，而且與韓孟諸人排奡拗險之風不同。清楊壽枬說：「宋初詩人，尚沿中晚唐格律，歐梅出，唐音漸變，蘇黃出，而宋體始成。」（《雲薖詩話》）是以歐梅對「宋詩」的形成，具有實際開創之功。（註七〇）

「宋詩」的形成，主要是在神宗、哲宗時，可以王安石、蘇軾、黃庭堅三人爲代表。一般論「宋詩」者，較少提及王安石，徐復觀先生說：「積極奠定宋詩基礎的，應推王安石。王安石學博才高，思深律嚴，晚年所走路數，與山谷相同，而學問才氣及胸次遠過於山谷。宋詩之特徵，至他而始備。後人對宋詩所作或好或壞的批評，皆可在他的詩中看出，因宋人多反對他的新政，所以他在詩方面的影響，遠不及黃山谷。」（註七一）徐氏此言甚好。然而一方面王安石是有名的政治家，詩歌創作的成就反爲人所忽略；另一方面他論詩論文的作品絕少（註七二），實際影響不及蘇、黃二人。後代多以蘇、黃代表「宋詩」，罕及王氏，殆亦由此。

蘇軾和黃庭堅二人的詩歌成就，不僅使他們成爲「宋詩」最主要的代表，也實際影響到北宋後期詩歌的發展。劉克莊說：「元祐後詩人迭起，一種則波瀾富而句律疏，一種則鍛鍊精而性情遠，要之，不出蘇黃二體而已。」（《后村詩話》）劉氏之言，也大抵說出蘇黃二人詩風的差異。

戊、「唐詩」、「宋詩」之爭的端倪

在介紹《「宋詩」作品逐漸地產生》時，實已反映了「唐詩」、「宋詩」之爭隱約的端倪。蓋詩歌的發展，從「唐詩」逐漸地變化爲「宋詩」，詩家的創作除使其成爲歷史事實外，也反映了其對於「唐詩」與「宋詩」（或未形成）的意見。而崑體盛行的結果，是「唐賢諸詩集幾廢而不行」（註七三）。神宗、哲宗時，雖是「宋詩」形成的時期，彼時作詩也正是「無復有唐人風」（註七四）。可知「宋詩」作品並非單純地產生，也蘊涵了「唐詩」、「宋詩」之爭的端倪。

此外，「唐詩」、「宋詩」之爭的端倪，也表現在論者直接陳述的意見裏。如前文提及的元結、白居易、元稹等人，固然是唐代「宋詩」的蘊釀者，他們也都直接說出了對「唐詩」的不滿。元結說：

近世作者，更相沿襲。拘限聲病，喜尚形似；且以流易爲詞，不知喪於雅正，然哉？彼則指詠時物，會諧絲竹，與歌兒舞女，生汚惑之聲於私室可矣。若令方直之世，大雅君子，聽而誦之，則未見其可矣。吳興沈千運獨挺於流俗之中，強攘於已溺之後，窮老不惑，五十餘年。凡所爲文，皆與時異。故朋友後生，稍見師效，能似類者，有五六人。（《篋中集序》）

此序寫於乾元三年，文中說沈千運獨挺流俗已五十餘年。以是推之，元結批判的「近世作者」，指的應該是開元、天寶，即後世喜歡取以代表「唐詩」的盛唐諸詩家。羅宗強先生也解釋說：「顯然，他這裡所說的『指詠時物』，『以流易爲詞』，指的是盛唐詩壇的隨情性自由抒發，追求抒情特徵的傾向。」（註七五）而元結所肯定的，是合於「雅正」，《篋中集》所選也「與當時作者，門徑迴殊」（註七六）的諸詩家。白居易說：

> 唐興二百年，其間詩人不可勝數。所可舉者，陳子昂有《感遇詩》二十首，鮑防有《感興詩》十五首。又世之豪者，世稱李、杜，李之作，才矣奇矣，人不逮矣，索其風雅比興，十無一焉。杜詩最多，可傳者千餘首，至於貫串今古，覼縷格律，盡工盡善，又過於李。然撮其《新安吏》、《石壕吏》、《潼關吏》、《塞蘆花》、《留花門》之章，『朱門酒肉臭，路有凍死骨』之句，亦不過三四十首。杜尚如此，況不逮杜者乎！（《白氏長慶集》第二十八卷《與元九書》）

白氏的「風雅比興」偏向「惟歌生民病」（註七七）的作品，近於劉若愚先生所說儒家實用的詩觀：「基於文學是達到政治、社會、道德，或教育目的的手段。」（註七八）以此爲標準，即如「才矣奇矣」的李白，「盡工盡善」過於李白的杜甫，都不免有微辭，更遑論唐代其他人了。其中杜甫優於李白，元稹更從杜詩的藝術技巧加以肯定：

> 至若舖陳終始，排比聲韻，大或千言，次猶數百，辭氣豪邁而風調情深，屬對律切而脫棄凡近，則李尚不能歷其藩翰，況堂奧乎！」（《元氏長慶集》第五十六卷《唐檢校工部員外郎杜君墓係銘幷序》）

元氏尚且說自讀杜詩後，「始病沈宋之不寄興，而訝子昂之未暇旁備矣。」（註七九）。幾乎是以杜詩爲標準，對「唐詩」不盡滿意。從元結、白居易、元稹三人對詩歌的抑揚情形看來，我們不難尋獲

「唐詩」、「宋詩」之爭的端倪。

唐末對於元、白（尤以白居易為主）的正反意見，也隱隱透露了「唐詩」、「宋詩」之爭的端倪。皮日休正面肯定言：「余謂文章之難，在發源之難也。元、白之心，本乎立教，乃寓意於樂府雍容宛轉之詞，謂之諷諭，謂之閒適。」（《全唐文》卷七九七《論白居易薦徐凝屈張祜》）可謂對元、白推崇有加。張為《詩人主客圖》也極推崇白居易，其編排如下：

廣大教化主：白居易

上入室一人：楊乘

入室三人：張祜、羊士諤、元稹

升堂三人：盧仝、顧況、沈亞之

及門十人：費冠卿、皇甫松、殷堯藩、施肩吾、周光範、祝天膺、徐凝、朱可名、陳標、童翰卿。

姑不論其中有可以挑剔的疵誤（註八〇），張氏推崇白居易之意，極其明顯。今人王夢鷗先生認為「此圖既出，似頗見信於士大夫之林。」（註八一）王氏引唐末頗具文名的吳融，其為僧貫休所作的《禪月集序》之言：「昔張為作詩圖五層，以白氏為廣大教化主，不錯矣。」復言何光遠《鑑戒錄》卷五談十僧詩，曾引述吳融評騭主客圖之語，亦以為當時「公議」。王氏所言，可信度極高。

彼時批判元、白者，如杜牧引李戡的話說：

嘗痛自元和以來，有元、白詩者，纖豔不逞，非莊士雅人，多爲其所破壞；流于民間，疏於屏壁，子女父母，交口教授，淫言媟語，冬寒夏熱，入人肌骨，不可除去。吾無位，不得用法以治之。欲使後代知有所發憤者，因集國朝以來類于古詩得若干首，編爲三卷，目爲《唐詩》，爲序以導其志。（《樊川文集》卷九《唐故平盧軍節度巡官隴西李府君墓誌銘》）

李氏批判元、白，實即標榜「唐詩」，而獨挺於當時的「公議」之上。杜牧引此，應即贊同之。司空圖《與王駕評詩書》一文中，對賈島、劉得仁，及其前之唐代詩人皆多所推崇，也獨獨批評元白爲「力勍而氣孱，乃都市之豪估耳。」（《司空表聖文集》卷一）殆元白與司空氏標崇之「味在酸鹹之外」（此又後代喜舉爲「唐詩」的特色）的主張不合，而有以致之。顧陶《唐詩類選》也幾乎將唐代詩人蒐羅殆盡，獨缺元、白二家之詩。

元、白之詩，雖然還不是「宋詩」，卻是「唐詩」變化到「宋詩」的關鍵，對之加以正面的肯定、或反面的批判，其實已隱隱的透顯出「唐詩」、「宋詩」之爭的端倪。

這種現象，在北宋表現得更加明顯。前文《北宋與唐詩的關係》裏，筆者指出北宋人推崇時人之作，喜歡說「不減唐人」、「無愧唐賢」的話，這固然顯示出推崇「唐詩」的一面，但何嘗不是與「唐詩」抗衡，隱隱爲「唐詩」、「宋詩」之爭的端倪？北宋與唐詩乃爲一種辯證的關係，不徒一味的摹擬，而是有所選擇、有所批判，在選擇與批判間，其實何嘗無「唐詩」、「宋詩」之爭的端倪可尋呢？

進而言之，北宋人學習唐詩並非要成爲「唐詩」的複製品，而是學古與創新二者聯貫並進的思想。所以前文舉蘇軾、陳師道、葉夢得反對規規然之摹擬杜詩，而強調「善學」。此外，歐陽修、梅堯臣固然極推崇、擬效韓孟諸人（梅堯臣尙擬效其它唐人），卻也重視創新，如《六一詩話》載梅氏之言：「詩家雖率意，而造語亦難，若意新語工，得前人所未道者，斯爲善也。」一般人雖知黃庭堅重視杜詩韓文的「無一字無來處」，卻往往忽略了他是想由此而達到「最難」的「自作語」的境界（註八二）；當時的批評家魏泰雖抨擊黃氏，卻注意到了這一點，他說：「黃庭堅喜作詩得名，好用南朝人語，專求古人未使之事。」（《臨漢隱居詩話》）從學古到善學，從善學到創新，使得北宋雖學唐人，「以今日觀之，自是兩家。」（註八三）

這種創新的觀念，使北宋人不僅欲與「唐詩」並駕齊驅，有時甚至認爲已作（或時人之作）優於唐人。前述王安石稱讚方惟深「深得唐人句法」，同時王安石也說：「君詩精淳警絕，雖元、白、皮、陸有不可及。」（《中吳紀聞》卷三）以唐之此四人，不及方氏之作也。又《石林詩話》卷中載歐陽修之子的話：「先公平日，未嘗矜大所爲文，一日被酒，語棐曰：『吾《廬山高》今人莫能爲，惟李太白能之。《明妃曲》後篇，太白不能爲，惟杜子美能之，至於前篇，則子美亦不能爲，惟我能之也。』」後代雖有人力主非歐陽修之言（註八四），我們則認爲歐陽修說這話是可能的。蓋有創新的觀念，進而到以己作優於唐人，並不違背常理。張耒稱讚李援：「詩軸已三閱矣，韻格清奇，詞藻俊發，其于用事尤精穩。足下齒少而已能爾，何可量哉？唐人作詩用思甚苦，而所得無多。至有終身習之，而但一章數句便名世者，何足下取之容易，而用之不旣也。」（《柯山集》卷四十六《答李援惠詩書》）這就已經顯示出宋人評時人之作，不僅優於唐代少數詩家而已，甚至優於「唐詩」了，實際上，方惟深、歐陽修、李援的作品成就，是否眞的如諸書所記載，固然有待考證（註八五）。而就北宋人對待唐詩（或「唐詩」）與己作（或時人之作）間的抑揚褒貶，則是愈來愈顯露了「唐詩」與「宋詩」之爭。

北宋人之所以能學古與創新聯貫而並進，終於成就了與「唐詩」面貌迴異的宋詩，實爲「技進於道的詩學」（註八六）爲之根源。所謂「技進於道的詩學」其前提則是：「詩文與道旣非二物，詩文便非一純粹藝術創作品，其作者亦非純粹之詩人，『詩外別有事在』。」（註八七）如此，以「道」爲終極目的，並非否定藝術（及技巧），祇是不停滯於此而更上一層的追求。由是宋人以知性沈省的沈潛精神加以冥探幽索（註八八），以求達到「無意於文而意已至」（註八九）的境界。固雖講求「法」或技巧，亦必進於「道」而後已，不以是而自限。

由於如此的詩學意識，我們就更能理解北宋人以「道」而批評唐人與「唐詩」。蘇轍說：「唐人工於爲詩，而陋於聞道。」（《欒城三集》卷八《詩病五事》），前言其批評李白，原因則是「不知義理之所在」（引同上）。王安石批評韓愈，也是感歎「舉世何人識道具」（一本作「默默誰令識道眞」）（註九〇）。也由於「道」，北宋人重視治心養氣與讀書學問以求契合（註九一）。其中重視讀書學問處，成爲後人褒貶「宋詩」的一個重要所在。如《庚溪詩話》卷上載：「又一日（仁宗）與近臣論人材，因曰：『軾方古人孰比？』近臣曰：『唐李白文才頗同。』上曰：『不然，白有軾之材，無軾之學。』」在仁宗對李白、蘇軾的抑揚裏，「唐詩」與「宋詩」之爭的端倪，亦可得而見。

【附註】

註一：所謂的「辯證」，可參考唐君毅《哲學概論》第一部第十章《哲學之方法與態度》，裏頭介紹有多種意義的辯證法，頁二〇四～二〇五，臺灣學生，民七十四。又本文所持之史觀多本熊十力《十力語要》中所言者，不敢掠美，特爲說明，見是書卷一，頁八～頁九，洪氏，民六十四。

註二：幾乎坊間可見之書，多做如是的分法。就筆者所見有如下的書籍：劉大杰《校訂本中國文學發展史》、胡雲翼編著，江應龍校訂的《校訂本中國文學史》、梁石《中國詩歌發展史》、胡懷琛《中國文學史概要》、葉慶炳《中國文學史》、朱東潤《中國文學批評史大綱》、羅根澤《中國文學批評史》、日人古城貞吉《中國五千年文學史》等書。其中胡懷琛先生在序言裏說：「現在有許多人說：作文學史，不當用舊的政治上的時期來分期，……應當照文學的本身來分期，……。然我以爲這種分法空談未嘗不好聽，但事實上是很不適宜的。……我的意見，另劃時期，極不容易，所以還是以政治上的時代爲大綱，再將文學作品分爲若干細目去講，如此，比較的清楚，而且比較的完備。」固然注意到了這個問題，卻仍堅持己見。不純以朝代與政治而作分期之書簡直鳳毛麟角，如郭紹虞的《中國文學批評史》即是。

註三：見所撰《文學理論》第十九章《文學史》，頁三〇六，劉象愚、邢培明等譯，三聯，一九八三。

註　四：同註三。

註　五：論者有時連漢、魏詩而言「唐詩」，則不在此限。

註　六：嚴格說來，唐代談詩論藝的專門著作，以唐初與唐末五代的詩格、詩式之類的著作較多，內容多探討詩的形式技巧。其中司空圖《二十四詩品》偏向於論詩的風格，加上其主「味外之味」、「象外之象」的主張，影響後代甚鉅，其說可參考陳國球《二十四詩品導讀》，金楓，一九八七。

註　七：見所著《中國文學批評史》第四篇《隋唐文學批評史》，頁五五，學海，民六十七。

註　八：《四庫全書總目提要》卷一百八十六評《國秀集》云：「文章論定，自有公評，要當待之天下後世，何必露才揚己，先自表章，雖有例可援，終不可爲訓。」頁十五，藝文印書館。

註　九：見《四庫全書總目提要》卷一百八十六・評《唐御覽詩》，頁十六，書同註八。

註一〇：同註九，頁十七。

註一一：書與卷數同註八，評《極元集》，頁二十。

註一二：明胡應麟《詩藪》雜編二載唐人選唐詩，多達四十餘種，惜多亡佚不存。除毛晉所收《唐人選唐詩》外，坊間有河洛出版之排印本，則增入韋莊所選之《又玄集》。

註一三：二書亦未見於《四庫全書總目提要》中。

註一四：見《樊川文集》卷九《唐故平盧軍節度巡官隴西李府君墓誌銘》，上海商務，四部叢刊初編縮本。及《全唐文》卷七六五《唐詩後序》。

註一五：如清馮舒、馮班有《評點才調集》，藉之以排斥江西。又如王士禎編有《十種唐詩選》，除取毛晉之書之七家外（《搜玉小集》未收），尚有《又玄集》、《唐文粹》及王氏所選之《唐賢三昧集》；該書去取雖一以神韻爲宗，要亦多少受有唐人選唐詩之影響。

註一六：如胡雲翼云：「據《全唐詩》所錄，作者凡二千二百餘人，詩四萬八千九百餘首。這僅僅三百年的光景，流傳到今的詩的數量，已有從詩經以至六朝一千多年的詩的總量的幾倍！這樣迅速率的發展，在中國詩史上，實在開一新紀元。」胡氏所云甚是，見所著《唐詩研究》第一章《導言》，頁五，臺灣商務，民六十七臺七版。

註一七：當時帝王亦非不知聚書，然所得僅殘缺雜書，可參考《太平御覽》卷六一九，引《後唐史》之言。又據《文獻通考》卷一百七十四《經籍考一》亦有所載，當時雖詔下獻書，卻「罕有應者」。

註一八：見所著《中國文學批評史》第六篇《兩宋文學批評史》，頁三五，學海，民六十七。

註一九：如《四庫全書總目提要》卷一百五十二・評《寇忠愍公詩集》，就不以《湘山野錄》評準之詩爲然，其曰：「《湘山野錄》嘗稱其《江南春》二首，及『野水無人渡，孤舟盡日橫。』二句，以爲深入唐人格，則殊不然。……『野渡無人舟自橫』本韋應物《西澗絕句》，準點竄一二字改爲一聯，殊類生吞活剝，尤不爲工。準之詩自佳，此二句實非其佳處，未足據爲定論也。」，頁六，藝文。

註二〇：見《范文正公集》第六卷《唐異詩序》，頁五四，上海商務，四部叢刊初編縮本。

註二一：見《新唐書》卷二百一，頁一，臺灣中華，四部備要本。

註二二：所據詩集之版本，除《宋詩紀事》外，皆爲臺灣商務印書館之影印文淵閣四庫全書本。又隸屬南北宋交接之人物，多未列舉，以本節斷限至北宋而止，餘則待下節另述。

註二三：如郭祥正《青山集》卷七，有《追加李太白姑孰十詠》、《追和李白秋浦歌十七首》等作即是，頁一～頁九，臺灣商務，景印文淵閣四庫全書本。

註二四：如釋覺範《石門文字禪》卷五，有《次韻李太白》之作，頁三，書同註二三。

註二五：如張耒《柯山集》卷三，有《用劉夢得三題》之作，頁十五，書同註二三。

註二六：如黃庭堅《山谷集》卷五，有《謫居黔南五首摘樂天句》之作，頁十二，書同註二三。

註二七：如孔平仲有《集杜句寄孔元忠》之作，見《宋文鑑》卷第二十九，頁十四，書同註二三。

註二八：見《侯鯖錄》卷二所載，頁十，書同註二三。

註二九：見《苕溪漁隱叢話》前集卷三十七，所引《王直方詩話》、《潘子眞詩話》、及胡仔之自言，頁八～頁十二，書同註二三。

註三〇：如徐積有《夢李白》之詩，見《節孝集》卷十二。黃庭堅也有《夢李白誦竹枝詞三疊》之詩，見《山谷內集詩注》第十二卷。書皆同註二三。

註三一：宋人學古與創新是聯貫而並進的。要之，其乃從學古（以唐人唐詩爲主）進而要求善學，再由善學而至創新，使得與「唐詩」面貌迥異的「宋詩」得以形成，也隱隱透露了「唐詩」、「宋詩」的端倪，詳後文《「唐詩」、「宋詩」之爭的端倪》的介紹。

註三二：見所著《中國文學論集續篇》內之《宋詩特徵試論》，頁二九，臺灣學生，民七十三再版。

註三三：見宋劉攽《中山詩話》，收入清何文煥輯《歷代詩話》，頁二八八，漢京，民七十二。

註三四：劉攽《中山詩話》與陳師道《後山詩話》俱以歐陽修不喜杜詩，毛晉《六一詩話跋》與《四庫全書總目提要》卷一百九十五評《六一詩話》則力辨其謬。要之，歐陽修雖有《李白杜甫詩優劣論》之文，只能說他不是最喜歡杜詩罷了，後世因杜甫的地位日漸隆盛而定於一尊，以致歐陽修被誤解爲不喜歡杜詩。

註三五：見《欒城第三集》卷八《詩病五事》之作，頁八，臺灣商務，景印文淵閣四庫全書本。

註三六：見《南陽集》卷十四《讀白樂天傳及文集》之作，頁十六，書同註三五。

註三七：見《臨川文集》卷三十四《韓子》之作，頁十，書同註三五。

註三八：見所撰《後山詩話》。

註三九：見《竹友集》卷九《書元稹遺事》之作，頁三，書同註三五。

註四〇：引自蘇轍《欒城後集》卷二十一《子瞻和陶淵明詩集引》頁七，書同註三五。

註四一：事實上，像杜甫一樣，陶潛的地位也待宋人而後論定，宋蔡啓云：「淵明詩，唐人絕無知其奧者。」所言甚是。見郭紹虞《宋詩話輯佚》卷下《蔡寬夫詩話》第八條《唐詩人之宗陶者》語，頁三八〇，華正，民七十。

註四二：另北宋人推崇《詩經》、《楚辭》者極多，他們極爲推尊杜甫，往往就是因爲杜甫有承於二者之故。如張方平《讀杜工部詩》云：「雅音還正始，感興出離騷。」趙抃《題杜子美書實》詩云：「直將騷雅鎮澆淫，瓊貝千章照古今。」張耒《讀杜詩》云：「風雅不復興，後來誰可數？」知《詩經》、《楚辭》同杜詩一樣，爲北宋人之最高典範。此外，如晁補之有《擬古六首上鮮于大夫子駿》、黃庭堅有《擬古樂府長相思寄黃幾復》、梅堯臣有《

擬玉臺七首》、賀鑄有《擬阮步兵夜中不能寐　丙寅十月京師賦》、韋驤有《效謝宣城體呈同事》、張耒有《白紵詞二首效鮑照》、李彭有《曉發章水道……直效何水部體以寄恨》、黃庭堅有《清人怨戲效徐庾慢體三首》，凡此，皆可見他們推崇漢魏樂府，古詩及六朝諸家之作，進而加以擬效。

註四三：見清吳之振《宋詩鈔・序》，世界書局。

註四四：陳伯海先生亦主如是的說法，見所著《嚴羽和滄浪詩話》，頁十二，上海古籍出版社，一九八七。

註四五：此外，也可以參考宋葉夢得《石林詩話》卷中所載：「詩人以一字爲工，世固知之，惟老杜變化開闔，出奇無窮，殆不可以形迹捕。如『江山有巴蜀，棟宇自齊梁』。遠近數千里，上下數百年，祇在『有』與『自』兩字間，而呑納山川之氣，俯仰古今之懷，皆見於言外。《滕王亭子》『粉牆猶竹色，虛閣自松聲』，若不用『猶』與『自』兩字，則餘八言凡亭子皆可用，不必滕王也。此皆工妙至到，人力不可及，而此老獨雍容閒肆，出於自然，略不見其用力處。」乃知杜甫煉字之工的情形。見於清何文煥輯《歷代詩話》，頁四二〇～四二一，漢京，民七十二。

註四六：張師夢機言：「用典可區爲用事與用辭二端。事也者，古籍之所載，無論爲故實、爲寓言，凡可能附以入吾詩者，皆是也。……蓋詩不避陳言，凡經史子集之舊語、前人詩文之成辭，悉可剪裁入詩，此得謂之用辭。」案不管用事或用辭，皆不離典籍之精熟，以是之故，欲在詩中表現才學，典故之使用是最明顯的了。張師之言見《近體詩發凡》，臺灣中華，民七十三年四版。

註四七：見《奉贈韋左丞丈二十二韻》，《杜詩詳注》卷之一，頁七三，里仁，民六十九。

註四八：據此典故可知平日之「白頭搔更短，渾欲不勝簪。」已不堪悲，更何況戰時？此其所以沈痛鬱致之故。

註四九：如黃庭堅《答洪駒父書》第二首所言卽是，見《豫章黃先生文集》卷十九，頁二〇四，上海商務，四部叢刊初編縮本。

註五〇：如何景明《大復集》卷十四《明月詩序》之作卽是。又可參考簡恩定《清初杜詩學研究》第二篇第二章第三節《杜詩爲變體之說的闡述》，頁九六～一〇五，文史哲，民七十五。

註五一：見錢鍾書《新編談藝錄》之《一、詩分唐宋》一條。

註五二：見所著《宋詩概說》序章第十一節《宋詩在詩史上的意義》，頁五五，鄭清茂譯，聯經，民六十八。

註五三：本處所言元、白與韓門諸人之特色，乃採羅宗强先生之論，見所著《隋唐五代文學思想史》一書，第七章與第八章《中唐文學思想》，上海古籍出版社，一九八六。

註五四：「元和體」一名原指元、白相互酬韻的長篇排律及當時仿效之作，見白居易《餘思未盡，加爲六韻，重寄微之》一詩中之自註，及元稹《白氏長慶集序》、《上令狐相公啓》二文可知。不過「元和體」的概念卻逐漸地擴大，晚唐五代已以「元和體」指稱貞元、元和年間的詩風了。如李肇《國史補》卷下《敍時文所尚》一條載云：「元和以後，爲文筆，則學奇詭于韓愈，學苦澀于樊宗師，歌行則學流蕩于張籍，詩章則學矯激於孟郊，學淺切于白居易，學淫靡于元稹，俱名爲『元和體』。」卽是。又《唐語林》卷二《文學》，及《全唐文》卷八百七十二，張洎《張司業詩集序》亦有類似的記載。

註五五：如淸汪立名《白香山詩集序》云：「昔人謂大曆後以詩名家者，靡不由杜出，韓之《南山》、白之諷諭，其最著名矣。就二公論之，大抵韓得杜之變，白得杜之正，蓋各得一體而造乎其微者，故夫貫穿聲韻，操縱格律，肆厥排比，終不失尺寸，少陵而下，亦莫如二公。」可知中唐諸家承於杜甫者，頁一，臺灣商務，景印文淵閣四庫全書本。此外，可參考胡傳安《詩聖杜甫對後世詩人的影響》一書，幼獅，民七十四年四版。

註五六：詳註五四。

註五七：此本龔師鵬程之論。龔師據王遽常《沈寐叟年譜》光緒廿五年條。沈曾植復易三元之開元爲元嘉，足證開元之重要性不如元和，卽取消亦無礙也。詳《江西詩社宗派研究》第二卷之註釋三，文史哲，民七十二。

註五八：可參考龔師鵬程《江西詩社宗派研究》第三卷，頁一三九～一四八，論《晚唐坎陷期詩風之表現》，書同註五七。

註五九：同註五八。

註六〇：如南宋楊萬里、四靈詩人等卽是，詳下節《江西詩派主導期》一文。

註六一：據方回《桐江續集》卷三十二《送羅壽可詩序》所載，李昉、徐鉉、徐鍇、王禹稱、王漢謀諸人爲法白居易的「白體」，九僧諸人，則「晚唐體」最逼眞，寇準、魯三交、林和靖、魏野、魏閑、潘閬、趙湘諸人，詩風亦近似之。

註六二：如《四庫全書總目提要》卷一百七十四・評《西崑發微》云：「按《唐書・商隱傳》稱與溫庭筠、段成式俱以四六得名，號『三十六體』，則商隱所作別無西崑之名。楊億《西崑酬唱集序》稱取玉山册府之義，名曰『西崑』。則『西崑』之名又非商隱所作，此書標題先已失考。」雖是正名，卻也關乎二者異同之實情，頁十八，藝文。

註六三：詳《江西詩社宗派研究》第三卷，頁一五〇，書同註五七。

註六四：《六一詩話》載歐陽修稱讚《西崑酬唱集》諸人：「雄文博學，筆力有餘，故無施而不可。」，所批評者乃爭效之後學者，歐陽修云：「此自是學者之弊。」故未可言其主排西崑也。黃庭堅之於西崑諸人，有詩云：「元之如砥柱，大年若霜鶚。王楊立本朝，與世多郛郭。」（轉引自《隨園詩話》卷一）褒賞之意，溢於言表。

註六五：如《中山詩話》、《古今詩話》、《韻語陽秋》卷二皆載此故事。

註六六：如吳喬《西崑發微》即是，可參考註六三。

註六七：據《渭南文集》卷三十一《跋西崑酬唱集》，可知大中祥符間，嘗下詔禁之。

註六八：宋文化走向實乃重理、重道、重平淡，西崑諸作多偏向絢爛一類，所以與之有異。龔師鵬程即認爲：「西崑雖能掩脅一世，而終歸銷亡，非僅政治壓迫所能奏效，又與宋代之文化走向有關也。」見《江西詩社宗派研究》，頁一五二，文史哲，民七十二。

註六九：《六一詩話》載梅氏論詩云：「含不盡之意，見於言外。」此主含蓄也。又載云：「聖俞平生苦於吟咏，以閒遠古淡爲意。」此主平淡也。

註七〇：杜松柏云：「歐陽修不足以代表宋詩，其開拓之功，則爲論詩者所公認。」允爲確論。見所著《禪學與唐宋詩學》第二章《唐宋詩學述要》，頁一四五，黎明，民七十六再版。

註七一：見所著《中國文學論集續篇》一書內之《宋詩特徵試論》一文。頁三一，學生，民七十三再版。

註七二：可參考註七一之書，頁三三。

註七三：見《六一詩話》，收入清何文煥輯《歷代詩話》，頁二六六，漢京，民七十二。

註七四：《孫公談圃》卷中載：「公（案：指孫升）嘗學詩於孫莘老，嘗曰：『近世作詩，無復有唐人風。』」孫升、孫莘老約略爲紹聖間人，與蘇、黃同時。見頁十三，商務，景印文淵閣四庫全書本。

註七五：見所著《隋唐五代文學思想史》第四章《轉折時期（玄宗天寶中至代宗大歷中）文學思想（上）》，頁一三三，上海古籍出版社，一九八六。

註七六：見《四庫全書總目提要》卷一百八十六，評《篋中集》。

註七七：見白居易《白氏長慶集》卷一《寄唐生詩》，該詩又云：「不能發聲哭，轉作樂府詩。篇篇無空文，句句必盡規。」可參看之。頁六，上海商務，四庫叢刊初編縮本。

註七八：見所著《中國文學理論》第六章《實用理論》，頁二二七，杜國清譯，聯經，民七十四。

註七九：見《元氏長慶集》第三十卷《敍詩寄樂天書》，頁一〇六，上海商務，四部叢刊初編縮本。

註八〇：如羅根澤先生就曾批評說：「最奇怪的既以白居易爲廣大教化主，則上入室當然是元稹，今反以不知名之楊乘爲上入室，而元稹只算作入室子，……不惟高下倒置，亦且時代倒置。」，見所著《中國文學批評史》第五篇《晚唐五代文學批評史》，頁五一，學海，民六十七。

註八一：見所著《傳統文學論衡》一書內之《唐「詩人主客圖」試析》一文，頁二〇九，時報，民七十六。

註八二：之所以如此，徐復觀《宋詩特徵試論》指出乃緣於宋蔡夢弼《草堂詩話》採用黃庭堅《答洪駒父書》一文時，將「自作語最難」一句略去，後人輾轉鈔襲而致之。見《中國文學論集續篇》，頁四三，學生，民七十三再版。

註八三：所引出自《古今尺牘大觀》中編《論理類》第三冊裏《宋周紫芝見王提刑書》，原爲周紫芝認爲蘇軾雖學太白，御各自不同。筆者廣而論之，宋人學「唐詩」皆然，不獨蘇軾與太白而已。頁二十九，臺灣中華書局，民五十五臺二版。

註八四：如明王世貞《藝苑巵言》卷四載：「歐陽公自言《廬山高》、《明妃曲》，李、杜所不能作，余謂此非公言也。果爾，公是一夜郎王爾。」又陸鎣《問花樓詩話》卷二亦主非歐陽修之言。然二氏除認為歐陽修二詩不及李、杜外，並未說明任何原因。

註八五：如註八四之王世貞、陸鎣，即不以歐陽修二詩高於李、杜。

註八六：此為龔師鵬程之洞見，且首用此名辭以說明「宋詩」。可參考龔師《詩史本色與妙悟》、《江西詩社宗派研究》二書，及《知性的反省——宋詩的基本風貌》一文。

註八七：見龔師鵬程所著《知性的反省——宋詩的基本風貌》一文，收於《意象的流變》一書，頁二七三，聯經，民七十六。

註八八：同註八七。

註八九：見黃庭堅《豫章黃先生文集》卷十七《大雅堂記》云：「子美妙處，乃在無意於文。夫無意而意已至。」頁一八〇，上海商務，四部叢刊初編縮本。

註九〇：見《臨川文集》卷三十四《韓子》一詩，頁十，臺灣商務，景印文淵閣四庫全書本。

註九一：詳龔師鵬程《詩史本色與妙悟》第四章《論妙悟》，龔師本針對儒、道、釋三家而言「轉識成智」。三家修養的工夫各有不同，其中儒家重在「由道德意識顯露自由無限心」，其途徑即是治心養氣與讀書。

第二節　江西詩派主導期（南宋初到元初）

甲、「唐詩」、「宋詩」之爭的起點

北宋自蘇軾、黃庭堅出，「宋詩」始告形成。之後，雖遭到黨禁，二人詩文不准刊板流傳；然禁之愈急，貴之愈重（註一）。後金人入侵，又指名索取，朝廷雖下令毀書，二氏詩文則流傳依舊，影響仍存（註二）。北宋末南宋初，承蘇黃之餘緒，詩壇有三個現象值得注意：㈠論者於「唐詩」和蘇黃爲代表的「宋詩」間，已明顯地做評價性的判斷，或主「宋詩」，或尊「唐詩」，壁壘分明。㈡蘇黃二氏籠罩當時的詩壇，創作實踐反映著宗奉「宋詩」的思想。之中，金朝以蘇軾的影響較大，宋朝則黃庭堅的勢力爲盛。㈢金朝之詩論，主蘇與崇黃者有所爭執；南宋則於紹興三年，呂本中作《江西詩社宗派圖》，標舉黃氏與江西諸人，賦予江西詩派以歷史意義，不僅主導了南宋至元延祐初的詩風，此時「唐詩」、「宋詩」之爭的各種思想，亦由是衍發。此三現象，或理論直接陳述、或選擇而賦予歷史意義、或創作實踐反映，皆爲對「唐詩」、「宋詩」此二典範抑揚的具體表現，合而爲「唐詩」、「宋詩」之爭的起點。

據此，本小節先介紹論者於「唐詩」與蘇黃爲代表的「宋詩」之間的抑揚情形。次以《江西詩社宗派圖》爲重點，介紹江西詩派及其詩論。末述金朝詩風與詩論。

一、論者抑揚「唐詩」、「宋詩」

主「宋詩」者如陳與義云：「詩至老杜極矣，東坡蘇公、山谷黃公奮乎數世之下，復出力振之，而詩之正統不墜。然東坡賦才也大，故解縱繩墨之外而用之不窮；山谷措意也深，故游泳口味之餘，而索之益遠，大抵同出老杜而自成一家。」（引自《簡齋詩集引》）據此，可知陳氏於蘇、黃二人特色知之甚稔，俱加肯定，又以之爲承續杜甫的「正統」，可謂備極推崇。然於「唐詩」則云：「唐人皆苦思作詩。……故造語皆工，得句皆奇，但韻格不高，故不能參少陵逸步。」（引自《韻語陽秋》卷二）觀此，可知其於「唐詩」、「宋詩」間的抑揚情形。然陳氏於創作，一則云：「要必識蘇黃之所不爲，然後可以涉老杜之涯涘。」（引自《簡齋詩集引》），有其創新之意在；另一則云：「倘或能取唐人語而掇入少陵繩墨步驟中，此連胸之術也。」（引自《韻語陽秋》卷一），有其包容「唐詩」之意在。故評者或云：「亦江西之派而小異」（註三）、或云：「上下陶謝韋柳之間」（註四），實則「能卓然自闢畦徑」（註五），當時謂爲「新體」（註六）。又吳可云：「學詩當以杜爲體，以蘇黃爲用。……蓋杜之妙處於內，蘇黃之妙發於外。」（《藏海詩話》）仍是以蘇黃配杜，近乎陳氏之主「宋詩」。

另一方面，張戒不論在評鑒或創作上之主張，皆詆斥蘇黃不遺餘力。張氏通論古今云：「國朝諸人詩爲一等，唐人詩爲一等，六朝詩爲一等，陶阮、建安七子、兩漢爲一等，風騷爲一等。」（《歲寒堂詩話》）已明顯的區別「唐詩」與「宋詩」爲不同的等級。進而述其發展則云：「國風離騷固不論，自漢魏以來，詩妙于子建，成于李杜，而壞于蘇黃。」（引同前）殆以蘇黃爲風騷之罪人矣。論其弊則爲「子瞻以議論作詩，魯直又專以補綴奇字，學者未得其所長，而先得其短，詩人之意掃地矣。」（引同前）可見以蘇、黃爲代表的「宋詩」，於張氏心目中，不惟與「唐詩」不同的等級而已，幾乎就是「壞詩」的代名詞。故其語學詩者云：「蘇黃習氣淨盡，始可以論唐人詩。」（引同前）

張氏於蘇黃的意見，固與陳、吳二人極端相左；然推尊杜甫，則三人皆相同。張氏幾以杜甫爲古今第一大詩人（註七）；甫之外，風、騷、漢魏、陶阮、子建、太白，皆其推尊之對象，而冀學者與李杜爭衡。又據史料的記載，陳、張二人應彼此認識（註八）；然皆未載二人對「詩」意見上的爭議，此或因張氏之論，在當時僅爲少數人之意見，未足與陳氏之主流者抗衡。故其云：「余之所論固未易爲俗人言也。」（引同前）雖有以自信，卻也可見當時詩風如是。然金源之尹無忌論詩則類於張氏，《歸潛志》卷八載：「趙閑閑嘗謂余言，少初識尹無忌，問：『久聞先生作詩不喜蘇黃，何如？』無忌曰：『學蘇黃則卑猥也。』」尹氏的詩『一以李、杜爲法』，趙秉文尚讚許其「甚似少陵」；可爲張氏異域之知音。

二、江西詩派的興盛

蘇軾、黃庭堅兩人多往返唱和、互相稱許，當時並稱爲「蘇黃」（註九）。然二氏詩風與論詩主張皆不同，也不免互有少許之微辭。蘇軾言：「讀魯直詩，如見魯仲連、李太白，不敢復論鄙事，雖若不入用，亦不無補於世也。魯直詩文如蝤蛑江瑤柱，格韻高絕，盤飧盡廢；然不可多食，多食則發風動氣。」（《東坡題跋》卷二《書黃魯直詩後二首之二》）雖褒賞之意多，然「不可多食，多食則發風動氣」之言，不得謂其對黃詩毫無異議。黃庭堅說：「東坡文章妙天下，其短處在好罵」（《豫章黃先生文集》卷十九《答洪駒父書》第二首）則明指蘇詩之短矣。

後來蘇軾影響金源甚深，此後文再述。於宋則黃庭堅的影響遠甚於蘇軾，法黃者甚多，可以陳師道爲代表。陳氏自云：「僕於詩初無師法，然少好之，老而不厭，數以千計，及一見黃豫章，盡焚其稿而學焉。」（《後山集》卷十四《答秦觀書》）此外，陳氏亦主張學杜甫應由黃庭堅入手，否則會失之拙易（註一〇）。之所以如此，一般多以蘇黃論詩與教法不同而有以致之：蘇主天成自得，教人雖易而學者難入；黃則講求布置，於「法」勘辯極峻，反易爲詩家所接受（註一一）。錢鍾書先生說：「北宋末南宋初的詩壇差不多是黃庭堅的世界，蘇軾的兒子蘇過之外，像孫覿、葉夢得等不捲入江西派的風氣裏而傾向於蘇軾的名家，寥寥可數。」（註一二）風會之轉移，由此可知。

紹興三年呂本中有《江西詩社宗派圖》之作（註一三），此書雖已久佚，然據《苕溪漁隱叢話》、《雲麓漫鈔》、《江西詩派小序》、及《小學紺珠》所載，可知其圖乃以黃庭堅爲詩社宗派之祖，所錄派中人物有陳師道、潘大臨、謝逸等二十多人，皆源出黃氏而入派（註一四）。此圖雖屢受批評與質疑（註一五），卻有三點值得注意：

㈠北宋末南宋初，宗奉黃庭堅者雖多，然此是由創作傾向而反映出來的歷史事實，固已隱隱的透露出「唐詩」、「宋詩」之爭的端倪。呂本中此圖則如龔師鵬程所言：「他給予歷史事實一種選擇和解釋，並使之成爲另一事實。選擇，表現了價值取向；解釋則是賦予意義。」（註一六）正因爲呂氏的選擇，我們看到了標舉「宋詩」（以黃庭堅爲代表）的開始。這是在「唐詩」、「宋詩」此二典範形成後，明確地標舉「宋詩」的具體表現。

㈡呂本中的解釋，可得而見者有二：

△其宗派圖序數百言，大略云：「唐自李、杜之出，焜燿一世，後之言詩皆莫能及。至韓、柳、孟郊、張籍諸人，激昂奮厲，終不能與前作者並。元和以後至國朝，歌詩之作或傳者，多依效舊文，未盡所趣，惟豫章始大出而力振之，抑揚反覆，盡兼衆體，而後學者同作並和，雖體制或異，要皆所傳者一，予故錄其名字以遺來者。」（《苕溪漁隱叢話》前集卷四十八）

△呂居仁作《江西詩社宗派圖》，其略云：「……五言之妙，與三百篇，離騷爭烈可也。自李、杜之出，後莫能及，韓、柳、孟郊、張籍諸人，自出機杼，別成一家。元和之末，無足論者，衰至唐末極矣。樂府長短句，有一唱三歎之音。國朝文物大備，……歌詩至於豫章始大出而力振之，後學者同作並和，盡發千古之秘，亡餘蘊矣。錄其名字曰江西宗派，其源流皆出豫章也。」（《雲麓漫鈔》卷十四）

這兩段文字略有同異，可注意者有二：一、標舉黃庭堅及江西諸人，乃因其能繼李、杜而與之並立。二、由唐至北宋末，除李、杜與黃氏諸人外，雖有別成一家者，「終不能與前作者並」；其餘則更不足論。由呂本中的解釋，我們知道他賦予黃庭堅及其宗奉者極高的意義，初衷本非排斥以李、杜爲代表的「唐詩」，不過是雖懸李、杜，而著重仍在黃陳江西諸人。

㈢經過呂氏的選擇與解釋後，不僅成爲一新的歷史事實，且予當時詩壇以極大的影響。呂本中本來說：「近世欲學詩，則莫若先考江西諸派。」（《童蒙訓》）後來則學黃、學江西者蔚爲極盛，除派內之二十多人外，又如：

△（吳儆）爲詩文皆意境劖削，於陳師道爲近，雖深厚不逮而模範略同。（《四庫全書總目提要》卷一百五十九評《竹洲集》）

△（周孚）學詩初學陳師道，進而學黃庭堅。（同上評《蠹齋鉛刀編》）

△（滕丞）……自謂高視大歷十才子。……大抵皆江西體也。（《嚴州府志》，《宋詩紀事》卷五十八轉引）

△（孫伯溫）豐城孫南叟嘗賦古風（按：指游麻姑山瀑布一詩）云云，甚有西江體。（《娛書堂詩話》）

△（釋如璧）德操詩蕭散不減鄱邠老。（《紫微詩話》）

類此之例極多，舉不勝舉。又具體推崇之者，如任淵有《山谷內集詩注》、《后山詩注》，史容有《山谷外集詩注》、史季溫有《山谷別集詩注》，黃罃有《山谷年譜》等皆是。當時理學家如陸九淵亦極其推崇江西詩派（註一七）。其聲勢與影響一直籠罩到元延祐初，歷久不衰，誠如傅璇琮先生所言：「幾乎沒有一個稍有成就的詩人不和它在創作上有過或多或少的聯繫」（註一八）；不惟詩人，批評家亦然。

以是之故，我們認爲從北宋末黃庭堅強勢的影響，到呂本中《江西詩社宗派圖》之作，爲一自然的歷史事實進到價值選取的表現，雖不廢李、杜，而標舉「宋詩」之意甚明。之後，此圖成爲另一新的歷史事實，宗奉者以創作傾向予以肯定。羅根澤先生以帶貶義的「下學法」形容之：「始創江西派的黃庭堅本來學杜，可是年事稍晚的陳師道就以學黃爲學杜階梯，宋末的江西餘裔更以稍前的江西諸子爲學黃、陳階梯。」（註一九）姑不論羅氏貶義的判斷正確與否，其所描述的歷程大抵符實。由是詩家純以黃陳江西諸子所代表的「宋詩」爲師，「知有江西而不知有唐」（註二〇），已稱得上是狹義的「唐詩」、「宋詩」之爭的一種表現。

江西詩派有其論詩的重點，李華卿先生云：「江西詩人之詩論，是山谷一派之緒餘，而另成一個系統。曾季貍《艇齋詩話》有一節云：『後山（陳師道）論詩說換骨，東湖（徐府）論詩說中的，東萊（呂本中）論詩說活法，子蒼（韓駒）論詩說飽參，入處雖不同，其實皆一關捩。蓋自山谷《奉答謝公定詩》有云：『自往見謝公，論詩得濠梁。』已重在『有所悟入』（見任淵註）則知傳江西衣鉢者，其論詩當然也重在『悟』了。」（註二一）此外，呂本中《夏均文集序》言其「活法」之淵源亦云：「近世惟豫章黃公首變前作之弊，而後學者知所趨向，畢精盡知，左規右矩，庶幾至於變化不測。」（引自《後村大全集》卷九五）其它云句眼、句法、響字等，亦皆和黃庭堅的關係極其密切（註二二）。

江西詩派於「唐詩」、「宋詩」的抑揚態度有三點值得注意。

㈠如陳與義所云：「學蘇者乃指黃爲強，而附黃者亦謂蘇爲肆。」（引自《簡齋詩集引》）江西諸人既以黃庭堅爲祖，主黃詩優於蘇詩乃當然之事。呂本中於《童蒙訓》云：「自古以來語文章之妙，廣備衆體，出奇無窮者，唯東坡一人；極風雅之變，盡比興之體，包括衆作，本以新意者，唯豫章一人，此二者當永以爲法。」明標文首東坡、詩主山谷之意；意下就「詩」而言，乃爲黃優於蘇，《江西詩社宗派圖》之作以黃庭堅爲祖，實也具體表現這層意思。

㈡錢鍾書先生云：「我們知道，黃庭堅是極瞧不起晚唐詩的：『學老杜詩，所謂「刻鵠不成尚類鶩」也；學晚唐諸人詩所謂「作法於凉，其敝猶貪，作法於貪，敝將若何？」』（案引文見《山谷老人刀筆》卷四《與趙伯充》）所以一個學江西體的詩人先得反對晚唐詩。」（註二三）此外，陳師道云：「後世無高學，舉世愛許渾。」（《後山詩逸》卷上《次韻蘇公西湖觀月聽琴》）也是卑視晚唐之意。凡此，皆可見江西詩派之輕視晚唐，其來有自。

㈢不惟晚唐，即盛唐（甚至六朝）亦在批評之列。如許尹云：「由漢以來，詩道寖微，陵夷至於晉、宋、齊、梁之間，哇淫甚矣。曹、劉、沈、謝之詩，非不工也，如刻繪染縠，可施之貴介公子，而不可用之黎庶。陶淵明、韋蘇州之詩，寂寞枯槁，如叢蘭幽桂，可宜於山林，而不可置於朝廷之上。李太白、王摩詰之詩，如亂雲敷空，寒月照水，雖千變萬化，而及物之功亦少。孟郊、賈島之詩，酸寒儉陋，如蝦蟆蜆蛤，一啖便了，雖咀嚼終日，而不能飽人。惟杜少陵之詩，出入古今，衣被天下，藹然有忠義之氣，後之作者，未有加焉。宋興二百年，文章之盛，追還三代，而以詩名世者，豫章黃庭堅魯直，其後學黃而不至者，後山陳師道無已。二公之詩，皆本於老杜而不爲也。」（《山谷內集詩注》前收許氏之《黃陳詩註原序》）許氏云「學而不至」、「本而不爲」，乃指黃、陳之「善學」，由斯而黃陳承杜甫，繼三代，進而晚唐、盛唐俱不入其眼。

總而言之，江西詩派興盛，不惟「唐詩」、「宋詩」開始分門別戶，即蘇黃優劣亦有爭辯，詩風與詩論之相軋，由是起矣。

三、金源的詩風與詩論

遼金同起北方異域，然遼重武事而略文禮，清周春輯有《遼詩話》、近人陳衍有《遼詩紀事》，殊少可稱述者（註二四）。明嚴永濬說：「金故用武得國，無以異於遼，而能自樹立唐宋之間，有非遼所及者，以文不以武也。」（《中州集序》）清葉德輝亦云：「金源分割中原不久，乘以干戈，惟平水不當要衝，故書坊時萃於此，而他處私宅刊本，亦間有之。」（《書林清話》卷四）可知金源文教亦有足以稱述者，未可等閒視之。

宋太學生丁時起《孤臣泣血錄》載：

> 金人入汴，據青城，如《資治通鑑》、蘇黃文集之屬，皆指名取索，當時朝廷行下諸路，盡毀坡谷著作，奸黨附會，至欲焚《資治通鑑》，賴有神宗御製序文，乃不敢毀，而敵國之敬重固如此。（轉引自《書林清話》，頁二七一）

金人入汴在靖康年間（西元一一二六），彼時已能指定索取蘇黃文集，則其推尊二氏，當在更早以前就已開始。又雖然宋之「朝廷行下諸路，盡毀坡谷著作」，事實上，其禁愈急，坡谷詩文愈加貴重。如清趙翼云：「宋南渡後，北宋人著述，有流播在金源者，蘇東坡、黃山谷最盛。」（《甌北詩話》卷十二）據此可知金源推尊蘇黃之一端。

金源受蘇軾的影響最大，所謂的「蘇學盛於北」（註二五），正反映了此一事實。又從跋墨、題圖到次韻、和詩，在在都流露了對蘇詩的尊崇。如清趙翼所舉：「今就金源諸名人集考之：密國公完顏璹有『只因苦愛東坡老，人道前身趙德麟』之句；張仲經有《移居學東坡》八首；……高士談有《次韻東坡定州立春詩》，又集坡詩贈程大本；趙秉文有《跋東坡石鐘山記墨蹟》，又《和東坡謫居三適詩》；張子羽有《次韻東坡跋周昉欠伸美人詩》；王若虛因人言文首東坡，詩首山谷，乃作四詩正之；劉從益有《和東坡守歲詩》；李屏山有《題東坡赤壁風月笛圖》，又謂東坡爲『文字禪』，山谷爲『祖師禪』；喬扆有『獨誦隔林機杼句』，則并及東坡之方外友參寥矣；趙秉文《除夜詩》云：『小坡著號是前身』，則更及於坡之子叔黨矣；李澥《得第詩》云：『幸名偶脫孫山外，文字幸爲坡老知。誰念三生李方叔，欲將殘喘寄爐錘。』則拜及坡之門下士李廌矣。」（《甌北詩話》卷十二）趙氏所舉之例，已不可謂少數，然遺漏未載者尚多（註二六）。據此，可知蘇軾於金源詩壇影響力之大。

蘇軾外，黃庭堅與江西詩派的影響也不小。如錢鍾書先生所舉云：「《歸潛志》卷四謂：『張運使彀字伯英，許州人，詩學黃魯直體』……《中州集》卷三《劉仲英小傳》云：『有《龍山集》，參涪翁而得法。』此又北人詩學江西，見之紀載者。若不見明文，而按其詩格實出江西者，《中州集》卷三之劉迎，氣骨騰騫，時作黃體；故其《題吳彥高詩》云：『詩到江西別是禪』，《上施內翰》云：『可無香瓣禮南豐』，亦即用後山語。卷四之路鐸，幾篇篇點換涪翁語，不特格律相似，如『九陌黃塵馬頭』、『禪榻坐涼碧樹秋』、……撏撦吞剝，到眼可辨；《次韻鄺著作病起》云：『貧是詩人換骨時，徐行休歎後山遲』，更分明供狀矣。」（註二七）雖不及蘇軾之盛，卻也不容忽視。

蘇黃而外，金人也頗推崇李白和陶潛。提及李白多賞其人天才恣縱、瀟灑絕塵（註二八）。於陶潛則不僅嚮慕其人，進而擬效、學習其詩者亦復不少。《中州集》載張子羽有《擬淵明貧居》、趙秉文有《和淵明擬古五首》、《和淵明飲酒九首》、劉從益有《和淵明雜詩二首》、《和淵明始春懷田舍》、《和淵明飲酒韻》。此外，趙秉文稱讚党懷英「詩似陶謝」（註二九），元好問嘉許趙秉文「五言大詩，……眞淳簡澹學陶淵明」（註三〇）。此殆與蘇黃之推尊陶潛有關，尤其蘇軾前後屢和陶詩，風行草偃，金人很自然地法蘇進而和陶。

終金之世，詩壇大抵不是崇蘇、就是尊黃。是此是彼，皆反映了尊崇「宋詩」的思想。論者則於蘇黃之優劣，意見不一，亦有由此而導致諍辯的情形發生。

朱弁（註三一）雖兼肯定蘇軾與黃庭堅，二氏中又以蘇優於黃。朱氏云：「東坡文章，至黃州以後人莫能及，唯黃魯直詩可以抗衡；晚年過海，則雖魯直亦瞠若乎其後矣。或謂東坡過海雖爲不幸，乃魯直之大不幸矣。」（《風月堂詩話》卷上）然朱氏亦推尊黃庭堅云：「李義山擬老杜詩云……眞是老杜語也。其他句……之類，置杜集中亦無愧矣，然未似老杜沈涵汪洋筆力有餘也。義山亦自覺，故別立門戶成一家。後人挹其餘波，號西崑體，句律太嚴，無自然態度。黃魯直深悟此理，乃獨用崑體工夫，而造老杜渾成之地，今之詩人少有及者。此禪家所謂更高一著也。」（《風月堂詩話》卷下）

除極推尊黃庭堅外，朱氏尙提出黃庭堅、西崑體、李商隱、杜甫四者之關聯，此固其獨特之見解所在，亦有人質疑如此的關聯（註三二）。

異乎朱氏之論，李純甫雖推尊黃庭堅，於李商隱、西崑體則殊無好感，且對「唐詩」、「宋詩」皆有所抑揚，李氏論詩云：

齊梁以降，病以聲律，類俳優。然沈宋而下，裁其句讀，又俚俗之甚者，自謂靈均以來，此祕未睹，此可笑者一也。李義山喜用僻事、下奇字，晚唐人多效之，號『西崑體』，殊無典雅渾厚氣，反詈杜少陵爲村夫子，此可笑者二也。黃魯直天姿峭拔，擺出翰墨畦徑，以俗爲雅，以故爲新，不犯正位如參禪，著末後句爲具眼。江西諸君子翕然推重，別爲一派，高者雕鐫尖刻，下者模影剽竊，公言：『韓退之以文爲詩，如教坊雷大使舞。又云：『學退之不至，即一白樂天耳。』此可笑者三也。嗟乎！此說既行，天下寧復有詩耶？比讀劉西　詩，質而不野，清而不寒，簡而有理，澹而有味，蓋學樂天而酷之。」（引自《中州集》卷二《劉西嵓汲小傳》）

據此可知其所肯定的唐人有杜甫、韓愈與白居易，而譏詆沈宋以降之講求聲律者，且菲薄李商隱與西崑體之「用僻事，下奇字」，尤對西崑之詈罵杜甫爲村夫子不以爲然。於宋則推尊黃庭堅，貶抑江西詩派及其詩論輕忽韓愈與白居易（案：爲陳師道《後山詩話》之言）。李氏與趙秉文爭論蘇黃優劣，一般人多以爲李氏主黃（註三三）。實則李氏固推重黃庭堅，卻並無菲薄蘇軾，相反地他說：「東坡變而山谷，山谷變而黃華，人難也。」（《歸潛志》卷十）仍相當推崇蘇軾。據《滏水集》、《歸潛志》的記載，趙秉文與李純甫論詩論文的意見多相左。趙氏批評過李氏文字太硬（註三四），似指其學黃庭堅而致之之弊。李氏則批評趙氏：「有失支墮節處，蓋學東坡而不成者。」（《歸潛志》卷八）互以其師效之不當而加以譏詆，非純針對蘇黃之優劣而爭論。趙氏嘉許黃庭堅的書法（註三五），然未言及其詩。於蘇軾則備極推崇，其云：「太白詞勝於理，樂天理勝於詞；東坡又以太白之豪，樂天之理，合而爲一。」（註三六）以蘇軾兼李白、白居易之長，幾以蘇詩凌駕在唐人之上。或者趙氏之意爲蘇優於黃，與李氏之並重蘇黃有異。又《歸潛志》卷八載：「趙閑閑晚年多詩法唐人李杜諸公，然未嘗語于人，已而麻知幾、李晨源、元裕之輩鼎出，故後進作詩者爭以唐人爲法也。」金源詩風由尊奉「宋詩」，變化爲「唐詩」，趙氏功不可沒。茲舉其擬效唐人之作如下：

《倣王右丞獨坐幽篁裏》

《和韋蘇州和齋獨宿》

《擬兵衞森畫戟》

《仿嚴武臨邊》

《仿太白登覽》

《仿李長吉擊毬行》
《仿張志和西塞二首》
《仿玉川子爲呂唐卿作》
《仿樂天新宅》
《仿郎士元寶刀塞下兒》（註三七）

如此多的仿作，李純甫序其詩集云：「公詩往往有李太白、白樂天語，某輒能識之。」（《歸潛志》卷八）雖陰譏之，然亦是實情。

李、趙之後，雷淵與王若虛的爭執更烈。《歸潛志》卷九載：

> 王翰林從之，嘗論黃魯直詩，穿鑿太好異，云：「『能令漢家重九鼎，桐江波上一絲風。』若道漢家二百年，自嚴陵釣竿上來且道得，然關風甚事？」又云：「猩猩毛筆，『平生幾輛屐，身後五車書。』此兩事如何合得？且一猩猩毛筆，安能寫五車書邪！」余嘗以語雷丈希顏，曰：「不然，一猩猩之毛，如何只作筆一答？」後以語先子，先子大笑云。

《歸潛志》卷八載雷淵「詩亦喜韓，兼好黃魯直新巧。」而王若虛於《滹南詩話》裏，對黃庭堅則多所訾議，幾爲古往今來詆訶黃詩最嚴厲者（註三八）。嗜好既異，也毋怪乎會針對黃庭堅的詩，一方吹毛求疵，另一方強爲辯護，而聞者大笑不已。

王氏論詩或有得於其舅周昂者。昂論詩云：「宋之文章，至魯直已是偏仄處，陳後山而後，不勝其弊矣。」（《滹南詩話》卷二）可謂是極不滿黃庭堅及江西詩派。周氏更認爲黃庭堅與杜甫「初無關涉」，所以「兒時便學工部」，卻「終身不喜山谷」。於蘇黃之優劣則有《魯直墨帖》詩云：「詩健如提十萬兵，東坡眞欲避時名。須知筆墨渾閑事，猶與先生抵死爭。」（《中州集》卷四）以黃之爭勝爭名，不若蘇軾之悠閑無事。

王氏論詩大抵與其舅相合，認爲「千古以來，惟推東坡爲第一」（註三九）。而撻伐黃庭堅、江西詩派及其詩論，則比其舅更加激烈。甚至有詩題爲：《山谷於詩，每與東坡相抗，門人親黨遂有言文首東坡，論詩右山谷之語，今之學者亦多以爲然，漫賦四詩爲商略之云》：

絕足由來不可追，汗流餘子費奔馳。誰言直待南遷後，始是江南不幸時。

信手拈來世已驚，三江衮衮筆頭傾。莫將險語誇勍敵，公自無心與物爭。

戲論誰知出至公，蝤蛑信美恐生風。奪胎換骨何多樣，都在先生一笑中。

文章自得方爲貴，衣鉢相傳豈是眞。已覺祖師低一著，紛紛嗣法更何人。（《中州集》卷六）

據此，不難看出王氏尊蘇貶黃，詆斥江西詩派的立場。又江西詩派多菲薄白居易爲「淺」、「俗」，王氏則反是而云：「樂天之詩，情致曲盡，入人肝脾，隨物賦形，所在充滿，殆與元氣相侔。至長韻大篇，動數百千言，而順適愜當，句句如一，無爭張牽強之態，此豈撚斷吟鬚、悲鳴口吻者之所能至哉！而世或以淺易輕之，蓋不足與言矣。」（《滹南詩話》卷一）態度雖與前之李純甫相近，而辯駁之理由則較其充份。又陳師道主學者由黃而進至杜，《滹南詩話》曾引其舅之例反駁之，其《文辨》

亦以二家殊不相似而譏師道「喜爲高論，而不中理每每如此。」（註四〇）其它如譏奪胎換骨、點鐵成金爲「剽竊之黠者」、譏「魯直開口論句法，此便是不及古人處」，皆爲江西詩派之論詩主張而發（註四一）。王氏也反對朱弁主江西詩派「用崑體功夫，而造老杜渾全之地」的看法，以爲崑體與杜甫二者不相兼（註四二），仍爲一貫地批評江西詩派的立場。

今日研究中國文學的學者，多以金朝惟元好問一人而已（註四三）；雖不無簡漏之虞，卻也頗能反映出元好問的重要性。

元氏論詩，不限於廿八歲所作的《論詩絕句三十首》（註四四），一些序跋，選集，及其它詩作也或多或少流露了他的詩觀。《別李周卿》三首之二云：「風雅久不作，日覺元氣死。詩中杜天手，功自斷鰲始。古詩十九首，建安六七子，中間陶與謝，下逮韋柳止。」（《遺山詩集》卷一）可知元氏於《詩經》、古詩十九首、建安七子、陶潛、謝靈運、唐之韋應物、柳宗元，俱加以推崇。《論詩絕句三十首》之前七首，除潘岳外，也大抵對唐以前之詩人加以稱讚。此外，元氏自述云：「予亦愛唐詩者，唯愛之篤而求之深，故似有所得。……唐詩所以絕出三百篇之後者，知本焉爾矣。何謂本？誠是也。……唐人之詩，其知本乎？何溫柔敦厚，藹然仁義之言之多也！……情性之外，不知有文字。幸矣，學者之得唐人爲指歸也。」（《遺山先生文集》卷三十六《楊叔能小亭集引》）足見元氏極其推尊「唐詩」，以其出於情性、本乎至誠，足以與《詩經》並存於世，光輝互映。元氏尚編選「唐詩」而有《唐詩鼓吹》一書（註四五），錄唐人七言律詩九十六家，五百九十六首，也具體表現對「唐詩」

的推崇之意。《論詩絕句三十首》則極稱杜甫、陳子昂、韓愈、柳宗元，而批評沈佺期、宋之問、盧同、孟郊，抑揚之間，自顯出其論詩的準則。

皮述民先生以元氏「宗唐貶宋」（註四六），可謂是對錯參半。元氏固宗「唐」，於「宋」則未全貶抑，如同對待唐代詩人一樣，元氏於宋代詩人亦有所抑揚。《論詩絕句三十首》有一首云：「百年纔覺古風廻，元祐諸人次第來。諱學金陵猶有說，竟將何罪廢歐梅。」可謂極爲肯定「元祐諸人」，而尊崇歐陽修、梅堯臣之意亦顯然可見。又雖有人自其《論詩絕句三十首》云：「只知詩到蘇黃盡，滄海橫流卻是誰？」、「曲學虛荒小說欺，俳諧怒罵豈詩宜？」、「論詩寧下涪翁拜，未作江西社裏人。」等句，判斷元氏貶抑蘇黃（註四七），乃至有「宗唐貶宋」之說出焉。我們認爲憑乎此，尚不足以得出如此的論定，其理由有三：

㈠這些詩句的解釋尚有爭議（註四八）。

㈡即若有些解釋正確，也可能元氏只指責蘇黃之某一面，未全盤加以否定。

㈢無法解釋元氏許多推崇蘇黃之語。

尤其是第三點，如元氏《杜詩學引》引其父稱讚黃庭堅說：「近世惟山谷最知子美」（《遺山先生文集》卷三十六）《陶然集詩引》更以蘇軾海南以後已進詩家聖處（註四九）。清趙翼也說：「……而尤服坡谷者，莫如元遺山。如《琴辨》一首，引谷詩云：『袖中正有南風手，誰爲聽之誰爲傳？』又引坡詩云：『琴裏若能知賀若，詩中應合愛陶潛。』《毛氏千秋錄序》又引坡文云：『人無所不至，惟天下不容僞。』遺山又特選蘇詩爲《東坡雅》，序而傳之。併樂府亦傾倒備至，謂『東坡聖處，非有意於文字之工，乃不得然之爲工也。』（見《新軒樂府》引）甚至蘇黃字跡，亦所矜賞，謂『二公翰墨，片言隻字，皆未名之寶，百不爲多，一不爲少。』（見《跋蘇黃帖》）是遺山之於蘇黃，可謂染神刻骨矣。」（《甌北詩話》卷十二）憑乎此，我們更認爲元氏推尊蘇黃。然於蘇黃門下，則多所不取，如譏誚秦觀爲「女郎詩」（註五〇），嘲諷陳師道「可憐無補費精神」（註五一），鄙江西詩派則又曰：「北人不拾江西唾，未要曾郎借齒牙。」（註五二）可謂金源蘇黃優劣之爭的調和與總結。

元氏的詩歌創作，論者多以爲足以鼎立唐、宋諸大家之間（註五三）。清劉熙載云：「金元遺山詩兼杜、韓、蘇、黃之勝，儼然有集大成之意。」（《藝概・詩概》）以「集大成」說明元氏，極爲貼切。蓋元氏不惟出入唐宋，且上取漢魏，集諸家之長，而卓然有以自立（註五四）。日人吉川幸次郎認爲：「元好問之前一百年的金詩，可以說是爲了產生元好問這個大詩人的準備過程。」（註五五）其實，反過來說，也正是元好問總結了金源的詩史與詩學；所編金源一朝詩歌的《中州集》，去取精審，非但具保存文獻的功能而已，同時也賦予金詩以價值和意義，使其於中國詩壇佔一席之地。

乙、前期修正江西詩派

大略在慶元、嘉定之際，標舉「唐詩」的四靈詩人興起，形成與江西詩派對抗的詩風；又有以詩爲干謁之具的江湖詩人盛行，或淵源四靈、或與四靈有異（註五六），而與四靈同使江西詩派之勢力稍挫。在此之前，有些著名的詩家雖與江西詩派有所淵源，卻又不純主於彼，他們大多出「唐」入「宋」，卓然自立，以詩風或學詩歷程反映著修正江西詩派的思想；有趣的是，後代甚至將其中的某些人納入「江西詩派」。同時有些論者雖批評江西詩派，指陳其弊，卻並非完全否定黃庭堅或江西詩派。他們或反對「蘇不如黃」的論調，或強調杜甫的重要性，或推崇晚唐，或兼肯定「唐詩」，都是就江西詩派加以反省的結果。

這些詩家和論者在江西詩派盛行時，以其作品和學詩歷程反映、或直接陳述他們修正江西詩派的思想，都是在狹義的「唐詩」、「宋詩」之爭（案：即江西詩派）的基礎上，加以反省與批判，而為廣義的「唐詩」、「宋詩」之爭的意見，值得加以注意。

一、著名的詩家

彼時以「南宋四大家」最為著名，四大家或名尤、楊、范、陸，或稱范、楊、蕭、陸（註五七），之中以陸游、范成大、楊萬里較為後人所稱述。尤袤、蕭德藻二人之詩，流傳於後不多。清尤侗雖曾裒輯袤詩為《梁谿遺稿》一卷，卻也「百分僅存其一」（註五八）而已，難窺全貌；蕭詩甚至都還沒人加以搜集成書。茲錄《四庫全書總目提要》對陸、范、楊三人的評語：

△游詩法傳自曾幾，而所作《呂居仁集序》又稱源出居仁，二人皆江西派也。然游詩清新刻露而出以圓潤，實能自闢一宗，不襲黃陳之舊。（卷一百六十・評陸游《劍南詩稿》）

△（成大）初年吟詠實沿溯中唐以下，觀第三卷《夜宴曲》下註曰以下二首效李賀，《樂神曲》

下註曰以下四首效王建，已明明言之。其他如《江西有》、《單鵠行》、《河豚嘆》，則雜長慶之體。《嘲里人新婚詩》、《春晚三首》、《隆師四圖》諸作，則全為晚唐五代之音，其門徑皆可覆按。自官新安掾以後，骨力乃以漸而遒，蓋追溯蘇黃遺法，而約以婉峭，自為一家，伯仲於楊陸之間，固亦宜也。（同上。評范成大《石湖詩集》）

△（萬里）《瀛奎律髓》稱其一官一集，每集必變一格。雖沿江西詩派之末流，不免有頹唐粗俚之處，而才思健拔，包孕宏富，自為南宋一作手，非後來四靈、江湖諸派，可得而並稱。（同上。評楊萬里《誠齋》）

案這三段話雖有詳略之異，然陸、范、楊三人與江西詩派有所淵源，卻不囿於江西藩籬，而卓然成家，則其同也。三者之中，以評范成大最為詳盡。據此可知其創作歷程乃由擬效中晚唐而進至蘇黃，終自成家，與陸、楊齊名。范氏之創作歷程是由「唐」入「宋」，與陸、楊始以江西為法，剛好相反。

趙仲白《題曾文清公詩集》云：「咄咄逼人門弟子，劍南已見一燈傳。」（註五九）劍南，即指陸游，可知其與曾幾的師承關係。陸氏在《呂居仁集序》裏，對呂氏詩文推崇備至，且言：「某自童子時，讀公詩文，願學焉。稍長，未能遠遊，而公捐館舍。」（《渭南文集》卷十四）可知是私淑而已。四庫館人言其與江西詩派之淵源，大抵不誣。不過陸氏罕稱讚黃庭堅的詩（註六〇），他有一首《讀近人詩》云：「琢琱自是文章病，奇險尤傷氣骨多。君看大羹玄酒味，蟹螯蛤柱豈同科。」（《劍南詩稿》）傅璇宗先生說：「陸游此詩雖未標出江西詩派之名，而前代論家多以為所指即江西派人。

（註六一），可知陸氏雖淵源於江西詩派，卻又對江西詩派有所微辭；姜特立、方回也早指出他「不嗣江西」、「不主江西」。（註六二）

陸氏所推崇之詩與詩人極多：《詩經》、《楚辭》、陶淵明、謝靈運、鮑照、王維、李白、杜甫、岑參、韋應物、梅堯臣、蘇軾、陳師道、范成大、楊萬里等（註六三）。其中尤以杜甫與梅堯臣最為重要。陸氏詩文間屢屢流露對杜甫的思慕，《宋詩鈔》小傳說他學杜「不寧皮骨，蓋得其心矣。」而於梅堯臣，錢鍾書先生則認為：「其於古今詩家仿作稱道最多者，偏於古質之梅宛陵。」（註六四）又值得注意的是，他也和江西詩派一樣，對晚唐加以抨擊，如云：「唐末詩益卑」（註六五）、「君看郊與島，徒自殘其生」（註六六）、「及觀晚唐作，令人欲焚筆。此風近復熾，隙穴始難窒。」（註六七），殆與當時四靈倡晚唐而有以致之。可是陸氏自己卻有不少擬效晚唐之作（特別是許渾）（註六八），方回也早說過：「其詩在中唐、晚唐之間」（註六九）。

《九月一日夜讀詩稿有感走筆作歌》、《示子遹》二詩載陸氏學詩歷程，從「殘餘未免從人起」、「但欲工藻繪」的初學，進到「詩家三昧忽見前，屈賈在眼元歷歷」、「汝果欲學詩，功夫在詩外」的悟境。由此自成一家，揮灑如意。江西詩派論詩主「悟」，陸氏則於創作實踐之甘苦中得之。二者之不同在此。

楊萬里的創作歷程，由其自述可得而見：

予之詩始學江西諸君子，既又學後山五字律，既又學半山老人七字絕句，晚乃學絕句於唐人。

學之愈力，作之愈寡。……戊戌三朝時節，賜告少公事，是日即作詩，忽有所寤，於辭謝唐人及王、陳、江西諸君子，皆不敢學而後欣如也。試令兒輩操筆，予口占數首，則瀏瀏焉無復前日之軋軋矣。自此每過午，吏散庭空，即攜一便面步後園登古城，採擷杞菊，攀翻花竹，萬象畢來，獻予詩材，蓋麾之不去，前者未去而後者已迫，渙然未覺作詩之難也。蓋詩人之病，去體將有日矣。方是時，不惟未覺作詩之難，亦未覺作州之難也。（《試齋集》卷八十《誠齋荊溪集序》）

據此，楊氏學詩大略有兩段不同，學與不學也。所學之進程如圖：

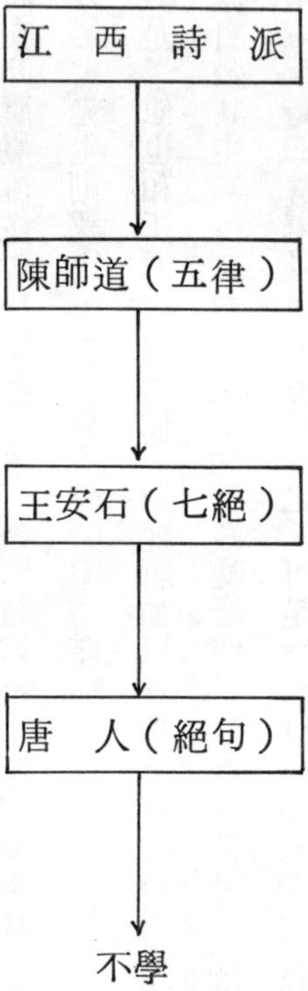

由「宋」入「唐」而至有所悟。悟後不再學習諸人，而靈源滾滾，萬象畢來，楊氏描述甚爲生動。除明確地說出每一階段所學習的對象外，其由江西詩派入手，終至有所「悟」而卓然成家，皆與陸游近似。二人在後代有時被納入「江西詩派」（註七〇），或是基於與江西詩派的淵源吧。

楊萬里對於「唐詩」、「宋詩」採取兼容並包的態度。《江西宗派詩序》特別標舉唐之李、杜、宋之蘇、黃，進而曰：「將四家之外，舉無其人乎？門固有伐，業固有承也。」（《誠齋集》卷七十九）以是李杜蘇黃外，他在詩中也常表達對韓愈、孟郊、白居易、韋應物等唐人，及歐陽修、梅堯臣、王安石、南宋四大家等宋人的仰慕之意（註七一）。値得注意的是，有時他所說的「唐詩」，其實就是晚唐（註七二）；而且他對於晚唐不惟是開始加以推崇，更是極爲肯定，他說：「晚唐諸子，雖乏二子（案：指李、杜）之雄渾，然好色而不淫，怨誹而不亂，猶有國風、小雅之遺音。」（《誠齋集》卷八十三《周子益訓蒙省題詩序》）可謂是備極推崇。

也由於楊氏論詩主兼容並包，所以在《江西宗派詩序》、《江西續派二曾居士詩集序》雖對江西詩派極爲推崇，卻對於將江西詩派與「唐詩」分門別戶，寖至相軋，不以爲然。他說：「近世此道之盛者，莫盛於江西，然知有江西者，不知唐人，或者左唐人以右江西，是惟不知唐人，亦不可謂知江西者。雖然，不知唐人，猶知江西；江西之道亦復莫之知焉，是可歎也。」（註七三）十足表現兼重「唐」、「宋」之意。

陸、范、楊而外，姜夔的《白石道人詩集自敍》曾引尤袤之言：「近世人喜宗江西，溫潤有如范致能者乎！痛快有如楊廷秀者乎！高古如蕭東夫，俊逸如陸務觀，是皆出於機軸，亶有可觀者，又奚以江西爲？」可知尤氏對於盛行之江西詩派，並非沒有微辭。然而楊萬里在紹興三十二年焚「江西體」的少作，尤氏也曾說：「詩何必一體哉？此集存之亦奚悔焉？」（《誠齋集》卷八十《誠齋江湖集序》）可知其雖不專宗江西詩派，卻也不全然否定。

比呂本中稍早的葉夢得，已曾批評江西詩派之作爲「死聲活氣語」（註七四）。江西盛行之後，有些論者雖也指陳其弊，卻不是完全否定黃庭堅及江西詩派，與前述著名的詩家同爲修正江西詩派的思想的表現。

二、修正的論點

修正的論點大略有五：

㈠批評獨尊黃庭堅，而不及北宋其它詩家。又可分爲二種：

1.爲梅堯臣辯護。如曾季貍說：「東萊江西宗派序，所論本朝古文，始於穆伯長，成於歐陽公，此論誠當。但論詩不及梅聖俞，似可恨也。詩之有聖俞，猶文之有穆伯長。」（《艇齋詩話》）此外，陸游對梅氏的推尊，前已述及；陳振孫亦頗爲梅氏辯護（註七五）。

2.爲歐陽修、蘇軾辯護。如王十朋《讀東坡詩》題云：「學江西者，謂蘇不如黃，又言韓、歐二公詩及押韻文耳。予雖不曉詩，不敢以其說爲然，因讀坡詩，感而有作。」（《梅溪後集》卷十四）王氏集裏和韓之詩極多（註七六），實不以菲薄韓詩者爲然。又王氏詩云：「味長何止飛鳥驚，臆說紛紛幾元稹。」自註云：「有言歐公詩味短者，王介甫云：『「行人舉頭飛鳥驚」之句，味亦甚長。』」此則爲歐陽修辯護也。至若爲蘇軾辯護，更是不遺餘力，其詩本爲讀坡詩有感而作。王氏之詩云：「東坡文章冠天下，日月風光薄風雅。誰分宗派故謗傷，蚍蜉撼樹不自量。」也由於王氏如此的推尊蘇軾，書肆甚至借其名而有《東坡詩集註》之書行於市（註七七）。然王氏也頗推崇黃庭堅，以之配杜甫，其詩云：「豫章官說遠，直筆非謗傷。天遣來黔涪，詩嗚配子美。」（《梅溪後集》卷十四《夔路十賢續訪得七人——黃太史》）可知其雖爲蘇軾辯護，卻不因此貶抑黃庭堅。

㈡強調杜甫的重要。也可分爲二種不同的態度：

(甲)以杜甫爲標準，對顯出江西詩派之偏與弊。如葛立方說：「近時論詩者皆謂偶對不切，則失之粗；太切，則失之俗。如江西詩社所作，慮失之俗也，則往往不甚對，是亦一偏之見爾。老杜……如此之類，可謂對偶太切矣，又何俗乎？如……之類，雖對不求太切，而未嘗失格律也。學詩者當審此。」（《韻語陽秋》卷一）葛氏此言「粗」與「俗」之弊，不在對偶切不切；而是以杜甫爲例爲標準，對顯出江西詩派避俗而不甚對之偏頗。然葛氏也並非全盤否定江西詩派，《韻語陽秋》對於黃庭堅、陳師道亦多所推崇（註七八）。

(乙)標舉江西詩派源出杜甫以救其弊。如胡仔說：「近時學詩者，率宗江西，殊不知江西本亦學少陵也。故陳無已曰：『豫章之學博矣，而得法於少陵。』故其詩近之。後生不復過目，抑失江西之意乎！江西平日語學者爲詩旨趣，亦獨宗少陵一人而已。全爲是說，蓋欲學詩者師少陵而友江西，則兩得之矣。（《苕溪漁隱叢話》前集卷四九）胡氏爲江西詩派尋找源頭，標出杜甫，影響後代極深（註七九）。

此二種態度，(甲)並不蘊涵(乙)蓋對顯出江西之偏與弊，並不意味著江西的源頭在於杜甫。(乙)則涵蘊(甲)蓋其標舉杜甫爲江西的源頭，其前提已是江西有偏與弊，尤其是不復讀杜詩的緣故。

㈢強調六朝《選》詩的重要。如《艇齋詩話》記載：「東湖嘗與予言近世人學詩，止於蘇、黃，又其上則有及老杜者，至六朝詩人，皆無窺見。若學詩而不知有《選》詩，是大車無輗，小車無軏，東湖嘗書此以遺予，且多相勸讀《選》詩。近世論詩未有令人學《選》詩，惟東湖獨然，此所以高妙。」東湖即列名《江西詩社宗派圖》的徐俯，其論詩在蘇、黃、杜甫之外，更標榜六朝的《選》詩，曾季貍引此而加以稱讚，當亦贊同徐氏的主張。

㈣「唐詩」、「宋詩」並重。如陳巖肖說：「本朝詩人與唐世相亢，其所得各不同，而俱自有妙處，不必相蹈襲也。至山谷之詩，清新奇峻，頗造前人未嘗道處，自為一家，此其妙也。至古體詩，不拘聲律，間有歇後語，亦清新奇峭之極也。然近時學其詩者，或未得其妙處，每有所作，必使聲韻拗捩，詞語艱澀，曰『江西格』也，此何為哉！」（《庚溪詩話》卷下）陳氏著重「唐詩」、「宋詩」之分，以其不相蹈襲，各有妙處，而俱加肯定。惟於江西詩派不善學黃而致捩艱澀之弊，深表不滿。同一引文之後，陳氏則嘉許呂本中、謝無逸以山谷為祖而「不見斧鑿痕」，亦可見此意。

㈤推崇晚唐。如前所述的楊萬里即是。楊萬里之前，徐俯曾說：「荊公詩多學唐人，然百首不如晚唐人一首。」（《艇齋詩話》引）。韓駒也說：「唐末人詩雖格致卑淺，然謂其非詩則不可。今人作詩雖句語軒昂，但可遠聽，其理略不可究。」（《詩人玉屑》卷十六引）徐、韓二氏俱列名《江西詩社宗派圖》，如同楊萬里一般，與江西詩派的淵源不淺。然而楊氏猶主調和「唐詩」與「宋詩」，徐、韓二氏則隱隱以「唐詩」優於「宋詩」。此三氏之推尊晚唐，可謂是四靈的先導。

這五個論點，都是由江西詩派引發，進而加以修正的思想，彼此並不互相排斥。如曾季貍《艇齋詩話》既爲梅堯臣辯護，復引徐俯強調六朝《選》詩的重要並推崇晚唐。又如王十朋除爲蘇軾、歐陽修辯護外，亦兼肯定「唐詩」與「宋詩」，其詩云：「唐宋詩人六七作，李杜韓柳歐蘇黃」（《梅溪後集》卷二《陳郎中贈韓子蒼集》）可爲之證。凡此，皆爲修正江西詩派的偏重點各有不同而起。

丙、四靈與江西之爭

一、崇效「晚唐」的永嘉四靈

慶元、嘉定之前，江西詩派盛行，宗奉「唐詩」則成爲一股潛流，雖微弱卻並非斷絕。當時著名的詩家如陳與義、陸游、范成大、楊萬里等人，於「唐詩」皆有所資取；論者也有兼重「唐詩」的主張。此外，少數如程俱，徐忻、劉棐、林憲等較不著名的詩家，詩風亦近唐人（註八○）；虞儔獨慕白居易，堂名「尊白堂」，詩集名《尊白堂集》，尤見其心摹手追之所在（註八一）。又計有功有《唐詩紀事》。此皆爲具體推尊「唐詩」的表現。論者如朱松雖對唐詩家之人格不滿，於詩則極爲推崇，其言云：「自詩人以來，莫盛于唐，讀其詩者皆燦然可喜。」（《韋齋集》卷九《上趙漕書》）甚且更說：「唐李、杜出，而古今詩人皆廢。自是而後，賤儒小生，膏吻皷舌，決章裂句，青黃相配，……此何爲者邪！」（引同上）可謂是獨標李、杜，此外，無論唐宋，俱不入眼。然畢竟也是少數。

慶元、嘉定以還，宗奉「唐詩」者漸夥，江西詩派之勢力亦由此而稍挫。趙師秀、翁卷、徐照、徐璣四人號「永嘉四靈」（註八二），首倡其風。趙汝回說：「唐風不競，派沿江西。永嘉四靈乃始以開元、元和自期，冶擇淬鍊，字字玉響，雜之姚賈中，人不能辨也。」（引自《宋詩紀事》卷六十三）葉適爲徐璣寫墓誌銘，也認爲唐詩之復行是由於四靈之倡議；爲徐照寫墓誌銘，復「惜其不尙以年，不及臻乎開元、元和之盛。」（註八三）大抵四靈雖以開元、元和自期，實則所重在於晚唐的姚合與賈島，趙師秀所選的《二妙集》即指此二人而言。四靈論詩不喜江西詩派，曾云：「近世乃連篇累牘，汗漫而無禁，豈能名家哉？」（註八四），殆責其資書以爲詩或以才學爲詩。故轉而強調「胸次玲瓏」與姚、賈的鍊字鍊句，尤其重在五言律詩（註八五）。四靈起，宗奉江西者仍有人在，如方回所稱二趙二泉即是（註八六）。由是唐（案：指晚唐）與江西相抵軋矣。（註八七）

四靈的詩歌成就，趙汝回稱讚說：「雜之姚、賈，人不能辨也。」後世於姚、賈已多有微辭，對四靈更是以「破碎」、「纖薄」卑之（註八八）。然其於當時的影響甚鉅，王綽說：「永嘉之作唐詩者，首四靈。繼四靈之後則有劉詠道、戴文子、張直翁、潘幼明、趙幾道、劉成道、盧次夔、趙叔魯、趙端行、陳叔方者作，而鼓舞倡率，從容指論，又有瓜廬隱君薛師石焉。」（引自《宋詩紀事》卷六十二）又當時興盛，以詩爲干謁之具的江湖詩人，也有不少以四靈爲矩矱；可見與江西詩派迥異的另一股文學思潮——宗奉「唐詩」者，日漸蔚爲風氣。

二、對四靈與江西的批評

四靈與江西相軋，批評亦與之俱起。

近人多以葉適提倡、鼓吹「晚唐」，四靈則以作品實踐表現（註八九）；此乃一偏之見，未爲全備。葉適於《徐斯遠文集序》云：「慶曆、嘉佑以來，天下以杜甫爲師，始黜唐人之學，而江西宗派章焉。然而格有高下，技有工拙，趣有淺深，材有大小。以夫汗漫廣漠，徒枵然從之而不足充其所求，曾不如脰鳴吻決，出豪芒之奇，可以運轉而無極也。故近歲學者，已復稍趨於唐而有獲焉。」（《水心集》卷十二）案當時江西詩派盛行已久，流弊漸生，葉氏批評時風「汗漫廣漠」，與四靈之反駁江西類似。也由此而肯定了四靈改革的一面。加之《習學記言》卷四十九對杜甫、王安石、黃庭堅的近體詩多所指責；且葉氏又爲四靈印刻詩集及寫墓誌銘（註九〇）。以是之故，論者多將他與四靈牽合敍述。

然葉氏於四靈實亦有所指責，《王木叔詩序》云：「木叔不喜唐詩，謂其格卑而氣弱。近歲唐詩方盛行，聞者皆以爲疑。夫爭妍鬥巧，極外物之變態，唐人所長也；反求於內，不足以定其志之所止，唐人所短也。木叔之評，其可忽諸！」（《水心集》卷十二）葉氏與四靈所處年代相差不遠，文中說「近處唐詩方盛行」，當指四靈無疑。同時，他贊同木叔之評唐詩「格卑而氣弱」，認爲唐人之短，在於「反求於內，不足以定其志之所止」，之所以如此，乃出於其道學家性格的表現。於《題劉潛夫南嶽詩藁》則更明顯批評四靈「斂情約性」、「因狹出奇」，甚至認爲作詩不必法效四靈。（註九一）此皆足證葉適並非全面肯定「晚唐」，一方面他因時風之弊，固然推崇四靈；另外一方面，卻也以其道學家之立場不滿四靈，此中毫釐，須加以辨明。

葉適而外，《四庫全書》收《江湖小集》六十二家，《江湖後集》四十七家（註九二），以此二集爲代表的江湖詩人，除淵源四靈外，對江西或四靈有所微辭者，亦不乏其人，如：

㈠姜夔：姜氏自述學詩歷程云：「異時泛閱衆作，已而病其駁如也，三薰三沐，師黃太史氏，居數年，一語不敢吐，始大悟學即病，顧不如無所學之爲得，雖黃詩亦偃然高閣矣。」（《白石道人詩集・自敍》）因而，姜氏雖始學黃庭堅，卻終至與之分道揚鑣，強調「無所學」而自立一家，與陸游、楊萬里近似。同序裏贊同其師尤袤之言：「奚以江西爲？」可表其對江西詩派之不滿。

㈡戴復古：其姪戴昺說他：「妙似豫章前集語，老於夔府後來詩。」（《東野農歌集》卷四《石屏後集鋟梓敬呈屏翁》）拿黃庭堅、杜甫來稱讚他，頗能見出復古詩學宗旨所在。四靈宗奉「唐詩」，蔚然成風，戴氏獨爲「宋詩」辯護，《宋詩鈔》載：「或語復古宋詩不及唐，曰：『不然，本朝詩出於經，此人所未識而復古獨心知之。』」此外，戴氏稱讚其姪昺：「不學晚唐體，曾聞大雅音。」（註九三）且論詩云：「文章隨世作低昂，變盡風騷到晚唐。舉世吟哦推李杜，時人不識有陳黃。」（註九四）殆皆有感時風而發。《石屏詩集》又有《栗齋鞏仲至以元結文集爲韻》、《杜甫祠》、《江南新體王建有此體別張誠子》、《嘉定甲戌孟秋二十有七日……效白樂天體，以紀其事，錄于野史》等推崇、擬效唐人之作，非主「宋詩」而斥「唐詩」者。且戴氏雖爲「宋詩」辯護，於蘇軾則有微辭：「古今胸次浩江河，才比諸公十倍過。時把文章供戲謔，不知此體誤人多。」（註九五）與江西詩派之責蘇相類似。

㈢劉克莊：劉氏學詩始從「永嘉四靈之規撫姚、賈」入，後對於陸游、楊萬里、范成大、江西詩派、唐人大小家數，皆手鈔口誦，刻意學習（註九六）。他對四靈、江西俱加批評：「余嘗病世之爲唐律者，膠攣淺易窘局，才思千篇一律；而爲派家者，則又馳騖廣遠，蕩棄幅尺，一嗅味盡。」（《後村先生大全集》卷九十四《劉圻久詩序》）類似之論，集中甚多。劉氏於「唐詩」、「宋詩」亦兼有所取，曾分門編纂有《唐宋時賢千家詩選》（註九七）；尤其推崇唐之杜甫、李白，宋之梅堯臣、陸游，他說：「然謂詩至唐猶存則可，謂詩至唐而止則不可。本朝詩自有高手，杜、李，唐之集大成者也；梅、陸，本朝之集大成者也。學唐而不本李、杜，學本朝而不由梅、陸，是猶喜蓬戶之容膝，而不知有建章千門之鉅麗，愛葉舟之掀浪，而不知有龍驤萬斛之負載也。」（書同上，卷九十九《李賈縣尉詩卷跋》）其中於唐標舉李、杜，尚非特見，於宋標舉梅、陸，則與他家不同，這或許是劉氏「能瘦、能淡、能不拘對，又能變化而活動」（註九八）的詩風與之相近的緣故。

㈣周弼：周氏有《三體唐詩》之編選，錄七言絕句、七言律詩、五言律詩三體，與四靈偏重五言律詩略有不同；各體又分虛、實等七格，《四庫全書總目提要》云：「弼撰是書，蓋以救江湖末派油腔滑調之弊。」（卷一百八十七評《三體唐詩》）又《對牀夜語》卷第二載其論詩云：「言詩而本于唐，非固於唐也。自河梁之後，詩之變至於唐而止也。謫仙號爲雄拔，而法度最爲森嚴，況餘者乎？立心不專、用意不精而造其妙者，未之有也。元和蓋詩之極盛，其實體製自此始散，僻字險韻以爲富，率意放詞以爲通，皆有其漸，一變則成五代之陋矣。」此中稱元和以上之詩「法度森嚴」、「立心用意專精」。而撻伐元和以下迄於五代之詩風力求「僻」、「險」、「率意放詞」，可窺其欲救四靈、江湖法效晚唐之弊的用心。

(五)高翥：高氏《報友人書》云：「古以漢魏爲至，律必開元以前，材有不逮，可勉而至，志之所畫，終然而已。匠心雖工，學步滋醜，時崇杜賢，句細字繹，神理索然；欲法其弘深，滌彼拙率，推之漢魏，莫不皆然。天寶以還，五代而上，但堪代燭云爾。」（轉引自《宋詩派別論》，頁一二二）雖沒有明斥江西與四靈之徒，然天寶以下之「唐詩」皆「但堪代燭」，對晚唐之卑視極其明顯；而批評學杜者「句細字繹，神理索然」，似指江西詩派（或其修正者）而言。尤其值得重視的是，高氏標舉「古以漢魏爲至，律必開元以前」，已開嚴羽論詩之先聲。

此外，非列名江湖詩集的戴昺，自言「要洗晚唐還大雅，願楊宗旨破群癡。」（《東野農歌集》卷四《石屏後集鋟梓呈屏翁》）明言承繼戴復古論詩之旨，菲薄四靈之標舉「晚唐」。更有甚者，戴昺有詩題爲《有妄論宋唐詩體者答之》云：「不用雕鎪嘔肺腸，辭能達意即文章。性情原自無今古，格律何須辨宋唐。人道鳳簫諧律呂，誰知牛鐸有宮商。少陵甘作村夫子，不害光芒萬丈長。」（書同上）除揶揄法效晚唐之「雕鎪嘔肺腸」外，對於狹義的「唐詩」、「宋詩」之爭的基礎——「唐詩」與「宋詩」有分，亦予以否定。又我們在詩裏尚可見其爲杜甫辯護，反駁楊億之說，尊杜之意，顯然流露。

大抵南宋末，詩壇對於江西、四靈的批評紛繁不一，前所述列即是。而嚴羽亦是其中之一的論者。所不同的是，其理論之謹嚴在當時乃爲特出者，而且影響後代甚鉅，使得往後的「唐詩」、「宋詩」

之爭的型態轉變。所以，下文即將之專篇介紹，以顯其關鍵之地位。

三、嚴羽

嚴氏論詩之主張，大抵見於《滄浪詩話》和《答出繼叔臨安吳景仙書》一文。內容以「興趣」和「妙悟」爲重點。以下即先敍述前者。

儘管近人對「興趣」的解釋紛繁無比，難有定論（註九九）。本文則認爲至少有三點可講：

1. 「興趣」乃爲好詩的判準，合乎此，方爲好詩，方値得推尊。
2. 嚴羽認爲詩的本質是「吟詠情性」。若非吟詠情性，則旣不能算是詩，更談不上是好詩。所說的「興趣」不能離開「吟詠情性」而言。
3. 「興趣」的美學特點，不限於語言文字之中（即「言有盡而意無窮」）；而往往是超越於語言文字之上的意境。此意境非執著於語言文字即可獲得（即「無迹可求」、「不可湊泊」），而須有所「悟」入。

準此三項，嚴氏正面標舉盛唐，而反面批判「宋詩」。其云：

詩者，吟詠情性也。盛唐諸人，惟在興趣；羚羊挂角，無迹可求。故其妙處，透徹玲瓏，不可湊泊。如空中之音，相中之色，水中之月，鏡中之象，言有盡而意無窮。近代諸公乃作奇特解會，遂以文字爲詩，以才學爲詩，以議論爲詩；夫豈不工，終非古人之詩也，蓋於一唱三歎之音，有所歉焉。且其多務使事，不問興致，用字必有來歷，押韻必有出處，讀之反覆終篇，不

知著到何處。其末流甚者，叫噪怒張，殊乖忠厚之風，殆以罵詈爲詩。詩而至此，可謂一厄也。（《滄浪詩話．詩辯》）

所論乃撻伐宋人「作奇特解會」，其高者「以文字爲詩，以才學爲詩，以議論爲詩」、或講求使事及「用字必有來歷，押韻必有出處」；斯皆限於語言文字之中，缺乏「一唱三歎」（案即「言有盡而意無窮」）合乎「興趣」的美學特點。低者則「叫噪怒張」、「以罵詈爲詩」，根本缺乏情性，更談不上合於「興趣」的好詩了。以是之故，嚴羽貶斥「宋詩」。

嚴羽論「興趣」多合漢、魏、盛唐而言。不過，由於他認爲盛唐兼備古、律之體，有時逕以「盛唐」作爲標舉之稱（註一〇〇）。而在盛唐諸家之中，則標李、杜爲極則，其云：「論詩以李、杜爲準，挾天子以令諸侯也。」（註一〇一）嚴氏認爲二氏之作不惟合於「興趣」，同時應是論詩之歸趨所在。從中唐以迄北宋，有所謂「李杜優劣」之諍辯問題，嚴羽則並加標舉而云：「李杜二公，正不當優劣。太白有一、二妙處，子美不能道；子美有一、二妙處，太白不能作」、「子美不能爲太白之飄逸，太白不能爲子美之沉鬱」（註一〇二）。此爲其正面標崇的思想。亦由於如是的思想，他對於「唐詩」進行分期，以凸顯盛唐的「第一義」，影響至爲深遠。

嚴氏也本乎「興趣」看待宋代的詩史：

然則近代之詩無取乎？曰：有之，我取其合於古人者而已。國初之詩尚沿襲唐人，王黃州學白樂天，楊文公劉中山學李商隱，盛文肅學韋蘇州，歐陽修學韓退之古詩，梅聖俞學唐人平淡處。

至東坡、山谷始自出己意以爲詩，唐人之風變矣。山谷用功尤爲深刻，其後法席盛行，海內稱爲「江西宗派」。近世趙紫芝、翁靈舒輩，獨喜賈島、姚合之詩，稍稍復就清苦之風。江湖詩人多效其體，一時自謂之唐宗。不知只入聲聞、辟支之果，豈盛唐諸公大乘正法眼者哉？嗟乎！正法眼之無傳久矣。唐詩之說未唱，唐詩之道或有時而明也。今既唱其體曰唐詩矣，則學者謂唐詩誠止於是耳，得非詩道之重不幸邪！（《滄浪詩話・詩辯》）

這一段話有三點可講：㈠批評北宋詩風的發展，今人黃景進先生說：「應該注意的是，嚴羽在這裏所提供的宋詩發展並非單純的客觀敍述，而是帶有強烈的批判性。例如宋初詩壇，據方回《送羅壽可詩序》云，有白體、崑體、晚唐體。而《滄浪詩話》的這一段，即漏了『晚唐體』。這種遺漏恐怕不是偶然的疏忽，而是有意的，目的是在貶低『晚唐體』。另外，宋初人之學唐，所謂『王黃州學白樂天，楊文公劉中山學李商隱，盛文肅學韋蘇州，歐陽公學韓退之古詩，梅聖俞學唐人平澹處』，其中並沒有盛唐的主要詩人——如李、杜等，可見在嚴羽心目中，這些人的學唐也沒有抓到正確的目標。他所謂『截然以盛唐爲法』確實是針對整個宋代詩壇來說的。本來，推崇盛唐——尤其是李、杜，是宋人的風氣（江西詩派之推崇杜甫更是人盡皆知），但嚴羽卻撇開不談，這就暗示了，在嚴羽心目中，宋人即使學習盛唐，也沒有學到精華，而只學到糟粕。《詩辯》所提出的別材別趣與『妙悟』等，就是要告訴宋人，盛唐的佳處何在？使以後在學習的時候，才不會走錯路頭。」（註一〇三）可謂精到肯切。㈡嚴氏以蘇黃爲「唐詩」、「宋詩」轉變的關鍵，歸咎之意，極爲明顯。㈢對於年代相近的四靈、江湖諸人標舉的「唐詩」，嚴氏亦嚴加批判，指其所宗為清苦的賈島、姚合而已，本之而名曰「唐詩」，乃是混淆視聽而為「詩道之重不幸」。

嚴羽身處南宋末年，有感於當時詩壇的流弊，遂考察宋代詩史的發展，探其病源所在，皆由於不知法效盛唐。故特別標舉盛唐，且反覆闡說其精妙所在——即「興趣」。而「興趣」便成為詩好壞的判準，為了達致此種美學上的要求，於創作實踐上則主張「妙悟」，可言者有三點：

1. 詩之重點不在「書」與「理」，所以學詩的「當行」與「本色」在於「悟」。

2. 悟有淺深、分限之別。最高者在於「不假悟」、「透徹之悟」即「妙悟」。這是漢、魏、盛唐諸家之所以能達到「興趣」的原因所在，如孟浩然之勝於韓愈，即不因為「學力」，而在「妙悟」而已（註一〇四）。

3. 「妙悟」的前提是「識」，即須識別合乎「興趣」之詩，如漢、魏、盛唐之作，以之為入門之途。並且須如「治經」般的熟讀，「醞釀胸中，久之自然『悟』入。」（註一〇五）雖一時達不到最高目標，卻是正確的途徑。

嚴氏固然強調「悟」的工夫，以此與「書」、「理」對揚。卻又云：「然非多讀書，多窮理，則不能極其至。」（註一〇六）可見欲達至詩的最高境界，學力仍是不可免的。

嚴羽自誇其《詩辯》之文「是自家實證實悟者，是自家閉門鑿破此片田地，即非傍人籬壁、拾人涕唾得來者。」（《答出繼叔臨安吳景仙書》）事實上，承本文前面所敍，我們不難發覺張戒、劉克莊、周弼、高翥之論與之有不少類似之處。朱東潤先生更云：「總上言之，滄浪在南宋，爲比較接近江湖詩人之人物，鑒於江西派之末流，則盛言唐詩，鑒於四靈、江湖兩派之泛論唐人，漫無標準，則專言盛唐，視同時諸人，途徑獨爲專一。……至於假禪喩詩，歸諸妙悟，自不過襲江西詩人之遺論，……至其論江西詩派者，則攻擊所及，在其以文字才學議論爲詩，此則時人之恒言，固無待於滄浪之喋喋，而江西派之論句法字眼，滄浪亦間用其說，則其反對江西派之立場，反不如試齋、白石、水心放翁等之堅定。」（註一〇四）朱氏所云，頗符實情。不過其結論似有待商榷。嚴氏確實偶用江西詩派之詩論（如《詩法》云：「下字貴響，造語貴圓」、「須參活句，勿參死句」等句法、字眼之說）除了可見彼時江西詩派爲主導的影響外，嚴氏言此，乃納入自己的體系之中，正爲反江西詩派而發。此乃爲「舉子之矛，攻子之盾」的作風，立場不惟沒有削弱，反而愈加堅定。其云：「雖獲罪世之君子，不辭也。」（註一〇八），又云：「僕之《詩辯》，乃斷千百年公案，誠驚世絕俗之談，至當歸一之論。其間說江西詩病，眞取心肝劊子手。」（註一〇九）可謂旣自負而自信，朱氏之論，恐有失察也。

《福建通志》盛言嚴羽的影響力，以羽之後：「邑人上官偉長，吳夢易、朱叔大，黃裳、吳陵盛傳宗派，幾與黃魯直江西詩派並行。」（註一一〇）又當時如范景文《對牀夜語》爲推尊盛唐者，可能也受有嚴羽的影響（註一一一）。然而，這些人在當時的名聲像嚴羽一樣並不顯赫。雖然如此，嚴氏論詩確是宗旨明確、根據精微、體系謹嚴、態度篤定，固然一時未顯，而影響後代則獨深。如陳伯海先生云：「《詩話》（案即《滄浪詩話》）幾乎籠罩了明、清兩代的詩學，並非過甚其詞。」（註一一二）後代「唐詩」、「宋詩」之爭不再是江西與晚唐，卻轉成「盛唐」與「宋詩」的爭議，從某個角度而言，幾乎可以看作是贊同與反對嚴羽之爭了。

後人對嚴羽的評價不一，《四庫全書總目提要》云：「明胡應麟比之達摩西來，獨闢禪宗。而馮班作《嚴氏糾謬》一卷，至詆爲囈語。要其時，宋代之詩，競涉論宗；又四靈之派方盛，世皆以晚唐相高，故爲此一家之言，以救一時之弊。後人輾轉承流，漸至於浮光掠影，初非羽之所及知，譽者太過，毀者亦太過也。」（卷一百九十五・評《滄浪詩話》）可謂平允之論。

丁、後期修正江西詩派

一、詩風與詩論

宋末元初，詩風大抵有四：㈠中州一帶，承金之習，宗奉蘇軾爲主（註一一三）。㈡江西一帶，多沿宋之江西詩派。（註一一四）㈢東南一帶，多宗奉晚唐的四靈、江湖之徒（註一一五）。㈣宋之遺民烈士，以杜甫爲師（註一一六）。元雖陸續滅金亡宋，除㈣外，初年詩風大抵沿承其舊。陳衆仲云：「宋金之季詩人，宋之習近骫骳，金之習尚號呼，南北混一之初，猶或守其故習。」（《元詩選》初集卷四十五）大抵符於史實。

雖然詩風如是，今日所見之詩論則以修正江西詩派、貶抑晚唐之意見爲多。之所以如此，殆與蘇黃優劣之辯，於金有元好問爲之總結。又今人曾永義先生云：「四靈和江湖俱不重視理論，尤以元人更未見隻字片語。」（註一一七）其間之論者又以方回最爲重要，其於江西詩派之推崇、維護、修正、擴大，厥功至偉，後代主唐者力詆之（註一一八），宗宋者推尊之（註一一九），於毀譽之間，不難看出他的重要性，下文將專門敍述。

方回之外，如劉因論詩云：

魏晉而降，詩學日盛，曹、劉、陶、謝其至焉者也。隋、唐而降，詩學日變，變而得正，李、杜、韓其至者也。周、宋而降，詩學日弱，弱而後強，歐、蘇、黃其至者也。故作詩者，不能三百篇則曹、劉、陶、謝，不能曹、劉、陶、謝則李、杜、韓，不能李、杜、韓則歐、蘇、黃，乃欲效晚唐之萎薾，學溫、李之清新，擬盧仝之怪誕，非所以爲詩也。（《靜脩續集》卷三《敍學》）

黃節先生言：「觀其所論，然則靜修（即劉因）亦江西派之支流苗裔者也。」（註一二〇）殆以其不薄「宋詩」而抑晚唐，似類江西詩派的主張而有以致之。事實上，劉氏乃修正江西詩派之論，如兼肯定歐、蘇、黃，非獨尊黃庭堅者即是。又劉氏以正變、強弱來說明詩史的發展，進而肯定曹、劉、陶、謝、李、杜、韓、歐、蘇、黃，貶抑晚唐諸子，不純然由詩好壞的判準加以論定。雖然劉氏只是描述詩史，並未說明或證成自己的史觀，然以如是的立場來肯定「唐詩」和「宋詩」，彼時似不多見。

王義方論詩則幾爲江西詩派之言，少修正之意。其於黃庭堅則云：「余謂山谷之奇，大家數也。

劉長卿與秦系為詩友，系以詩答權德輿曰：『長卿自謂五言長城』登詩壇、建大將旗鼓，與山谷對壘，百秦系得而攻之哉？」（《稼村類藁》卷四《武寧汪材夫石城詩集序》）可謂極其推尊之。和黃庭堅一樣，王氏對杜甫夔州以後的詩也高度讚許（註一二一）。又王氏於時人學習江西抱持著肯定的態度，如云：「來派江西詩，風月浩無垠。」（註一二二）、「只因住在修江近，接得涪翁一派來。」（註一二三），乃至曰：「渝川大小山、章貢蕭氷崖，近世派西江者，草塘黃君以詩求正於二山，且求正於氷崖，三君子大手筆，為三君子所選，盛選也。」（引書同前。《黃草塘詩選序》）由肯定其人，進而連其選詩亦加以肯定，不難知悉王氏推尊江西詩派之意。王氏於晚唐則曰：「學詩莫學晚唐詩，學得晚唐非盛時。」（引書同前。卷一《讀晚唐詩有感》）貶斥之意，不言而喻。

劉壎論詩極推尊黃庭堅，其云：「賡歌昉於舜廷，至三百篇以來，跨漢魏、曆晉唐，以訖於宋，以詩名家者，亡慮千百。其正派單傳，上接風雅、下逮漢唐，宋惟涪翁集厥大成，冠冕千古，而淵源廣博，自成一家。嗚呼！至是而後可言詩之極致矣。……學者不以杜、黃為宗，豈所謂識其大者？」（《水雲村藁》卷四《新編絕句序》）（註一二四）無怪乎曾永義先生會說：「劉氏對於黃庭堅，可以說推尊至極，其學詩以杜、黃為宗，正是江西詩派的科律。」（註一二五）雖然如此，劉氏並不因此菲薄「唐詩」，其云：「七言近體，肇基盛唐，應虞韶、協漢律之妙，風韻掩映千古。」（引書同前。《新編七言律詩序》），又云：「詩至於唐，光岳英靈之氣，為之滙聚，發為風雅，殆千年一瑞世。」（引書同前。《新編絕句序》）可知劉氏有肯定「唐詩」的一面。又劉氏稱道時人，動輒曰：

「文脈之繫江西」（註一二六）、「江西詩國」（註一二七）、「江西詩伯」（註一二八），皆讚許有加；另一方則云「擺落江湖窠臼」（註一二九）、「軼四靈」（註一三〇），抑揚之意極其明顯，宗旨亦斯可見。

二、方回

江西詩派經過四靈、江湖、嚴羽等人的批判，後代宗奉之者，於此勢不得不有所回應。前舉之劉因、王義方、劉壎等人，或貶抑晚唐，或推尊黃庭堅，或兼肯定盛唐即是，然皆不及方回。今人稱許方氏，或曰「宋末詩學界的大批評家」（註一三一）、或云「元代的大詩論家」（註一三二），而方氏於「唐詩」、「宋詩」之爭中，標舉江西，回應四靈、江湖、嚴羽之批判，確有其不可磨滅的地位。

方氏之著述甚豐。今所存者僅《桐江集》、《桐江續集》、《瀛奎律髓》、《文選顏鮑謝詩評》、《虛谷閒抄》、《虛谷詩話》、《續古今考》等書（註一三三）。其中衆所公認最爲重要的書是《瀛奎律髓》，該書乃輯唐宋諸名家的五、七言律詩而加以批點評騭。據今人黃啓方先生統計，共選入唐代一百六十八家，一千二百七十首；宋代二百一十六家，一千七百四十四首（註一三四）。其中宋代又稍多於唐代。本文所述，即以此書爲主，偶或參證他書。

方氏論詩喜言「格」，並據之評騭唐、宋詩作。除以「格」直接抑揚作品外，方氏尚云：

△所選，詩格也。（《瀛奎律髓・序》）

△山谷謂「水邊籬落忽橫枝」此一聯勝「疏影暗香」一聯，疑歐公未然。蓋山谷專論格，歐公專

取意味精神耳。（《瀛奎律髓》卷二十・評宋林逋《梅花》）

△夫詩莫貴於格高，不以格高爲貴而專尙風韻，則必以熟爲貴。熟也者，非腐爛陳故之熟，取之左右逢其原是也。（《瀛奎律髓》卷二十・評宋張道洽《梅花二十首》）

△詩先看格高，而意又到、語又工爲上，意到、語工而格不工，次之。無格、無意又無語下矣。（《瀛奎律髓》卷二十一・評宋曾幾《上元日大雪》）

△詩以格高爲第一。三百五篇，聖人所定，不敢以格目之，然風、雅、頌體三，比、興、賦體三，一體自是一格，觀古自當得之於此心。自騷人以來，漢蘇李、魏曹劉，亦無格卑者，而予乃創爲格高、格卑之論何也？曰此爲近世之詩人言之也。予於晉獨推陶彭澤一人格高，足可方稽、阮；唐推陳子昂、杜子美、元次之、韓退之、柳子厚、劉禹錫、韋應物，宋推歐、梅、黃、陳、蘇長公、張文潛，而於其中以四人爲格之尤高：魯直、無己，足配淵明、子美爲四也。（《桐江集》卷三《學藝圃小集序》）

由方氏言「格」，進而述其論詩大要：

㈠黃庭堅論詩罕言「格」（註一三四），方氏卻說黃氏「專論格」，殆取黃氏論詩之旨而標以「格」名。方氏有取於黃庭堅者甚多，如云：「山谷教人作詩，必學老杜，今所選亦以老杜爲主。」（註一三六）；又云：「山谷論老杜詩，必斷自夔州以後。」（《桐江集》卷二《程斗山吟稿序》），《瀛奎律髓》亦反覆褒賞杜甫夔州以後詩。又如朱東潤先生指出方氏「字響之說，遠紹黃山谷。」（

註一三七）其它如取陶潛之類，皆可見方氏論詩受黃庭堅影響之深。黃氏雖不標以「格」名，方氏以「格」紹繼其旨，可見其淵源所在；甚且更進而有取江西諸人論詩之旨，如呂居仁的活法，陳師道的鄙視許渾詩等等皆是。是以今人或認爲其說源出曾幾（註一三八），或認爲其說即陳師道所謂的「換骨」（註一三九），雖皆一偏之見，然方氏論詩之旨密合江西，亦可由斯而見。

(二)何以方氏會拈出「格」之說？《學藝圃小集序》云：「此爲近世之詩人言之也。」此有兩點可加以說明：

1.對四靈、江湖詩人的回應。方氏於此有兩種態度：

(1)極力批判。方氏之批判有沿承江西詩派之傳統者，如云：「陳后山《次韻東坡》有云：『後世無高學，舉俗愛許渾。』以此之故，予心甚不喜丁卯詩。」（註一四〇）此外，方氏之批評四靈、江湖者，則以攻擊姚合爲「擒賊擒王之法」（註一四一），言其「細巧」、「專在小結裹」，於賈島則稍有好感。方氏以許渾、姚合爲江湖詩人的始祖，批評最烈：

△姚合、許渾，格卑語陋，恢拓不前。（《桐江集》卷三《送俞唯道序》）

△姚合、許渾精儷偶，青必對紅、花對柳。兒童傚之易不難，形則尚矣神何有？（《桐江集》卷十四《過李景安論詩爲作長句》）

△近世爲詩者，七言律宗許渾，五言律宗姚合，自謂足以符水心、四靈之好，而餖飣粉繪，率皆死語、啞語。試令作七言大篇，如蘇、黃、李、杜；五言短篇如韋、陶、三謝、嵇、阮、建安

七子；則皆縮手不能，又且借是以爲游走乞索之具，而詩道喪矣。（《桐江集》卷首《滕元秀詩集序》）

△三百五篇，有麗者，有工者，初非有意於麗與工也。……而麗之極、工之極非所以言詩也。謂如老杜七言律詩……此等詩不麗不工，瘦硬枯勁，一幹萬鈞，惟山谷、後山、簡齋得此活法。又各以其數萬卷之心胸、氣力鼓舞跳盪。初學晚生，不深於詩，而驟讀之，則不見奥妙，不知雋永，乃獨許丁卯體，作偶儷嫵媚態。（《桐江續集》卷八《詩張功父南湖集幷序》）

據此不獨見方氏之批判許渾、姚合、四靈、與江湖詩人而已，更可由此知悉「格」之意所關涉者：

①非僅純限於「詩」而已，於人亦有關係。所以對江湖詩人以詩爲乞索之資、干謁之具深爲不恥，更不必談及詩之「格」了。《瀛奎律髓》卷十四・評戴復古《歲暮呈眞翰林》詩云：「尾句不稱，乃止於訴窮乞憐而已。求尺書、干錢物、謁客聲氣，江湖詩人皆學此等衰意思，所以令人厭之。」紀昀雖復批曰：「詩但論詩，不必旁涉。」（《瀛奎律髓刊誤》）實則方氏正是涉及人而論詩。於正面而言，如今人簡恩定先生所指出：「方回雖然講求杜詩中的格律，但對於杜甫悲天憫人的情懷實亦有嚮往之感。」（註一四二）又方氏所以論詩牽附道學，動輒標榜朱熹，並因此備受批評，皆是由於其認爲「詩格」和「人格」的關係密切。

②以詩而言格高者，特色有五：㈠不限一體。㈡不由語言對偶之工麗得之。㈢正是超越語言形式之工麗，進至「神」，進至「不工不麗」者，始爲得之。㈣最足以代表「格高」的特色的是杜甫的「

瘦硬枯勁，一幹萬鈞」的風格。㈤非數萬卷之心胸氣力，難以達此境界。

⑵意欲調和。此又有二種不同：

①調和盛唐與晚唐。方氏云：「盛唐人詩氣魄廣大，晚唐人工夫纖細，善學者能兩用之，一出一入，則不可及矣。」（註一四三）

②調和江西與四靈。方氏云：「予謂學姚合詩如此亦可到也。必進而至於賈島斯可矣，又進而至老杜，斯無可無不可矣。」（註一四四）錢鍾書先生解釋說：「虛谷欲融合兩派，統定一尊，曰『老杜』而意在江西派，曰『姚賈』而意在永嘉派；老杜乃江西三宗之『一祖』，姚、賈永嘉四靈之『二妙』，使二妙可通於一祖，則二派化寇仇爲眷屬矣。」（註一四五）據此可知方氏調和之意甚明。然雖欲調和，仍不悖己之宗旨。

2.對嚴羽《滄浪詩話》的回應

郭紹虞先生解釋說：「由詩人的看法言，則『格高』二字誠是呂居仁所不曾說到。不過我們應得追問何以江西派的建立者不提到此，而江西派的救弊者獨拈出此。我以爲這當是受《滄浪詩話》的影響。他受到滄浪所謂第一義的暗示，於是隨其癖好，便以第一義歸諸江西詩，而瓶所謂格高之論了。固然，『近世無高學，舉俗愛許渾。』陳后山早已說過，虛谷之攻擊四靈與許丁卯體，即可視爲衍后山之餘緒。然而，如其《跋許萬松詩》所謂『猶之奕然，師第一手不能過其師，必爲第二手，苟僅師所謂第二手者必更低一着。』（《桐江集》四）顯然是受滄浪的影響。又如《律髓》卷一論選詩條例亦有『正法眼藏』之語，顯然又是運用《滄浪詩話》中的術語。《滄浪詩話》之與江西詩雖處敵對地位，卻不妨仍有相互的影響。」（註一四六）郭氏於方回受嚴羽之影響言之甚詳，然於方回回應《滄浪詩話》除借用第一義以標江西外，方氏如何看待盛唐則未加以說明，筆者則認爲有三點可述：

(1)大抵仍加以推崇，如「專尚風韻」之詩即是。又如云：「盛唐律詩體渾大，格高語壯」（註一四七）之類。

(2)特別標出杜甫，方氏以「老杜詩爲唐詩之冠」（註一四八），以是之故，盛唐諸作雖佳，然尚不及杜甫。如云：「老杜此詩，悲不可言，唐人無能及之者。」（註一四九），又如：「老杜七言律詩一百五十餘首，唐人粗能及之者，僅數公，而皆欠悲壯。」（註一五〇）已隱隱透出抑揚盛唐詩的訊息。又方氏對杜甫幾乎到了曲意維護的地步，如云：「老杜詩無人敢議」（註一五一）或「在老杜則可，在他人則不可。」（註一五二）之類。

(3)江西諸子足與盛唐並列，甚或有些高之者。如云：「予平生所見，以老杜爲祖，老杜同時諸人皆可伯仲。宋以後，山谷一也，后山二也，簡齋爲三，呂居仁爲四，曾茶山爲五，其它與茶山伯仲亦有之，此詩之正派也，餘皆傍支別流，得斯文之一體者也。」（註一五三）所謂老杜同時人，殆指盛唐諸家而言。準此可知詩之正派，盛唐與江西諸子，二者並列。此外方氏在前引《學藝圃小集序》更以黃庭堅、陳師道於唐、宋諸人間之「格」猶高，足配陶潛、杜甫而爲四，凌駕唐、宋他人之意甚明。又如：「嗚呼！古今詩人當以老杜、山谷、后山、簡齋四家爲一祖三宗，餘可預配饗者有數焉。」（

註一五四）這就是方氏有名的「一祖三宗」說，其中無容盛唐諸家立足之地，抑揚亦極其明顯；以爲方氏只主此說者固一偏，忽略此說者亦一偏也。其它陰抑盛唐之說尚多，不待詳舉。

由此可見，方氏在回應嚴羽《滄浪詩話》的同時，對於江西詩派已有所修正。最明顯的是論詩拈出「格」，標舉杜甫爲初祖，而云：「江西派非自爲一家也，老杜實初祖也。」（註一五五）方氏之前，雖亦有人修正江西詩派，指出杜甫爲其淵源，然有一套謹嚴的論詩根據者，厥爲方回一人。且陳與義、呂居仁、曾幾等人皆非《江西詩杜宗派圖》所列，方氏則將之歸屬於江西詩派，亦可謂擴大了其派的範圍。甚且其論詩以格尤高者歸諸江西二三子，雖未明貶盛唐，而第一義則劃入江西詩派，殆無疑義。

㈢自《四庫全書總目提要》評《瀛奎律髓》曰：「大旨排西崑而主江西」（卷一百八十八）彷彿西崑與江西的爭執由回所起，後代之論者亦多從之（註一五六）。朱東潤先生於此則特有見地，其云：「馮定遠言西崑之弊，使人厭讀麗辭，西江以麤勁反之。此言有待商者，江西派之與西崑，雖事實殊途，而情非氷炭。呂居仁《紫微詩話》亦屢稱義山，故《四庫書目提要》稱爲不主一格。虛谷之論，對於崑體亦有恕辭，《瀛奎律髓》卷三錢惟演詩註云，『此崑體詩，一變亦足以革當時風花雪月、小巧呻吟之病，非才高學博，未易到此，久而雕篆太甚，則又有能言之士，變爲別體，以平淡勝深刻，時勢相因，亦不可以一律立論也。』總之，在虛谷時，西崑初燄已熄，無的放矢，於義無取，虛谷之所以輕輕放過者以此，其當前之二派，則有四靈、有江湖派，故虛谷立論，在確定江西宗祖源流以外，即以攻擊二家爲事。」（註一五七）進而論之，方氏批評李商隱多合晚唐諸人言，罕單獨針對義山而發。《瀛奎律髓》言及西崑者，似褒多於貶，如云：「崑體未嘗不美」（註一五八）之類。降及清代，馮舒、馮班兄弟主李商隱（二馮名曰「西崑」）以斥江西，對方氏百般詆訶，此後西崑與江西始如同氷炭相激，又爲「唐詩」、「宋詩」之爭的另一種型態，以致《四庫全書總目提要》有如斯的評語，然皆非方氏之所及知。

方氏論詩之抑揚如是，教人學詩亦大抵相近，其云：「大概律詩當專師老杜、黃、陳、簡齋，稍寬則張文潛，此皆詩之正派也。五言古，陶淵明爲根柢，三謝尚不滿人意，韋、柳善學陶者也。七言古，須守太白、退之、東坡規模。絕句，唐人後惟一荊公，實不易之論。但不當學姚合、許渾，格卑語陋，恢拓不前。」（《桐江集》卷三《送俞唯道序》）又《桐江續集序》、《春半久雨走筆五首跋》及其它自述學詩歷程之語，可知方氏於諸家學習殆盡，用心良苦。方氏之詩風，近人朱東潤云：「與黃、陳諸公之詩，殊不相類，以體裁言之，蓋爲江西派中之修正派。」（註一五九）詩風與詩論俱可如是觀之。

【附註】

註　一：見清葉德輝《書林清話》卷十《宋元佑禁蘇黃集板》所載，可知當時之情形，頁二七〇～二七一，世界書局。

註　二：丁時起《孤臣泣血錄》載之甚詳。此外又可參考後文《金源的詩風與詩論》。

註三：見嚴羽《滄浪詩話・詩體》收於清何文煥所輯《歷代詩話》，頁六九〇，漢京，民七十二。

註四：見《宋史》卷四四五《文苑・陳與義傳》，頁一，臺灣中華，四部備要本。

註五：見《四庫全書總目提要》卷一百五十六評《簡齋集》，頁二十三，藝文印書館。

註六：葛勝仲《丹陽集》卷八《陳去非詩集序》載：「搢紳士庶爭傳誦，而旗亭傳舍，摘句題寫殆遍，號稱『新體』。」頁九～十，臺灣商務，景印文淵閣四庫全書本。

註七：張戒《歲寒堂詩話》卷上載：「王介甫只知巧語之爲詩，而不知拙語亦詩也。山谷只知奇語之爲詩，而不知常語亦詩也。歐陽公詩專以快意爲主，蘇端明詩專以刻意爲工，李義山詩只知有金玉龍鳳，杜牧之詩只知有綺羅脂粉，李長吉詩只知有花草蜂蝶，而不知世間一切皆詩也。惟杜子美則不然，在山林則山林，在廊廟則廊廟，遇巧則巧，遇拙則拙，遇奇則奇，遇俗則俗，或放或收，或新或舊，一切物，一切事，一切意，無非詩者。故曰『吟多意有餘』，又曰『詩盡人間興』誠哉是言！」抑揚古今詩人，而獨尊杜甫之意甚明，以是之故，張健先生認爲張戒「心目中古今第一詩人」爲杜甫，可謂中的之語。見所著《文學批評論集》一書之《張戒詩論研究》一文，頁二十一，學生，民七十四。

註八：宋李心傳《建炎以來繫年要錄》卷一百十二載：「（紹興七年秋七月）丙寅，祕書郎張戒提舉福建路茶事，上因論館中人材，以爲戒好資質而未更事任，可令在外做一任，復召用之。戒聞，請補外。後二日，上謂輔臣曰：『士大夫須更歷外任，不必須在朝廷，若既練達而止令在外，則又不盡用材之道。』陳與義進曰：『前日陛下惜張戒人材，除外任以養成之，聖意甚美。』上曰：『中書省可籍記，他日復召用。』」可知張戒與陳與義應同時人，且相互認識。引文見頁三～頁四，臺灣商務，景印文淵閣四庫全書本。

註　九：宋王偁《東都事略》卷一百十六《文藝・黃庭堅傳》載：「始庭堅與秦觀、張耒、晁補之皆蘇軾之門，號四學士，而庭堅於文章特長於詩，獨江西君子以庭堅配蘇軾，謂之蘇黃云。」，頁一～頁二，臺灣商務，景印文淵閣四庫全書本。

註一〇：陳氏之《後山詩話》載云：「然學者先黃後韓，不由黃、韓而為左、杜，則失之拙易矣。」，見清何文煥所輯《歷代詩話》，頁三〇五，漢光，民七十二。

註一一：如周裕鍇《蘇軾黃庭堅詩歌理論之比較》（原文未見，轉見於黃景進《嚴羽及其詩論之研究》，頁六五～六六）、及劉大杰《中國文學批評史》下冊，頁八〇，文匯堂，民七十四，皆主是說。

註一二：見所著《宋詩選註》之《汪藻小傳》，除所舉諸人外，汪藻亦學蘇軾者，頁一三五，木鐸，民七十三。

註一三：此據龔師鵬程所著《江西詩社宗派研究》第五卷《江西詩社宗派事迹簡表》，頁三六六，文史哲，民七十二。

註一四：除黃、陳、潘、謝外，尚有洪朋、洪芻、饒節、祖可、徐俯、林敏修、洪炎、汪革、李錞、韓駒、李彭、晁沖之、江端本、楊符、謝薖、夏倪、林敏功、潘大觀、王直方、善權、高荷等二十一人（據《小學紺珠》卷四），《漁隱叢話前集》卷四十八多了何覬一人。《雲麓漫抄》卷十四所舉，除林敏修作林修、晁沖之作晁說之，微有小異外，與《小學紺珠》相同。

註一五：如胡仔《苕溪漁隱叢話前集》卷四十八雖列派中之人，卻批評云：「居仁此圖之作，選擇弗精，議論不公，余是以辨之。」、趙彥衛《雲麓漫抄》卷十四則質疑云：「不知居仁當時果以優劣銓次？而姑記姓名？而紛紛如此！以是知執太史之筆者戛戛乎難哉！又不知諸公之詩，其後人品藻，與居仁所見又如何也？」二書作者皆爲宋人。宋以後批評與質疑，迭見不鮮，淸張泰來《江西詩社宗派圖錄》云：「說者謂呂居仁作圖，旣推山谷爲宗派之祖，二十五人皆嗣公法者，今圖中所載，或師老杜，或師儲、韋，或師二蘇，師承非一家也。詩派獨宗江西，惟江西得而有之，何以或產於揚，或產於兗，或產於豫，或產於荊梁？似風土又不得而限之矣。或謂三百五篇而後作詩者，原有江西一派，自淵明已然，至山谷而衣鉢始傳，以宗派盡于二十五人也。及考紹興初，晁仲石嘗與范顧言、曾裘父同學詩于居仁，後湖居士蘇養直歌詩清腴，蓋江西之派別。坡公謂秦少章句法本黃子、張均父亦稱張彥實詩出江西諸人，范元實曾從山谷學詩，山谷又有《贈晁無咎詩》：『執持荊山玉，要我雕琢之。』彼數子者，宗派旣同，而不得與于后山之列，何也？」尤爲最具代表性的一段話。龔師鵬程亦名之曰：「獻疑貢難，幾爲明、淸以來訾謷此圖之集大成者。」見《江西詩社宗派研究》第四卷。龔師之書亦可知以參考。

註一六：見所著《讀詩隅記》之《試論江西詩社宗派之形成》一文，頁一四七，華正，民七十六再版。

註一七：見所撰《象山先生全集》卷之七《與程帥書》云：「伏蒙寵貺《江西詩派》一部二十家，異時所欲尋繹而不能致者，一旦充室盈几，應接不暇，名章傑句，焜燿心目。……自此（案指杜甫以後）以來，作者相望，至豫章而益大肆其力，包含欲無外，搜抉欲無祕，體製通古今，思致極幽眇，貫穿馳騁，工力精到，一時如陳、徐、韓、呂、三洪、二謝之流，翕然宗之，由是江西遂以詩社名天下，雖未極古之源，而其植立不凡，斯亦宇宙之奇詭也。」可謂是備極尊崇。頁七九，上海商務，四部叢刊初編縮本。

註一八：見其所輯《黃庭堅和江西詩派》資料彙編之《前記》一文，頁一，九思，民六十八。

註一九：見所著《中國文學批評史》第六篇《兩宋文學批評史》部份，頁二七八，學海，民六十七。

註二〇：引見《誠齋集》卷七十八《雙桂老人詩集後序》，頁六六一，上海商務，四部叢刊初編縮本。

註二一：見所著《中國歷代文學理論》，筆者轉引自楊家駱所輯《中國文學百科全書》之《江西詩派之詩論》一條，頁文—三—二九三，鼎文，民六十五年七版。

註二二：可參考龔師鵬程《江西詩社宗派研究》第四卷《江西詩社宗派圖內容之分析》，頁三〇三～三一一。及朱東潤《述方回詩評》一文亦有提及，收於《中國文學批評家與文學批評（二）》一書，二六～二八，學生，民六十。

註二三：見所著《宋詩選註》之《楊萬里小傳》，頁一七八，木鐸，民七十三。

註二四：《遼史》卷一百三《文學傳》亦載：「遼起松漠，太祖以兵經略方內，禮文之事，固所未遑。及太宗入汴，取晉圖書禮器而北，然後制度漸以修舉。至景聖間，則科目聿興，士有由下僚擢陞侍從，駸駸崇儒之美，但其風氣剛勁，三面鄰敵，歲時以蒐獮為務，而典章文物，視古猶闕。」可與所述相互參證。頁一，臺灣中華，四部備要本。

註二五：翁方綱《書遺山後集》及《齋中與友論詩五首》之第一首皆如是言之。

註二六：如錢鍾書先生於《新編談藝錄》之《四五、金詩與江西派》一條云：「見於《中州集》者，高士談尚有《曉起戲集東坡句》二首，劉從益尚有《次韻東坡別歲饋歲二首》，馮璧《題東坡海南烹茶圖》則詠坡事，其《見華山》詩之『坡仙曾借海宮春』，又用東坡《登州海市》詩。……甌北概付闕如。」其實錢氏的補充也有遺漏，就《中州集》而言，尚有蔡珪《雪擬坡公韻》、劉迎《郭熙秋山平遠用東坡韻》，及《高憲小傳》載云：「自言於世味澹無所好，惟生死文字間而已。使世有東坡，雖相去萬里，亦當往拜之。」斯皆可佐證蘇軾影響金源之深。

註二七：見所著《新編談藝錄》之《四五、金詩與江西派》一條。

註二八：《中州集》所見者，如蔡珪《太白捉月圖》、李端甫《太白扇頭》、呂子明《李白醉歸圖》等詩，皆歆羡李白之天才恣縱、瀟灑絕塵。

註二九：見所著《閑閑老人滏水文集》卷十一《翰林學士承旨文獻黨公碑》，頁一四一，上海商務，四部叢刊初編縮本。

註三〇：見《中州集》卷三《趙秉文小傳》，頁六十三，臺灣商務，景印文淵閣四庫全書本。

註三一：朱氏本宋人，留於金朝甚久，《宋史》卷三百七十三有其傳，然留金之時，如史所稱「金國名王貴人，多遣子弟就學。」影響金朝詩歌理論甚鉅。且《中州集》亦將之納入金朝詩家，故本文介紹金朝之論者，仍以朱弁爲首。

註三二：如本小節將提及的王若虛，即力反此說。

註三三：龔師鵬程即主是說，見《江西詩社宗派研究》第一卷，頁五一，文史哲，民七十二。

註三四：見元劉祁《歸潛志》卷八，頁十二，臺灣商務，景印文淵閣四庫全書本。

註三五：《閑閑老人滏水集》卷四有《題魯直書黃庭經》、卷二十有《題涪翁草書文選詩後》、《跋山谷草聖》等文，皆盛讚黃庭堅之書法，上海商務，四部叢刊初編縮本。

註　三六：見所著《閑閑老人滏水集》卷十九《答李天英書》，頁一九二，上海商務，四部叢刊初編縮本。
註　三七：所據爲《中州集》卷三所收之詩，及清潘德輿《養一齋詩話》卷九所指出者。
註　三八：錢鍾書先生《新編談藝錄》之《四五、金詩與江西派》亦云：「古來詆訶山谷最嚴厲者，莫如王從之（案：即王若虛）。」。
註　三九：見元劉祁《歸潛志》卷八，頁十二，臺灣商務，景印文淵閣四庫全書本。
註　四〇：見所著《滹南集》卷三十五《文辨》一文，頁七，臺灣商務，景印文淵閣四庫全書本。
註　四一：見所著《滹南詩話》卷三，頁二，收於丁福保輯《續歷代詩話》，藝文。
註　四二：《滹南詩話》卷三載云：「朱少章（弁）論江西詩律，以爲用崑體功夫，而造老杜渾全之地。予謂用崑體功夫，必不能造老杜之渾全，蓋二者不能相兼耳。」，頁三，收於丁福保輯《續歷代詩話》，藝文。
註　四三：如黃節《詩學》之金元部份即主是說。原書未見，轉引自羅聯添編《中國文學史論文選集續編》，頁五五五，學生，民七十四。
註　四四：該詩自載作於丁丑歲，時爲金宣宗興定元年（即元順帝至元三年，一三三七），而元好問生於金章宗明昌元年（西元一一九〇），故爲廿八歲。見翁方綱撰《元遺山先生年譜》，百部叢書集成——奧雅堂叢書。
註　四五：此書因弟子郝天挺注本不著編輯姓氏，以致有疑其非元氏之作，王士禛、四庫館人則早已辨其非。此外，可參考李長生《元好問研究》，頁一二一～一二二，辨之尤詳，文史哲，民六十八。
註　四六：見所著《元好問論詩絕句析論》，頁八〇～八二，《南洋大學學報》一九六九年第三期。

註四七：如皮述民即作如是之解釋，書同於註四六。

註四八：如清翁方綱《石洲詩話》卷七即作相反的解釋。今人王禮卿先生《遺山論詩詮證》云：「用奇之外，若已無奇可生，而竟更有奇出；又如一波甫動，萬波隨而翻騰。只知詩到蘇、黃，已盡此奇變之妙矣；然使後世如滄海橫流，失其法度者，卻是何人？用亦蘇黃爲之階歟！」指元氏認爲蘇黃盡主流之變；而啓後人之橫流亦蘇黃爲之，詞婉而意曲，非單純之褒貶而已。似較合於詩義。頁一四一，中華叢書，民六十五。

註四九：見所著《遺山先生文集》卷三十七，頁三八二～三八三，上海商務，四部叢刊初編縮本。

註五〇：《中州集》卷九《王中立小傳》載云：「予嘗從先生學，問作詩當如何？先生舉秦少游《春雨詩》云：『有情芍藥含春淚，無力薔薇臥晚枝。』此詩非不工，若以退之『芭蕉大梔子肥』之句校之，則《春雨》爲婦人矣。破卻工夫，何至學婦人！」元氏《論詩三十首丁丑歲三鄉作》之二十四首云：「有情芍藥含春淚，無力薔薇臥晚枝。拈出退之山石句，始知渠是女郎詩。」此種見解應是本於其師王中立，見《遺山集》卷十一，頁七，臺灣商務，景印文淵閣四庫全書本。

註五一：語出《遺山集》卷十一《論詩三十首丁丑歲三鄉作》之二十九首，頁八，書同註五〇。

註五二：語出《遺山集》卷十三《自題中州集後五首》第二首，頁十，書同註五〇。

註五三：郝經《陵川集》卷三十五《遺山先生墓銘》即曰：「當德陵之末，獨以詩鳴，上薄風雅，中規李杜，粹然一出于正，直配蘇、黃氏。」郝氏雖其弟子，所論尚稱平允。頁一，臺灣商務，景印文淵閣四庫全書本。

註五四：當時如余謙序其詩即曰：「其詩文出入於漢魏晉唐之間，自成一家，名振海內。」見世界書局《新校元遺山箋注》卷首。又如孫克寬《詩與詩人》之《元遺山其人其詩》一文亦云：「遺山的詩自建安的雜亂之音，而取陳思、王粲，和阮籍慷慨悲涼一路，在唐詩中他直接取陳子昂的高亢和杜甫的悲辛。」，學生。

註五五：見所著《元明詩概說》第一章第二節，頁二七，鄭清茂譯，幼獅，民七十五。

註五六：可參考鄭亞薇先生《南宋江湖詩派之研究》政大博士論文可知，民七十。

註五七：如元方回《桐江集》卷一《跋遂初尤先生尚書詩》云：「宋中興以來，言治必曰乾淳，言詩必曰尤、楊、范、陸。或其曰尤、蕭，……。」又如《桐江續集》卷二十八《學詩吟十首》自註云：「南渡詩人，尤延之、蕭千巖、楊誠齋、陸放翁、范石湖，其最也。」

註五八：見《四庫全書總目提要》卷一百五十九．評《梁谿遺稿》，頁十一，藝文。

註五九：見宋魏慶之編《詩人玉屑》卷十九《陸放翁》一條，頁三，臺灣商務，景印文淵閣四庫全書本。

註六〇：可參考傅璇琮先生所輯《黃庭堅和江西詩派》之資料彙編，頁一一一～一一三，所輯陸游評黃庭堅之語，九思，民六十八。

註六一：書同註六〇，頁四四六。

註六二：宋姜特立《梅山續藁》卷五《應致遠謁放翁》詩云：「源流不嗣江西祖，自有正宗傳法乳。」元方回《瀛奎律髓》卷十六評曾幾《長至日述懷兼寄十七兄》云：「（曾幾）陸放翁出其門，而其詩自在中唐、晚唐之間，不主江西。」

註六三：可參考張健《文學批評論集》之《陸游的文學理論研究》一文，學生，民七十四。

註六四：錢氏所著《新編談藝錄》之《三二、劍南與宛陵》一條，羅列許多證據，可以自行檢閱即知。

註六五：見《渭南文集》卷二十八《跋後山居士長短句》，頁一，臺灣商務，景印文淵閣四庫全書本。

註六六：見《劍南詩稾》卷六十二《秋曉聞禽聲五韻》，頁十八，臺灣商務，景印文淵閣四庫全書本。

註六七：書同註六六，卷七十九《宋都曹屢寄詩且督和畣作此示之》，頁六。

註六八：可參考錢鍾書先生《新編談藝錄》之《三四、放翁與中晚唐人》一條所舉之證。

註六九：見《瀛奎律髓》卷十六・評曾幾《長至日述懷兼寄十七兄》頁二十五，臺灣商務，景印文淵閣四庫全書本。

註七〇：如梁昆先生《宋詩派別論》之八《江西派》、及尤信雄《清代同光詩派研究》第二章第四節《江西詩派之擴大與影響》即主是說。

註七一：可參考張健先生《文學批評論集》之《楊萬里的文學理論研究》一文，學生，民七十四。

註七二：如《誠齋集》卷二十七《讀笠澤叢書》詩云：「笠澤詩名千載香，一回一讀斷人腸。晚唐異味同誰賞，近日詩人輕晚唐。」、「松江縣尹送圖經，中有唐詩喜不勝。看到燈青仍火冷，雙眸如割脚如冰。」、「拈著唐詩廢晚餐，傍人笑我病如癲。世間尤物言西子，西子何曾直一錢。」後二者所言之「唐詩」，即意指陸龜蒙爲代表的晚唐詩。頁二，臺灣商務，景印文淵閣四庫全書本。

註七三：見《誠齋集》卷七十八《雙桂老人詩集後序》，頁六六一，上海商務，四部叢刊初編縮本。

註七四：見《說郛》卷二十・吳萃《視聽鈔》之《山谷詩》一條，頁十，商務。

註七五：見所著《直齋書錄解題》卷十七載：「聖俞爲詩古澹深遠，有盛名於一時。近世少有喜者，或加毀訾，惟陸務觀重之。此可爲知者道也。自世競宗江西，已不入眼，況晚唐卑格方錮之時乎？杜少陵猶有竊議妄論者，其於宛陵何有？」，臺灣商務，景印文淵閣四庫全書本。

註七六：今人張健於所輯《南宋文學批評資料彙編》，即指出王十朋《梅溪王先生文集》前集卷九，和韓之作多達二十七首之多。頁一一八，成文，民六十八。

註七七：《四庫全書總目提要》卷一百五十四評此書云：「殆必一時書肆所爲，借十朋之名以行耳。」其考證之論甚詳，自行參閱即可知悉，頁四，藝文。

註七八：《韻語陽秋》卷一載云：「律詩中間對聯兩句意甚遠而中實潛貫者，最爲高作，……如此之類，與規規然在於媲青對白者，相去萬里矣。魯直如此句甚多，不能概舉也。」卷二載：「魯直謂後山學詩如學道，此豈尋常雕章繪句者可擬哉！客言後山詩多點化杜語，……用語相同，乃是讀少陵詩熟，不覺在其筆下，又何足爲公病？」

註七九：後代如元方回有名的「一祖三宗」說，即標杜甫爲江西詩派之祖，推崇黃、陳之意甚明。

註八〇：《四庫全書總目提要》卷一百五十六．評程俱《北山小集》云：「詩則取徑韋、柳以上闚陶、謝，蕭散古澹，亦頗有自得之趣。其《九日》一首，毛奇齡選唐人七律，誤以爲高適之作，足知其音情之近古矣。」又《宋詩紀事》卷四十二《徐忻小傳》載：「徐忻作詩有唐人風氣。」又《墨莊漫錄》卷九載：「劉棐仲忱詩律殊有風致，常賦《咸陽》二絕云……殊類唐人題詠，他詩亦稱是。」又《梅磵詩話》卷中載：「鄉人雪巢林憲景思，……梁溪尤公延之序其詩言：景思喜哦，……唐人之精於詩者不是過。楊公延秀亦云：景思之詩，似唐人。」

可佐證諸人之詩風近於唐人。

註八一：可參考《四庫全書總目提要》卷一百五十九．評盧儔《尊白堂集》，頁三十四，藝文。

註八二：清吳之振《宋詩鈔》之《葦碧軒詩鈔．翁卷小傳》載云：「翁卷，字靈舒，永嘉四靈之一。蓋四人因卷字靈舒，故遂亦以道暉（徐照）爲靈暉，文淵（徐璣）爲靈淵，紫芝（趙師秀）爲靈秀云。」「四靈」之名稱由來可由斯而知，世界書局。

註八三：見《永心集》卷十七《徐道暉墓誌銘》，頁七～頁八，臺灣商務，景印文淵閣四庫全書本。

註八四：轉引自葉適《水心集》卷二十一《徐文淵墓誌銘》，頁十六，臺灣商務，景印文淵閣四庫全書本。

註八五：四靈以趙師秀爲首。《四庫全書總目提要》卷一百六十二．評其《清苑齋集》云：「其詩亦學晚唐，然大抵多得於武功一派，專以鍊句爲工，而句法又以鍊字爲要。《詩人玉屑》載師秀《冷泉夜坐詩》：『樓鐘晴更響，池水夜知深。』一聯，後改『更』字爲『聽』字，改『知』字爲『觀』字。《病起詩》：『朝客偶知承送藥，野僧相保爲持經。』一聯，改『承』字爲『親』字，『爲』字爲『密』字，可以知其門徑矣。又《梅磵詩話》杜小山問句法於師秀，答曰：『但能飽喫梅花數斗，胸次玲瓏，自能作詩』云云。」由此可知四靈論詩之宗旨。又《衆妙集》五律占了十之八九，知其所重於此。另外，可加以參考梁昆先生《宋詩派別論》之九《四靈派》，頁一一二～一一四，於四靈之習尚論之甚詳，東昇，民六十九。

註八六：見所著《桐江續集》卷三十二《送羅壽可詩序》云：「嘉定而降，稍厭江西，永嘉四靈，復爲九僧。……後生晚進，不知顛末，靡然宗之，涉其波而究其源，日淺日下。然尚有餘杭二趙，上饒二泉，典型未泯。」二趙即趙汝談、趙汝讜兄弟，二泉則指趙蕃（號章泉）與韓　（號澗泉）二人。頁十三，臺灣商務，景印文淵閣四庫全書本。

註　八七：《隱居通議》卷十《劉玉淵評論》一條亦載：「古詩一變《騷》，再變《選》，三變爲唐人詩。至宋則《騷》、《選》、唐錯出，山谷負脩能、倡古律，事寧核毋疏，意寧苦毋俗，句寧拙勿弱，一時號江西宗派，此猶佛氏之禪，醫家之單方劑也。近年永嘉復祖唐律，貴精不求多，得意不戀事，可豔、可淡，可巧、可拙，衆復趨之，由是唐與江西相抵軋。」可加以參看。臺灣商務，景印文淵閣四庫全書本。

註　八八：如清翁方綱《石洲詩話》卷四載：「南渡自四靈以下，皆摹擬姚合、賈島之流，纖薄可厭。」又《四庫全書總目提要》卷一百六十二‧評《芳蘭軒集》云：「蓋四靈之詩，雖鏤心鉥腎，刻意雕琢，而取逕太狹，終不免破碎尖酸之病。」

註　八九：如錢鍾書先生卽主是說，見其《宋詩選註‧徐璣小傳》，頁二四六，木鐸，民七十三。

註　九〇：趙希意《題適安藏拙稿後》云：「四靈詩、江湖傑作也。水心先生嘗刻之。」可知葉適嘗爲四靈刊刻詩集。葉氏爲四靈寫墓誌銘，本文多有引述，不詳引。趙氏之言，原書未見，轉引自《宋詩派別論》頁一一〇，東昇，民六十九。

註　九一：《水心集》卷二十九《題劉潛夫南嶽詩藁》載：「往歲徐靈暉諸人擺落近世詩律，斂情約性，因狹出奇，合於唐人，夸所未有，皆自號四靈云。……悲夫！潛夫以謝公所薄者自鑒，而進於古人不已，參雅頌、軼風騷可也，何必四靈哉！」頁二十七～二十八，臺灣商務，景印文淵閣四庫全書本。

註　九二：此項統計數字據《四庫全書總目提要》卷一百八十七・評《江湖小集》、《江湖後集》之所言，頁二十五及二十九，藝文。

註　九三：見所著《石屏詩集》卷三《姪孫昺以東野農歌一編來，細讀足以起予，七言有「汲水灌花私雨露，臨池疊石幻溪山。」、「草欺蘭瘦能香否？杏笑梅殘奈俗何？」似此兩聯，皆自出新意，自可傳世。然言語之工，又未足多。其體純正，氣象和平爲可喜，余非諛言，自有識者，因題其卷末以歸之。》，頁十，臺灣商務，景印文淵閣四庫全書本。

註　九四：書同註九三，卷六《昭武太守王子文，日與李賈、嚴羽共觀前輩一、兩家詩及晚唐詩，因有論詩十絕，子文見之，謂無甚高論，亦可作詩家小學須知。》第一首，頁二十二。

註　九五：同註九四，第二首。

註　九六：所著《後村先生大全集》卷九十五《瓜圃集序》載：「永嘉詩人，極力馳驟，纔望見賈島、姚合之藩而已，余詩亦然。十年前，始自厭之，欲息唐律，專造古體。」又卷九十六《刻楮集序》載：「初余由放翁入，後喜誠齋，又兼取東都南渡江西諸老，上及于唐人大小家數，手鈔口誦。」本此，可知其學詩歷程，上海商務，四部叢刊初編縮本。

註　九七：可參考淸阮元《揅經室外集》卷一之《四庫未收書提要》・評劉克莊《分門纂類唐宋時賢千家詩選》，頁十五，藝文。

註　九八：本淸吳之振《宋詩鈔》之《後村詩鈔・劉克莊小傳》，世界書局。

註九九：可參考黃景進先生《嚴羽及其詩論之研究》第三章第二節《興趣說》，其書羅列朱自清、張健、周維介、鄧仕樑、慕梵、葉嘉瑩、劉若愚、林理查（Richard John Lymn）、李豐楙、郭紹虞等十位先生之論，諸家各有所長，難有定論，可見解釋「興趣」之不同和紛繁。頁八八～九三，文史哲，民七十五。

註一〇〇：《滄浪詩話．詩辨》云：「後舍漢魏而獨言盛唐者，謂古律之體備也。」，頁六八八，清何文煥輯《歷代詩話》，漢京，民七十二。

註一〇一：見《滄浪詩話．詩評》，頁六九七，書同註一〇〇。

註一〇二：二言皆見《滄浪詩話．詩評》，頁六九七，書同註一〇〇。

註一〇三：見所著《嚴羽及其詩論之研究》第三章第一節《學習盛唐》，頁六三，文史哲，民七十五。

註一〇四：《滄浪詩話．詩辨》云：「大抵禪道惟在妙悟，詩道亦在妙悟。且孟襄陽學力下韓退之遠甚，而其詩獨出退之之上者，一味妙悟而已。」頁六八六，書同註一〇〇。

註一〇五：見《滄浪詩話．詩辨》，頁六八七，書同註一〇〇。

註一〇六：《詩人玉屑》卷一所輯嚴羽《滄浪詩話》之語為「而古人未嘗不讀書，不窮理。」若依此語，則讀書、窮理乃為詩之必要條件，而非必然關涉到最高境界之問題。本文則據清何文煥所輯《歷代詩話》之本子而言。

註一〇七：見所著《滄浪詩話參證》，輯入《中國文學批評家與文學批評二》一書，頁一〇六，學生，民六十。

註一〇八：見《滄浪詩話．詩辨》，頁六八八，書同註一〇〇。

註一〇九：見《答出繼叔臨安吳景仙書》，頁七〇六，書同註一〇〇。

註一一〇：此指陳衍等所編之《福建通志》，原書未見，轉引自陳伯海之《嚴羽和滄浪詩話》，頁一四三，上海古籍，一九八七。

註一一一：《對牀夜語》成於景定三年，論詩大旨推尊盛唐、排擊四靈，卷二更引嚴羽論「妙悟」、「興趣」之文，殆羽翼嚴羽之論者，收於丁福保輯《續歷代詩話》，藝文。

註一一二：見所著《嚴羽與滄浪詩話》七《歷史的總結》，頁一四三～一四四，上海古籍出版社，一九八七。

註一一三：元虞集《傅與礪詩集序》載云：「國初，中州襲趙禮部、元裕之之遺風，宗尚眉山之體。」，見《傅與礪詩文集》卷首，臺灣商務，景印文淵閣四庫全書本。

註一一四：元歐陽玄《圭齋文集》卷八《羅舜美詩序》載云：「江西詩在宋東都時，宗黃太史，號江西詩詩派，……我元佑以來，彌文日盛，京師諸名公，咸宗魏、晉、唐，一去金宋季世之弊而趨於雅正，詩丕變而近於古。江西士之京師者，其詩亦盡棄舊習焉。」可知元佑之前，江西一帶詩風，仍承江西詩派之舊風。頁五，臺灣商務，景印文淵閣四庫全書本。

註一一五：元張之翰《西巖集》卷十八《跋王吉甫直溪詩藁》載：「近時東南詩學，問其所宗，不曰晚唐、必曰四靈，不曰四靈、必曰江湖。」，頁七，臺灣商務，景印文淵閣四庫全書本。

註一一六：如文天祥有《文信公集杜詩》（一名《文山詩史》）四卷，共二百首，皆五言二韻，專集杜句而成。其序云：「予坐幽燕獄中，無所爲，誦杜詩，稍習諸所感興，因其五言，集爲絕句。久之，得二百首，凡吾意所欲言者，子美先爲代言之，玩之不置，但覺爲吾詩，忘其爲子美詩也。」知其所宗在於杜甫。臺灣商務，景印淵閣四庫全書本。

註一一七：見所輯《元代文學批評資料彙編》之《緒論》，頁四九，成文，民六十七。

註一一八：如清初宗奉晚唐之馮舒、馮班、何焯等人，即有評閱《瀛奎律髓》之作，詆斥方回甚爲激烈。

註一一九：如清初主「宋詩」的吳之振《瀛奎律髓序》云：「其詮釋之善，則不濫於餖飣而疏瀹隱僻。其論世則考其時地，逆其志意，使作者之心，千載猶見。其評詩則標點眼目，辨別體製，使風雅之軌，後學可尋。斯固詩林之指南，而藝圃之侯鯖也。」可謂備極尊崇。收於清紀昀《瀛奎律髓刊誤》一書中之前，佩文。

註一二〇：見其所著《詩學》之金元部份，轉引自羅聯添編《中國文學史論文選集續篇》，頁五五五，學生，民七十四。

註一二一：如《稼村類藁》卷四《黃草塘詩選序》、卷五《趙東村希䕫詩集序》皆盛讚杜甫夔州以後詩，臺灣商務，景印文淵閣四庫全書本。

註一二二：書同註一二一，卷三《跋楊中齋詩詞集》，頁八。

註一二三：書同註一二一，卷二《題汪才夫石城詩集》，頁十。

註一二四：又所著《隱居通議》卷八《山谷諸作》一條、卷十八《詩文工拙》一條，亦皆盛讚黃庭堅之詩，臺灣商務，景印文淵閣四庫全書本。

註一二五：見所輯《元代文學批評資料彙編》之《緒論》，頁五〇，成文，民六十七。

註一二六：見所著《水雲村藁》卷五《青山文集序》，頁十，臺灣商務，景印文淵閣四庫全書本。

註一二七：書同註一二六，卷七《跋平遠樗稾》，頁二十。

註一二八：書同註一二六，卷七《跋吳貫道所藏鄧月巢與吳雲臥書》，頁二十八。
註一二九：書同註一二六，卷七《題曾厚可詠春集》，頁八。
註一三〇：書同註一二六，卷七《跋阮子良孤嵐集》，頁六。
註一三一：方孝岳《中國文學批評》即如此稱許方回，頁一五二，莊嚴，民七十。
註一三二：見曾永義先生所輯《元代文學批評資料彙編》之《緒論》，頁四九，成文，民六十七。
註一三三：方氏著述之流傳始末，可參考朱榮智先生《元代文學批評之研究》第四章《元代的詩論》，頁一三三～一四二，聯經，民七十一年。
註一三四：見所著《兩宋文史論叢》，頁五七九，學海。
註一三五：可參考張健《宋金四家文學批評研究》第二篇《黃庭堅的文學批評研究》一文，聯經，民六十四。
註一三六：見《瀛奎律髓》卷四·評宋之問《早發始興江口至虛氏邨作》，頁一，臺灣商務，景印文淵閣四庫全書本。
註一三七：見所著《述方回詩評》，收於《中國文學批評家與文學批評（二）》，頁二九，學生，民六十。
註一三八：如朱東潤先生即主是說，書同註一三七，頁二九。
註一三九：如郭紹虞先生即主是說，見所著《中國文學批評史》下卷第二篇《南宋金元》，頁一二一，明倫，民六十三。
註一四〇：書同註一三六，卷十四·評許渾《曉發鄞江北渡寄崔韓二先輩》，頁六。
註一四一：此本自朱東潤之言，書同註一三七，頁一八。
註一四二：見所著《清初杜詩學研究》第三篇第一章，簡氏更引方回自述嚮慕杜甫懷抱之《秋晚雜詩》，頁二四三，文史哲，民七十五。

註一四三：書同註一三六，卷四十二・評李白《贈昇州金陵也王使君忠臣》，頁一。

註一四四：書同註一三六，卷二十三・評姚合《題李頻新居》，頁十七。

註一四五：見所著《新編談藝錄》之《三四、放翁與中晚唐人》一條。

註一四六：見所著《中國文學批評史》下卷第二篇《南宋金元》，頁一二〇，明倫，民六十三。

註一四七：書同註一三六，卷十五・評陳子昂《晚次樂鄉縣》，頁一。

註一四八：書同註一三六，卷一・評陳與義《與大光同登封州小閣》，頁二十二。

註一四九：書同註一三六，卷十六・評杜甫《九日登梓州城》，頁十九。

註一五〇：書同註一三六，卷二十四・評杜甫《公安送韋二少府匡贊》，頁三十。

註一五一：書同註一三六，卷四十七・評韓愈《廣宣上人頻過》，頁六十五。

註一五二：書同註一三六，卷十・評杜甫《曲江二首》，頁二十二。

註一五三：書同註一三六，卷十六・評陳與義《道中寒食二首》，頁十六。

註一五四：書同註一三六，卷二十六・評陳與義《清明》，頁十五。

註一五五：書同註一三六，卷一・評晁端友《甘露寺元註寺中有石如臥羊謂之狠石》，頁八。

註一五六：如朱榮智《元代文學批評之研究》第四章《元代之詩論》即承此說，頁一三九，聯經，民七十一。

註一五七：見所著《述方回詩評》，收於《中國文學批評家與文學批評（二）》一書，頁一六～一七，學生，民六十。

註一五八：書同註一三六，卷六。評楊億《書懷寄劉五》，頁十七。

註一五九：書同註一五七，頁九。

第三節　盛唐詩主導期（元初到明末清初）

江西詩派雖經後期論者的修正，乃至方回極力的推尊與維護，並不能挽回漸去的大勢。尊奉「唐詩」的潛流則日趨明朗興盛，終至取代江西詩派的主導地位，影響、籠罩了往後三百多年的詩壇；而自此，「唐詩」、「宋詩」之爭的型態也變得與前大不相同。

在江西詩派主導期時，四靈（及一些江湖詩人）雖標舉「唐詩」與之相抗，然而卻導致一些弊病，爲人詬詈不亞於江西詩派。後之推崇、宗奉「唐詩」者，不再與之相同。大抵以盛唐爲主，即使推尊晚唐，也不再主姚合、賈島二家。

這三百多年的詩壇固以盛唐爲主導，每一時間段落的偏重仍各有不同：

㈠元初～元末：元人推尊「唐詩」，起初尚概括言之，未分時代。後北方以盛唐爲主，東南則多晚唐之風，論者於「宋詩」的褒貶不一。

㈡明初～成化初：林鴻、高棅開始標舉盛唐；後來三楊「臺閣體」之風盛行，繼續推尊盛唐。林、高、三楊雖未詆斥「宋詩」，然崇「唐」抑「宋」之風已漸起。

㈢成化～萬曆中期：此又有兩個時期。成化至弘治間，李東陽主持文柄，品鑑上崇「唐」抑「宋」，創作上則出唐入宋，不拘一家。弘治至萬曆中期，前後七子最盛，不管是品鑑或創作，皆主「

詩必盛唐」，盛唐以下之中、晚唐，「宋詩」、元詩，俱在擯斥之列。且主摹擬爲學詩之途徑。

㈣萬曆中期～萬曆末：抨擊前後七子，極力爲「宋詩」辯護的公安派興起。

㈤萬曆末～明末：矯公安與七子之弊的竟陵派興起，論詩以推尊「唐詩」與古詩爲主，兼肯定蘇軾之詩；其所謂「唐詩」兼初、盛、中、晚唐而言。詩壇呈現竟陵與七子爭雄的局面。

這五個時間段落，以崇「唐」抑「宋」之風爲時最久，影響也最廣遠。彷彿盛唐詩的主導期以之爲中心，前二期爲之蘊釀，後二期則與之抗爭。其中公安派爲「宋詩」極力辯護，更爲清初推尊「宋詩」的濫觴。

甲、盛唐與晚唐並進的詩風

元初承宋金之習，前文已述。然有志之士，未嘗不思革其弊。首變時風，倡興「唐詩」的戴表元，就是「慨然以振起斯文爲己任」（註一）的人。戴氏論詩云：

始於汴梁諸公，言詩絕無唐風，其博贍者謂之義山，豁達者謂之樂天而已矣。宣城梅聖俞出，一變而爲沖淡，沖淡之至者可唐，而天下之詩，於是非聖俞不爲；然及其久也，人知爲聖俞，而不知爲唐。豫章黃魯直出，又一變爲雄厚，雄厚之至者可唐，而天下之詩，於是非魯直不發；然及其久也，人又知魯直而不知爲唐。非聖俞、魯直不使人爲唐也，安於聖俞、魯直而不自暇爲唐也。邇來百年間，聖俞、魯直之學皆厭，永嘉葉正則倡四靈之目，一度而爲清圓，清圓之至者亦可唐，而凡枵中捷口之徒，皆能託於四靈，而益不暇爲唐，唐且不暇爲，尙安得爲古？余自有知識以來，日夜以此自愧。（《剡源戴先生文集》卷之九《洪潛甫詩序》）

戴氏以爲宋初「絕無唐風」。後來梅堯臣、黃庭堅、四靈等出現，其詩之風格，爲「平淡」，爲「雄厚」，爲「清圓」，此等臻於極至，皆近似「唐風」。然效之者往往只知以之爲師，而不知上溯唐人。故「唐詩」之不興，非梅、黃、四靈之過，而是如郭紹虞先生所言：「由於詩人之溺於時風衆勢而不知自拔」（註二）。

此外，當時科舉場屋輕忽詩藝。以致罕有以詩進者，「間有一二以詩進，謂之雜流，人不齒錄。」（註三）時風如是，又有崇「理」重「道」者不屑「唐詩」，《張仲寔詩序》云：「異時縉紳先生無所事詩，見有攢眉擁鼻而吟者，輒靳之曰：『是唐聲也，是不足爲吾學也。吾學大出之，可以詠歌唐虞，小出之，不失爲孔氏之徒，而何用是啁啁哉？』其爲唐詩者，汨然無所與於世則已耳，吾不屑往與之議也。」（《剡源戴先生文集》卷之八）然戴氏也「不屑」與之辯。後來科舉場屋之弊革，詩藝復被重視，卻引發了「古」與「唐」之爭：

詮改舉廢詩，事漸出而昔之所靳者驟而精焉。則不能因亦浸爲之，爲之異於唐，則又曰：「是終唐聲不足爲吾詩也。吾詩懼不達於古，不懼不達唐。」其爲唐詩者，方起而抗，曰：「古固在我，而君安得古？」於是性情、理義之具，譁爲訟媒，而人始駭矣。……蓋嘗私評之，詩至盛古至於唐，不知幾變，每變愈下，而唐人者變之稍差者也。……至於爲詩，去唐遠甚，然談及之則不以爲古，誠古不止此，抑克其類焉，姑無深誅唐乎！（《𠛬源戴先生文集》卷之八）據此，可知詩家與理學家、性情與理義、「古」與「唐」之爭。戴氏乃站在重性情之詩家的立場，標榜「唐詩」。而責另一方崇「古」薄「唐」，爲己辯護。其實其詩不惟「去唐遠甚」，亦根本不以之爲「古」。何況從古到唐，詩雖屢變而愈下，然「唐詩」卻是變得少的，所以犯不着深責「唐詩」。此時，戴氏所謂的「唐詩」尚是概括言之，未分時代。

戴氏引爲摯友的趙孟頫，如日人山之內正彥所言：「依據晚唐詩風的華麗措辭與感傷性，打開了元詩的新風格。」（註四）戴氏的門人袁桷，承其師說，力駁理學家之詩論（註五）。所尊者則爲漢魏之詩與唐律，兼重李商隱（註六）。自是而後，詩風與詩論爲之一變，盡洗宋金餘習。

元祐、大曆間，北方虞、楊、范、揭四大家起，清顧嗣立說他們：「一以唐爲宗而趨於雅，推一代之極盛。」（《寒廳詩話》）就中虞集爲《唐音》寫過序；楊載《詩法家數》強調：「今之學者倘有志乎詩，須將漢、魏、盛唐諸詩，日夕沈潛諷詠，熟其詞、究其旨。」；范梈《木天禁語》、《詩學禁臠》，編集唐人之詩，具爲格式（註七）；揭溪斯《詩宗正法眼藏》云：「學詩以唐人爲宗。」（原書未見，引自陳衍《元詩紀事》卷十三）斯皆可見四氏之宗旨所在。四大家有時或稱虞、揭、馬（祖常）、宋（本褧）。陳旅、李孝光、張翥、張憲、傅若金、貢師泰、張昱等爲承其詩風者（註八）。諸人所宗之「唐詩」，大抵以盛唐爲主。批評此時詩風的周霆震說：「近時談者糠粃前聞，或冠以虞邵菴之序而名《唐音》，有所謂始音、正始、遺響者。孟郊、賈島、李賀諸家悉在所黜。」（註九）

可知彼時詩風如是，與戴氏概括而言之「唐詩」稍異。

盛唐詩之外，晚唐詩也一直影響著元代。如前言的袁桷就相當推崇李商隱。東南一帶，詩家多效溫庭筠，彼時楊維楨救衰起弊，上擬漢魏六朝之樂府，下襲杜甫、李白、李賀諸人（註一〇），吳越諸生歸之，聲勢極盛，論者形容說：「殆猶山之宗岱，河之走海，如是者四十餘年。」（註一一）以是之故，法效李賀者亦不在少數（註一二）。

綜觀元代之推尊「唐詩」，可以至正四年楊士宏所編之唐詩選本——《唐音》一書爲代表。該書於唐詩選本之歷史意義，如明胡震亨所言：「自宋以還，選唐詩迄無定論，大抵宋失穿鑿，元失猥襍，而其病總在略盛唐，詳晚唐，至楊伯謙氏始揭盛唐爲主，得其要領。」（《唐音癸籤》卷三十一《集錄二》）這也正是元人推尊「唐詩」很重要的一個部份。此外，筆者統計該書，入選作品爲一千二百七十一首（註一三），數量最多之前十名作者爲：

1. 王維　九一首
2. 韋應物　六三首
3. 儲光義　五七首
4. 岑參　四九首
5. 劉長卿　四六首
6. 孟浩然　四四首

7. 王建　三七首
8. 王勃　三五首
9. 陳子昂　三一首
10. 李商隱　三一首

固以初、盛唐作者爲主，然晚唐之李商隱亦名列其中。且溫庭筠有二五首、李賀有二三首，與後幾名相差不遠。楊氏雖用心於盛唐，卻也難掩對晚唐此三家之重視；或者楊氏不自知，時風所趨而自然流露。

楊氏將「唐詩」分爲始音、正音、遺響，進而推尊盛唐，影響明高棅甚鉅。此外，楊氏古、律、絕三體皆選，五言、七言並重，不像前此之「唐詩」選本各有所偏，也是值得稱述的地方。然其《凡例》云：「李、杜、韓詩世多全集，故不及錄。」後世於此，不無微辭（註一四）。

元人對「宋詩」的評價不一。如戴表元言宋初「絕無唐風」，不以梅堯臣、黃庭堅等人爲非，只是咎責法效者溺於時風而不知學「唐」。蔣易之論，則大略相反，他說：「宋初詩人猶宗唐，自蘇黃一出，唐法幾廢。」（《極玄集序》）又傅若金、戴良二人大致同意「唐詩」主性情、「宋詩」主議論的看法，但對於「宋詩」的評價則仍有極大之差異：

△然宋詩比唐氣象敻別，今以唐宋詩雜而觀之，雖平生所未讀者，亦可辨其孰爲唐、孰爲宋也。大概唐人以詩爲詩，宋人以文爲詩；唐詩主於達性情，故於三百篇爲近，宋詩主於立議論，故

於三百篇爲遠。達性情者，國風之餘；立議論者，雅頌之變。固未易優劣也。（傅若金《詩法正論》）

△唐一函夏，文運重興，而李杜出焉。議者謂李之詩似風，杜之詩似雅，聚奎啓宋，歐、蘇、王、黃之徒，亦皆視唐爲無愧。然唐詩主性情，故於風雅爲猶近；宋詩主議論，則其去風雅遠矣。然能得夫風雅之正聲，以一掃宋人之積弊，其惟我朝乎！（戴良《剡源戴先生文集》卷九《洪潛甫詩序》）

二者皆知「唐詩」與「宋詩」有別；一主性情，一主議論。然而傅氏說「立議論者，雅頌之變」，戴氏則以其「去風雅遠矣」。因此，傅氏兼重「唐詩」與「宋詩」，而戴氏雖承認「歐、蘇、王、黃之徒，亦皆視唐爲無愧」，卻仍有貶抑「宋詩」之意。

乙、標舉盛唐的開始

元人統治中國未滿百年，即告改朝換代。然而於宗奉「唐詩」這方面，大抵明與元相近。所異者在於明人一方面有意革除元季的「晚唐」詩風，如王彝著《文妖》一文力斥楊維楨及宗奉之者（註一五）。另一方面明人更強調盛唐及加以摹擬、唱和。如工於摹擬的高啓，其詩出唐入宋，不主一家，可是李志光卻說他：「上窺建安，下逮開元，大歷以後則藐之。」（《大全集》之《高太史本傳》）可知他對盛唐（含盛唐以上）的強調；又如張楷遍和「唐詩」，詩集甚至名爲《和唐集》（註一六）。

此皆與元大不相同。

積極標舉盛唐，倡鳴於時者，以洪武年間閩中十才子首開其風。十才子以林鴻爲首，另九人分別是：鄭定、王褒、唐泰、高棅、王恭、陳亮、王偁、周玄、黃玄。就中又以林鴻之詩論與高棅《唐詩品彙》之詩選最爲重要。林氏論詩之大旨爲：

漢魏骨氣雖雄，而菁華不足；晉祖元虛，宋尚條暢，齊梁以下但務春華，少秋實，惟唐作者可謂大成。然貞觀尚習故陋，神龍漸變常調，開元、天寶間聲律大備，學者當以是爲楷式。（《明史》卷二百八十六《文苑・林鴻傳》）

其標舉盛唐可謂至極，雖漢魏亦在黜抑之列，更遑論晉、宋、齊梁與初唐之作了。《四庫全書總目提要》說林鴻「規仿盛唐以立論」（註一七）而他自己在創作上也是以摹擬「唐詩」爲主。徐子元說：「子羽（林鴻）師法盛唐，唐臨晉帖，殆逼眞矣，惟惜得其貌耳。」（引自《明詩綜》卷十一）殆譏之也。林氏影響當時甚鉅，「閩人言詩者，率本於鴻。」（註一八）

林鴻倡導盛唐，高棅則編《唐詩品彙》以爲學者之門徑。該書共九十卷，所錄有六百二十家，詩五千七百六十九首。詩以體分，每一體又各有九品目。各體有初、盛、中、晚唐之分，總唐一代，亦約略如是分析，影響後代甚鉅，此皆前文介紹唐詩之分期時所述及，不再重複。此外，高氏之書取法於嚴羽者極多，如：

△今試以數十百篇之詩，隱其姓名，以示學者，須要識得何者爲初唐、何者爲盛唐、何者爲中唐、

爲晚唐，……辯盡諸家，剖析毫芒，方是作者。（《唐詩品彙總敍》）

△使學者入門立志，取正於斯，庶無他歧之惑矣。（《唐詩品彙敍目》五言古詩六・《正宗・李白》）

皆宛若嚴羽之口吻，所不同者惟嚴羽乃漢、魏、晉、盛唐一併推尊，而高氏則具體表現林鴻論詩的主張，標舉盛唐爲極則，漢、魏、晉不入「第一義」。

高氏之前，固不乏唐詩選本，然如高氏之批評云：「觀諸家選本，詳略不侔：《英華》以類見拘，《樂府》爲題所界，是皆略于盛唐而詳于晚唐。他如《朝英》、《國秀》、《篋中》、《丹陽》、《英靈》、《間氣》、《極玄》、《又玄》、《詩府》、《詩統》、《三體》、《衆妙》等集，立意造論，各該一端。唯近代襄城楊伯謙氏《唐音集》頗能別體製之始終，審音律之正變，可謂得唐人之三尺矣，然而李杜大家不錄，岑劉古調微存，張籍、王建、許渾、李商隱律詩載諸正音，渤海高適、江寧王昌齡五言，稍見遺響。每一披讀，未嘗不歎息于斯！」（《唐詩品彙總敍》）而其書分體從類、定品目，別上下，確實比諸書嚴密而賅備，儼然爲唐詩選本之典範。其後高氏又就《唐詩品彙》一書選出聲律純正者爲《唐詩正聲》二十二卷，這兩本書《明史》說：「終明之世，館閣宗之。」（註一九）較之處於江西詩派主導期的嚴羽，雖自信且自負地明標宗旨，卻如陽春白雪，和者寥寥，又迥然有別。

永樂以還，詩壇以詞林館閣諸人之詩爲主，號爲「臺閣體」（註二〇）。據今人簡錦松先生的研究：「其詩主清婉，多興寄閒遠之思，兼得唐人之風流，乃其常也。」，「並以博學而兼有李、杜、韓、蘇之風」（註二一）就中最爲著名者，前有楊士奇、楊榮、楊溥號稱「三楊」；後有興盛於成化、弘治間的李東陽，雖出自臺閣，卻矯其漸衍之弊，且已明顯地崇「唐」貶「宋」，此後文再述。

三楊對《唐音》特有好感，楊士奇《唐音跋》云：「余意苟有志學唐者，能專意於此，足以資益，又何必多也。」（《東里續集》卷十九）楊榮嘗以月餘之時間和《唐音》，久而成帙，導致唱和《唐音》成爲一時風尚（註二二）。如前所述，《唐音》乃始揭盛唐爲主之唐詩選本，三楊加以重視，殆流露出祈嚮盛唐之意。楊士奇《玉雪齋詩集序》更明言己志云：「（盛唐）諸君子精粹典則，天趣自然，讀其詩者有以見唐之治盛於此，而後之言詩道者，亦曰莫盛於此也。余竊有志於斯事，而材質凡近，徒勞而無成，間或一遇能者，未嘗不歆豔嚮往之。」（《東里文集》卷五）可知臺閣亦推尊盛唐。

林、高二氏於閩地標舉「盛唐」於前，三楊祈嚮盛唐於後，當時詩風或上取漢魏（註二三），或專意杜甫（註二四），雖微有小異而大抵相近。間或有出「唐」入「宋」，不主一家，如宋濂、高啓、陳謨、周忱、楊守陳、秦夔等（註二五）；或專主「宋詩」如孫作、胡儼諸人（註二六），皆居少數。林、高二氏與三楊似未直接詆斥「宋詩」，其友朋弟子則已有微辭流露，如劉崧云：「……迨夫宋則不足徵矣。元有范、虞、楊、揭、趙數家，頗踵唐人之轍，至於興象則不逮焉。」（《鳴盛集序》）即是。

詩風固如是，也有挺身爲「宋詩」辯護者，如浦陽黃容對劉崧菲薄「宋詩」極不以爲然，作《江雨軒詩序》辯駁云：「宋蘇文忠公與先文節公（黃庭堅）獨宗少陵、謫仙二家之妙，雖不拘拘其似，而其意遠義該，是有蘇、黃並李、杜之稱。當時如臨川、后山諸公，皆傑然無讓古者；至朱子則洞然諸家之短長，其《感興》等作，日光玉潔，未易論也。……近世有劉崧者，以一言斷絕宋代曰：『宋絕無詩。』……崧者人不短則已不長，言不大則人不駭，欲眩區區之才，無忌憚若是，詬天吠月，固不足與辨。」（引自《水東日記》卷二十六）黃氏以「宋詩」與「唐詩」足以並駕齊驅，故於批評劉崧之見，言詞極為激切。

又如許伯旅反對「宋詩不及元詩」之說：

人皆謂宋之文高于元，元之詩高于宋，殊不知宋之詩亦高于元也。論詞語工麗、立節瀏亮，宋或不及于元；至於說古今、道事理，輕重明，豈元諸公所能及宋哉？（引自《明詩綜》卷十三《靜志居詩話》）

崇尚宋儒的方孝孺，也主是說：

發揮道德乃成文，枝葉何曾離本根。末俗競工繁縟體，千秋精意與誰論。
天曆諸公製作新，力排舊習祖唐人。粗豪未脫風沙氣，難詆熙豐作後塵。（《遜志齋集》卷二十四《談詩五首》）

許氏較就詩而言詩，方氏乃偏於儒家重道德之詩觀而言詩，雖立論之着眼點相異，以「宋詩」優於元詩，則二氏所同。方氏更譏詆當時標舉盛唐菲薄「宋詩」者云：

舉世皆宗李杜詩，不知李杜更宗誰。能探風雅無窮意，始是乾坤絕妙詞。
前宋文章配兩周，盛時詩律亦無儔。今人未識崑崙派，卻笑黃河是濁流。（引同前）

這位史稱「未視文藝，恒以明王道、致太平為己任」（註二七）的儒者，能於舉世標舉盛唐之際，力排眾議，為「宋詩」辯護，誠難能可貴。許、方二氏外，瞿佑《歸田詩話》反對時人主「詩盛於唐、壞於宋」之說。瞿氏效元好問的《唐詩鼓吹》，取宋、金、元三朝之作、一千二百首，輯為《鼓吹續音》十二卷以明己志。自題詩云：「騷選亡來雅道窮，尚於律體見遺風。半生莫售穿楊技，十載曾加刻楮功。此去未應無伯樂，後來當復有揚雄。吟窗玩味韋編絕，舉世宗唐恐未公。」（引自《歸田詩話》卷上）既對時風有所批評，復明自己編輯刻印之志。瞿氏所重尤在律詩一體，惜其書亡佚，無從得見（註二八）。

此時為「宋詩」辯護者，其所謂「宋詩」乃廣泛言之，似不純指江西詩派而言。

丙、崇「唐」斥「宋」的興盛

成化以迄萬曆中期，詩壇的走向有三個特色：㈠反對以三楊為代表的「臺閣體」詩風。㈡繼續推尊盛唐為最高的典範，而強化了詆斥「宋詩」這一面。㈢強調「法」此一技巧層面。這整個時期，李東陽之「茶陵派」與前後七子於「如何寫好詩？」的主張上產生極大的差異。又此時肯定「宋詩」者，可謂是微弱的呼聲。下文一併加以介紹。

一、李東陽與茶陵派

三楊臺閣之詩風與影響，《四庫全書總目提要》述之甚詳：「榮當全盛之日，歷事四朝，恩禮始終無間，儒生遭遇，可謂至榮。故發爲文章，具有富貴福澤之氣。應制諸作，渢渢雅音。其他詩文，亦皆雍容平易，肖其爲人。雖無深湛幽渺之思，縱橫馳驟之才足以震耀一世，而逶迤有度，醇實無疵，臺閣之文，所由與山林枯槁者異也。與楊士奇同主一代文柄，亦有由矣。柄國既久，晚進者遞相摹擬，城中高髻，四方一尺，餘波所衍，漸流爲膚廓冗長，千篇一律。物窮則變，於是何、李崛起，倡爲復古之論，而士奇、榮等遂爲藝林之口實。」（卷一百七十・評《楊文敏集》）唯矯三楊末派之弊，何、李之前，李東陽與宗奉之者的茶陵派諸人實已開始。清陳田云：「茶陵崛起，蔚爲雅宗。石淙、匏菴、篁墩、東田、熊峯、東江輩羽翼之，皆秉鈞衡、長六曹，挾風雅之權，以命令當世，三楊臺閣之末派，爲之一振。」（《明詩紀事・丙籤序》）此外，清沈德潛亦主是說（註二九），皆可謂爲符實之言。

李東陽像嚴羽、高棅一樣，「未見詩，即能識其時代格調，十不失一」（註三〇）。其推尊漢魏盛唐亦可謂淵源於二氏，尤其是嚴羽，李氏秉其說而力斥「宋詩」云：「唐人不言詩法，詩法多出宋，而宋人於詩無所得。所謂法者，不過一字一句對偶雕琢之工，而天眞興致，則未可與道。其高者失之捕風捉影，而卑者坐于黏皮帶骨，至于江西詩派極矣。惟嚴滄浪所論超離塵俗，眞若有所自得，反覆譬說，未嘗有失。」（《麓堂詩話》）雖不像嚴羽自負地「說江西詩病，眞取心肝劊子手」，而贊同之意，卻極其明顯。又此處強調的「天眞興致」，及李氏他處強調的「流出肺腑」，與嚴羽之重「興趣」、「情性」亦大致相近。

然李氏也有自己的著重點，與嚴羽又不盡相同。如云：

△長篇中須有節奏，有操、有縱、有正、有變，若平鋪穩布，雖多無益，唐詩類有委曲可喜之處。

△唐律多於聯上著工夫。如雍陶《白鷺》、鄭谷《鷓鴣》詩二聯，皆學究之高者。至於起結，即不成語矣。如杜子美《白鷹》起句、錢起《湘靈鼓瑟》結句，若奏金石以破蟋蟀之鳴，豈易得哉！

△人但知律詩起結之難，而不知轉語之難，第五、第七句尤宜著力，如許渾詩，前聯是景、後聯又說，殊乏意致耳。

△詩用實字易、用虛字難，盛唐人善用虛，其開合呼喚、悠揚委曲，皆在於此。

△古律詩各有音節，……如李太白《遠別離》、杜子美《桃竹杖》皆極其操縱，曷嘗按古人聲調，而和順委曲乃如此。（以上皆引自《麓堂詩話》）

李氏也從詩的形式技巧去肯定「唐詩」。不管是節奏的安排，或是格律的起結與轉語、抑或詩中的實字、虛字與音節的運用，所重皆與嚴羽偏於「興趣」論詩不同。故而《四庫全書總目提要》云：「（李東陽）論詩主於法度音調。」（卷一百九十六・評《懷麓堂集》）即是說明了這一面。

李氏之前，推尊「盛唐」與加以摹擬、唱和之風，大抵同時並進。而李氏論詩則承繼前者而批判後者，如《麓堂詩話》云：「林子羽《鳴盛集》專學唐，袁愷《在野集》專學杜，蓋皆極力摹擬，不但字面句法，幷其題目亦效之，開卷驟視，宛若舊本，然細味之，求其流出肺腑，卓爾有立者，指不能一再屈也。」。又如：「李杜詩唐以來無和者，知其不可和也。」等皆是。所以，雖然在品鑑上他崇「唐」斥「宋」，而在學詩之主張則不拘泥於「唐」，力斥摹擬，如云：「或者又曰必爲唐，必爲宋，規規焉俛首縮步，致不敢易一辭、出一語，縱使似之，亦不足貴矣。」

李氏之所以能結合推尊盛唐與反對摹擬二種意見，乃由於李氏尚重視詩家自己，「貴不經人道語」（註三一）。而其所認爲的「盛唐」正符合此。如前引例子裏，李氏言李、杜的音節「曷嘗按古人聲調，而和順委曲乃如此。」又曾言王維「陽關無故人」之句，「盛唐以前雖未道，不害其爲盛唐也」（註三二）。都可以反映出他的反對摹擬的創作論。李氏自己的詩，《明史》說：「出入宋元，溯流唐代。」（註三三）；清陳田說：「蹤希宋體，音闋盛唐。」（註三四）可爲其創作論最好的表現。其門人楊一清、邵寶等人詩風亦類之。（註三五）

李東陽歷憲宗、孝宗、武宗三朝，主持國事與文柄長達四十餘年。《四友齋叢說》載云：「李西涯當國時，其門生滿朝。西涯又喜延納獎拔，故門生或朝罷，或散衙後，即群集其家，講藝談文，通日徹夜。」（註三六）當時率皆奉以爲宗，盛極一時，因其出身地而稱「茶陵派」。迨宏正間，李夢陽、何景明崛起，壇坫下移郎署，天下翕然宗之，詩風又一變。

二、前後七子及其支持者

㈠前七子的代表——李夢陽與何景明

臺閣闡緩冗沓、千篇一律之弊，李東陽之茶陵派雖矯之而起，然如《明史》所載：「弘治時，宰相李東陽主文柄，天下翕然宗之，夢陽獨譏其萎弱，倡言文必秦漢、詩必盛唐，非是者弗道。與何景明、徐禎卿、邊貢、朱應登、顧璘、陳沂、鄭善夫、康海、王九思等號十才子，又與景明、禎卿、貢、海、九思、王廷相號七才子，皆卑視一世，而夢陽尤甚。吳人黃省曾，越人周祚，千里致書，願爲弟子。迨嘉靖朝，李攀龍、王世貞出，復奉以爲宗，天下推李、何、王、李爲四大家，無不爭效其體。」（卷二百八十六《文苑・李夢陽傳》）李東陽之茶陵派逐漸勢微，除去《明史》所載的文學因素外，和李東陽後來「依阿劉瑾，人品事業，均無足深論。」（註三七）亦有關係。蓋當時士人漸不恥李東陽之操行，而反觀李夢陽則是「爲戶部郎中時疏劾劉瑾，遘禍幾危，氣節本震動一世。」（註三八）爲當時人所仰戴，故其振臂一呼，而風會亦隨之轉移了。

弘治、正德間，以李夢陽、何景明爲首。二氏皆力詆「宋詩」，李夢陽云：「詩至唐，古調亡矣，然自有唐調可歌詠，高者猶足被管絃。宋人主理不主調，於是唐調亦亡。黃、陳師法杜甫，號大家，今其詞艱澀，不香色流動，如入神廟坐土木骸，即冠服與人等，謂之人可乎？夫詩比興錯雜，假物以神變者也，難言不測之妙，感觸突發，流動情思，故其氣柔厚，其聲悠揚，其言切而不迫，故歌之心暢而聞之者動也。宋人主理作理語，於是薄風雲月露，一切剷去不爲；又作詩話教人，人不復知詩矣。詩何嘗無理，若專作理語，何不作文而詩爲邪？」（《空同集》卷五十一《缶音序》）李氏強調詩的本質是有所興感、足堪歌詠情思的「調」，其發顯於外：氣則柔厚，聲則悠揚流動，言則切而不迫，與「文」爲不同之範疇。故而批判宋人「主理不主調」，乃違背了詩的本質，只是近文而不似詩。何景明也說過「宋無詩」的話（註三九）。《升庵詩話》卷十二載：「亡友何仲默（即景明）嘗言宋人書不必收，宋人詩不必觀。一日書此四詩（即宋人張文潛《蓮花詩》、杜衍《雨中荷花詩》、劉美中《夜度娘歌》、寇平仲《江南曲》）訊之曰：『此何人詩？』答曰：『唐詩也。』余笑曰：『此乃吾子所不觀宋人詩也。』仲默沈吟久之曰：『細看亦不佳。』可謂倔強矣。」可知何氏和李夢陽同斥「宋詩」。李、何主持詩壇，詆斥「宋詩」如斯嚴峻，影響所及，清葉燮說得好：「苟稱其人爲宋詩，無異于唾罵。」（註四〇）

李、何論詩不比元人推尊「唐詩」，乃兼盛、晚唐而言；也不似明初的標舉盛唐，猶對中、晚唐詩人有所採納，如《唐詩品彙》之編選；即使是李東陽之茶陵派，在創作上也往往不拘盛唐。而李、何二氏則不管是品鑒或是創作上的主張，皆成了「詩必盛唐」，盛唐以下，一概無取。不僅如此，若我們細察二人的詩風與詩論，便會發現其間的差異，這使得他們後來不斷地反覆詰難。

《明史》載其始末甚詳：「景明志操耿介，尚節義，鄙榮利，與夢陽並有國士風。兩人爲詩文初相得甚歡，名成之後，互相詆諆，夢陽主摹倣，景明主剏造，各樹堅壘不相下，兩人交遊亦遂分左右祖。」（卷一百八十六《文苑，何景明傳》）當時與二氏交遊的薛蕙已有詩云：「俊逸終憐何大復，粗豪不解李空同。」（註四一）左袒何景明之意甚明，同時也指出了二氏詩風不同的所在。在詩論方面，李夢陽極其尊崇杜甫，嘗云：「作詩必須學杜。」（註四二）；而何景明《明月篇序》則以杜甫

「調失流轉」，是「詩歌之變體」，反在初唐四傑之下。凡此皆可略窺二人相爭的端倪。

李、何二氏諍論之所在，除了與李夢陽盛心驕氣、矯枉過直有關外（註四三），最主要是對於「如何寫好詩？」這一問題持相異的看法。後世多以「摹擬」詆諆李夢陽，而往往忽略了其「摹擬」的根據與目的——「法」。李夢陽所謂的「法」有先天、先驗的意義，他說：「文必有法式，然後中諧音度。如方圓之於規矩，古人用之，非自作之，實天生之也。今人法式古人，非法式古人也，實物之自則也。」（《空同集》卷六十一《答周子書》）認爲「法」是詩文必具的要素。由於古人在作品中具體展現了此一先天、先驗的「法」，所以對之加以摹擬，目的亦在於使吾人的作品中能表現此「法」，進而成爲好詩。而「法」的內容，李氏云：「古人之作，其法雖多端，大抵前疏者後必密，半闊者半必細，一實者必一虛，疊景者意必二，此余之所謂『法』，圓規而方矩者也」（《空同集》卷六十一《再與何氏書》）乃就疏密、細闊、虛實、景意之對稱、平衡而言，近於普遍的形式規則。由是李氏特別強調「尺尺寸寸」不離古法的摹擬途徑。而何景明則說：「僕嘗謂詩文有不可易之法者，辭斷而意屬，聯類而比物也。」（《大復集》卷三十二《與李空同論詩書》）所重在於語言之外，與意相聯屬的「法」，所以不像李夢陽的主張，須得「尺尺寸寸」的摹擬，反而認爲「語不必同」，贊成「擬議以成其變化」（註四四），史稱其「主刱造」，殆亦指此。然李夢陽才力富健、籠罩一時，所倡之「摹擬」，仍成爲衆人遵循之主流。

(二)後七子的代表——李攀龍與王世貞

何景明卒於武宗正德十六年，李夢陽卒於世宗嘉靖十年。李攀龍與王世貞於嘉靖二十七年，因李先芳引介，極爲投合（註四五）。二氏繼李夢陽、何景明之後，而爲「後七子」的代表。史載李攀龍，云：「其持論謂文自西京、詩自天寶而下，俱無足觀。於本朝獨推李夢陽，諸子翕然和之，非是則詆爲宋學。」（註四六）不管是推尊盛唐、詆斥「宋詩」的詩觀，或堅守門戶之風，都和李夢陽極爲類似。李攀龍更有《古今詩刪》一書，具體表現了他的詩觀與詩史觀。《四庫全書總目提要》評此書云：「是編爲所錄歷代之詩，每代各自分體，始於古逸，次以漢魏、南北朝，次以唐，唐以後繼以明。多錄同時諸人之作，而不及宋、元。蓋自李夢陽倡不讀唐以後書之說，前後七子率以此論相尚，攀龍是選猶是志也。……明季論詩之黨，判於七子。七子論詩之旨，不外此編。」（卷一百八十九）雖承自李、何「宋無詩」的主張，卻較之更具體、更具代表性。其中《唐詩選》之部份，坊間商賈每加以割裂，署以李攀龍之名，數量甚多（註四七）。所以到了四庫館臣編纂《四庫全書》時，對其盛行鄉塾仍感訝異（註四八）。又有雖未署李攀龍之名，仍爲此書之裔者，如許建崑先生云：「合計應有五十種以上，較清時蘅塘退士所編《唐詩三百首》，流傳廣遠，刊行鉅量，影響不爲不大。」（註四九）這些唐詩選集雖與李攀龍不必有直接的關連，且其影響更凌駕《古今詩刪》之上，成爲後人寫詩的範本，然淵源所自，亦不得忽略李攀龍起始之功。

李攀龍對「如何作好詩？」這一問題的看法，有取於李夢陽和何景明的意見，其云：「今之不能子長文章者，曰：『法自己立矣，安在引於繩墨？』即所用心，非不濯濯，唯新是圖，不知其言終日，卒未嘗一語不出於古人，而誠無他自異也。」即言「法」雖先天、先驗，卻都具備於古人作品之中。這和李夢陽的看法一致，而他也更進而強調摹擬古人。然而，其所認為的摹擬卻類於何景明，嘗言「善擬」、「擬議以成其變化」（註五○），不似李夢陽欲人「尺尺寸寸於古法」。雖然他的主張似欲綜合李、何二家之論，然而在具體的創作實踐中，尤其是晚年的擬漢魏樂府，往往僅「更古數字為己作」（註五一）常因此而受人訴病。

李攀龍卒於穆宗隆慶四年，之後，王世貞主盟文壇。《明史》載：「世貞始與李攀龍狎主文盟，攀龍歿，獨操柄二十年，才最高、地望最顯，聲華意氣，籠蓋海內。一時士大夫，及山人、詞客、衲子、羽流，莫不奔走門下。片言褒賞，聲價驟起。其持論文必西漢、詩必盛唐，大曆以後書勿讀。而藻飾太甚，晚年攻者漸起，世貞顧漸造平淡，病亟時，劉鳳往視，見其手《蘇子瞻集》，諷翫不置也。」根據這段記載，我們大略明瞭王氏論詩之旨，至於詳細情形，以下分三方面加以敘述：

(一)詩必盛唐。王氏大致承襲李、何與李攀龍的主張——以盛唐為極則。如云：「盛唐於詩也，其氣完、其聲鏗以平、其色麗以雅、其力沈而雄、其意融而無跡，故曰：『盛唐其則也。』」（《弇州四部稿》卷六十五《徐汝思詩集序》）。不過有兩點微有小異：

1. 對於盛唐以上之詩的選取。王氏《藝苑卮言》卷一云：「世人選體，往往談西京、建安，便薄陶、謝，此似曉不曉者。毋論彼時諸公，即齊梁纖調，李杜變風，亦自可采。貞元而後，方足覆瓿。」不僅取陶淵明、謝靈運之詩，甚至連「齊梁纖調」也認為有可采之處。

2.具體的創作實踐不符其主張。王氏雖說盛唐以下不足取，日人吉川次幸郎卻指出：「在《四部稿》七言律詩部份，附有《署中獨酌先後共得十首頗有白家門風不足存也》、《信筆爲雜題三首》、《戲爲江左變體二首》，並自註云：『右十五篇，格調稍異，聊存之以見一體。』另外，在其集中又收有《即事效長慶體》、《偶覽元白長慶集有感逝者》等詩。可見他對復古派所忌避的中唐詩人，如白居易等，也不完全排除。只是，既說『不足存也』，又說『聊存之』，心中不免有些矛盾而已。」（註五二）

㈡對「宋詩」的態度。王氏爲愼子正的《宋詩選》作序時說到以前抑「宋」是爲了「惜格」，後來基於兩個因素而稍稍改變：一、「代不能廢人，人不能廢篇，篇不能廢句」；「宋詩」雖當抑，卻並不是整個宋代都沒有好的詩家、詩篇與詩句。二、不失尊「唐」的立場而「善用宋」，仍是可取的。猶以蘇軾爲然。例如王氏的《蘇長公外紀序》云：「毋論蘇公文，即其詩最號爲雅變雜糅者，雖不能爲吾式，而亦足爲吾用。」（註五三）即是很好的例證。

㈢對摹擬的看法。《藝苑卮言》卷四云：「剽竊模擬，詩之大病。亦有神與境觸，師心獨造，偶合古語者，……不妨俱美，定非竊也。其次裒覽既富，機鋒亦圓，古語口吻間，若不自覺，……近世獻吉（李攀龍）、用脩（楊愼）亦時失之，然尚可言。又有全取古文，小加裁剪，……已是下乘，然猶彼我趣合，未致足厭。乃至割綴古語，用文已陋，痕跡宛然，……斯醜方極，模擬之妙者，分歧逞力，窮勢盡態，不唯敵手，兼之無跡，方爲得耳。……近日獻吉『打鼓鳴鑼何處船』語，令人一見匿笑，再見嘔　，皆不免爲盜跖優孟所訾。」可知王氏於摹擬採修正之態度，首先王氏區分摹擬爲四個層級：

1. 神與境觸、師心獨造，偶合古語。
2. 裒覽既富、機鋒亦圓，古語口吻間，若不自覺。
3. 全取古文，小加裁剪，彼我趣合，未致足厭。
4. 割綴古語，用文已陋，痕跡宛然。

前二層級，王氏認爲是理想的「摹擬」，有著窮勢盡態，用之而無迹的妙處。若第三層級則尚可接受，以其猶有詩「趣」流露。第四層級則被其詆爲醜陋，「不免爲盜跖、優孟所訾」。

王世貞論詩已不像李夢陽、何景明、李攀龍等人那般的詆斥「宋詩」；對於前後七子所造成的摹擬之風，也有所修正；盛唐以下，他擬效過白居易的詩，盛唐以上，即齊梁纖調，亦有所採。又《四庫全書總目提要》云：「自古文集之富，未有過於世貞者。」（卷一百九十七。評《藝苑卮言》）所以王氏主盟文壇，影響風會，信非偶然。王氏之前，摹擬「唐詩」蔚爲成風。王氏出，時人更轉而以其詩文集爲對象，以爲創作之捷徑。艾南英批評說：「後生小子，不必讀書，不必作文，但架上有前、後《四部稿》，每遇應酬，頃刻裁割，便可成篇。驟讀之，無不濃麗鮮華，絢爛奪目，細案之，一腐套耳。」（《天傭子集》卷五《答夏彝仲論文書》）王世貞卒於萬曆十八年，享年六十五歲。過兩年袁宏道中了進士，「公安派」興起，批判七子不遺餘力，詩壇風氣又變矣。

(三)李、何、王、李之外

彼時詩壇除了李、何、王、李之外，尚有可述者如下：

(一)徐禎卿與《談藝錄》。前七子雖以李、何爲首，詩話著作最著名的則是徐氏此作（註五四）。既《明史》載：「禎卿少與祝允明、唐寅、文徵明齊名，號吳中四才子，其爲詩喜白居易、劉禹錫。既登第，與李夢陽、何景明游，悔其少作，改而趨漢魏盛唐，然故習猶在，李夢陽譏其守而未化。」（卷二百八十六《文苑・徐禎卿》）又王世懋以唐之王、孟比擬徐氏與高叔嗣二人（註五五），清代主神韻的王士禎也引徐、高二人爲同調，編有《二家詩選》專錄其詩。徐氏《談藝錄》專評漢、魏古詩，即使後來七子飽受批判之際，此書仍然受到肯定，清陳田甚至以嚴羽比之（註五六）。

(二)謝榛與《四溟詩話》（又名《詩家直說》）。《明史》載：「當七子結社之始，尚論有唐諸家，各有所重。榛曰：『取李杜十四家最勝者，熟讀之以會神氣，歌詠之以求聲調，玩味之以裒精華，得此三要則浩乎渾淪，不必塑謫仙而畫少陵也。』諸人心師其言，厥後雖合力擯榛，其稱詩指要，實自榛發也。」（卷二百八十七《文苑・謝榛傳》）《四溟詩話》卷三亦載此事，而所取李杜十四家，乃合初唐、盛唐而言，大抵謝氏影響七子應是不誣的事實。謝氏肯定盛唐有由氣格言之（註五七），有由聲律、用韻言之（註五八），有由興起而含蓄託諷的「辭前意」言之（註五九），有由「點景難於情」言之（註六〇），也有由命意措辭之苦心而言之（註六一），皆不外指出盛唐佳妙之所在，進而加以推尊。謝氏論詩特別強調情景之合，辭意之融，及以韻發端，興起而無迹種種，所以《四庫全書總目提要》評云：「今觀其書大旨主於超悟。」（卷一百九十七，評《詩家直說》）可爲中的之論。謝氏也據此批評宋人「必先命意，涉於理路，殊無思致」、「專重轉合，刻意精鍊，或難於起句，借用旁韻，牽強成章」，皆指其不知「興」起、無「辭前意」而言。此外，謝氏云：「自古詩人養氣，各有主焉。蘊乎內，著乎外，其隱見異同，人莫之辨也。熟讀初唐、盛唐諸家所作，有雄渾如大海奔濤，秀拔如孤峯峭壁，……此見諸家所養之不同也。學者能集衆長合而爲一，若易牙以五味調和，則爲全味矣。」（《四溟詩話》卷三）所言學詩之主張，重在熟讀初唐、盛唐諸家所作，以觀其所養之氣之不同，進而以「兼衆長」而成家。前引《明史》所載「會神氣」、「求聲調」、「裒精華」，即是相同意思。而與七子諸人言「法」、言「摹擬」以爲學詩之途徑不同。《四溟詩話》最受人詬病之處在於「指摘唐人詩病而改定其字句」（註六二）當時王世貞《藝苑巵言》已批評云：「謝山人謂『澄江淨如練』，『澄』、『淨』二字意重，欲改『秋江淨如練』，余不敢以爲然，蓋江澄乃淨耳。」清人王士禎也云：「何因點竄『澄江練』，笑殺談詩謝茂秦。」（《精華錄》卷五《戲仿元遺山論詩絕句三十二首》）譏詆更加激烈。

㈢王世懋與《藝圃擷餘》。王世懋乃王世貞之弟，其書成於《藝苑巵言》之後，論者多以其論詩大旨宗其兄（註六三）。不過，王世懋此書有爲晚唐辯護者，如云：「七言絕句，膾炙人口，其妙至欲勝盛唐」，又如云：「今世五尺童子，纔拈聲律，便能薄棄晚唐，自數初、盛，有稱大曆以下，色便赧然。然使誦其詩，果爲初邪？盛邪？中邪？晚邪？大都取法固當上宗，論詩亦莫輕道。」明顯地與前後七子論詩之旨不同。王氏雖爲晚唐辯護，所宗仍在漢、魏、盛唐，對李夢陽、李攀龍之詩備極推崇；而對時風之摹擬剽竊，則有所指責，如云：「李于鱗（攀龍）七言律，俊潔響亮，余兄極推轂之，海內爲詩，爭事剽竊，紛紛刻鶩，至使人厭。」又王氏此書值得注意的是，杜甫與盛唐之比較。

就品鑑而言，王氏有五種意見：

1.杜甫高於盛唐——以其有深句、雄句、老句。

2.杜甫不失爲盛唐——以其有秀句、麗句。

3.杜甫獨得處——以其有險句。

4.杜甫劣於盛唐——以其有拙句、累句。

5.杜甫逗漏後代遠離唐音。

就學習而言，王氏云：「學老杜不如學盛唐，何者？老杜結構自爲一家言，盛唐散漫爲宗，人各以意象聲響得之。」雖非針對江西詩派發言，卻是與江西詩派主張學杜相反的意見。

㈣胡應麟與《詩藪》。《明史》載：「胡應麟幼能詩，萬曆四年舉於鄉，久不第，築室山中，搆書四萬餘卷，手自編次，多所撰著，攜詩謁世貞，世貞喜而激賞之，歸益自負。所著《詩藪》二十卷，大抵奉世貞《卮言》爲律令而敷衍其說，謂詩家之有世貞，集大成之尼父也，其貢諛如此。」（註六四）將胡氏與王世貞的淵源說得很清楚。《詩藪》篇幅巨大、內容浩繁，內編六卷，分古今體各三卷；外編六卷，自周至元，以時代分；雜編六卷，補內、外編之遺；續編六卷，論當代之作。此書申明「

體以代變」，「格以代降」之史觀云：「四言變而《離騷》，《離騷》變而五言，五言變而七言，七言變而律詩，律詩變而絕句，詩之體以代變也。《三百篇》降而《騷》，《騷》降而漢，漢降而魏，魏降而六朝，六朝降而三唐，詩之格以代降也。」（內編，古體上）其中「體以代變」，民初王國維承之而變成「一代有一代之文學」的說法（註六五）。由楚騷而漢賦而六朝駢語而唐詩而宋詞而元曲，雖不純詩的範疇而言，仍本「體以代變」之史觀，影響二十世紀研究中國文學的學者極爲深遠，也造成今人忽視了唐以後詩史的發展，此皆非胡氏所能料及之者。若「格以代降」則是證成七子論詩之旨，即詩盛極於漢、唐，而衰蔽於宋、元，如云：「聲詩之道，始於周、盛於漢、極於唐，宋、元繼唐之後，啓明之先，宇宙一終乎！盛極而衰，理勢必至，雖屈、宋、李、杜挺生，其運未易爲力也。」（外編五）詩之盛衰既是歷史的必然，七子之倡言「詩必盛唐」就幾乎可以說是不易的鐵則。本此，胡氏所以批評中唐以下之詩說：「元、白而後，寖入野狐道中。」（內編・古體中）也警告學詩的人：「宋人詩最善入人，而最善誤人，故習詩之士，目中無得容易著宋人一字，此不易之論也。」（雜編五）皆羽翼七子之論。

此四人四書之見解或與李、何、王、李有少許差異，或各有偏重所在；可是崇「唐」斥「宋」的主張卻大抵與之相同。

㈣前後七子的意義與影響

前後七子籠罩詩壇，盛極一時，影響當時最著者有三方面：㈠詩觀。詩的本質與好詩的要素俱在漢、魏、盛唐，而「宋詩」無焉；所以評價上崇「唐」斥「宋」。㈡詩史觀。詩史之進程乃盛極於漢、魏、盛唐，衰蔽於宋、元，明代（尤指前後七子）是越宋、元而直承於唐，與詩觀合爲一體的兩面；既佐助崇「唐」斥「宋」的論調，也凸顯自身的重要。㈢創作觀。諸人雖不是很一致，而大抵以「摹擬」之主張最盛。這樣的入手方法不只有徑可循，也顯得更直截了當、簡易單純，方便初學者不少。而摹擬的對象又以漢、魏、盛唐的作品爲主，使得重「學問」、「道理」的「宋詩」被擯斥在外，也方便學問粗淺的初學者不少。日本有些學者指出這是前後七子受到歡迎的原因（註六六），應該也是事實。

當時的詩選集，選彙唐以前和唐代的詩作較多，不能不說是受到前後七子的影響。如張之象有《古詩類苑》、《唐雅》、馮惟訥有《古詩紀》、《唐詩紀》、臧懋循有《古詩所》、《唐詩所》，唐汝謂有《古詩解》、唐汝詢有《唐詩解》等等（註六七）。而選宋、元詩之作極少，乃至宋人詩集亦乏人問津，清宋犖《漫堂說詩》云：「明自嘉隆以後，稱詩家皆諱言宋，至舉以相訾謷，故宋人詩集，庋閣不行。」以致今日研究宋、元詩之學者，尚得依靠清人吳之振、顧嗣立等人之蒐輯而成的選本，此亦爲受到七子論詩之影響所及。

前後七子影響後代尚有三點可言：㈠本身成爲一種詩體，受到沿襲與效法（註六八）。㈡風會過後，成爲攻擊的靶的；主「宋詩」者，固反駁其「詩必盛唐」的主張；主「唐詩」者，也刻意和他們的「摹擬」劃分界限；也有些爲擊排七子，雖似爲「宋詩」張目，卻非眞賞「宋詩」（註六九）。㈢

從江西詩派主導期進到盛唐詩主導期，是前後七子使之成爲歷史的事實，且確定了盛唐崇高不墜的地位，當時及後代不管是崇「唐」或主「宋」者，皆共承認此一事實。主「宋」者往往是想將「宋詩」提高到與盛唐同等的地位，而主「唐」者，即使不主盛唐，也多先承認盛唐之價値，再另闢蹊徑（註七〇）。

三、肯定「宋詩」的微弱呼聲

大抵前後七子的詩觀斥「宋」，詩史觀爲「宋無詩」。李夢陽、何景明、李攀龍固言之鑿鑿，到了王世貞則已云「善用宋」，肯定整個宋代仍有少數優秀的作家與作品。此外，如謝榛云：「《霏雪錄》曰：『唐詩如貴介公子，舉止風流。宋詩如三家村乍富人，盛服揖賓，辭容鄙俗。』殊不知老農亦有名言，貴介公子不能道者。」（《四溟詩話》卷一）以「宋詩」也有「唐詩」所不能道者肯定之。又如胡應麟於創作上雖告戒人不要法效「宋詩」，卻也說：「殆諸人（宋代）製作亦往往有可參六代三唐者，博觀而愼取之，合者足以法而悖者足以懲，即習詩之士，詎容盡廢乎？」（《詩藪・雜編五》）蓋有取於宋代之合於「唐」者。此三人雖對「宋詩」有所肯定，然所肯定的詩的數量往往只是少數而已。

何景明的好友楊愼，著有《升庵詩話》，大抵也主崇「唐」貶「宋」之說，只是他對時風動輒褒「唐詩」，動輒詆「宋詩」十分不滿。他曾指出「唐人有極惡者」的「劣唐詩」（註七一），而對「宋詩」之肯定遠遠大於當時之前七子，如云：「宋詩信不及唐，然其中豈無可匹體者？在選者之眼力耳。如蘇舜欽《吳江詩》：……誰謂宋無詩乎？」（卷四．《宋人絕句》）在這段話裏，他就舉了蘇舜欽等九個人、十四首詩爲例。此外，楊氏又屢有「今日『宋無詩』，其然乎？」（註七二）、「不可云宋無詩也」（註七三）等表述。前面介紹過何景明猜錯「宋詩」爲「唐詩」，仍倔強地堅持己見的故事，也出自《升庵詩話》，楊氏對他極度的排斥「宋詩」應該是有所諷刺的。又有王文祿者，約與王世貞同時，力反李夢陽所云「宋無詩」之言，王氏云：「梅聖俞、王介甫、陳后山、朱晦庵、謝皐羽，擇而誦之，豈曰無詩？」（《文脈》卷二）王氏另一書《詩的》以推尊漢、魏、盛唐爲主，其立場大概和楊愼相似。

眞正反對崇「唐」斥「宋」之說者有都穆、俞弁、李濂、歸有光諸人。都穆云：「昔人謂詩盛于唐，壞于宋。近亦有謂元詩過宋詩者，陋哉見也。劉后村云：『宋詩豈惟不愧於唐，蓋過之矣。』予觀歐、梅、蘇、黃、二陳，至石湖、放翁諸公，其詩視唐未可便謂之過，然眞無愧色者也。元詩稱大家，必曰虞、楊、范、揭，以四子而視宋，特太山之卷石耳。方正學（孝孺）詩云：……非具正法眼者，烏能道此。」（《南濠詩話》）其中引方孝孺的詩，前已述及，不再詳引，都氏雖承方孝孺而爲「宋詩」辯護，卻非僅指北宋而言，而是遍觀南北宋諸家，以「宋詩」優於元詩，並無愧於「唐詩」也。

嘉靖年間的俞弁有《逸老堂詩話》二卷，於李夢陽、何景明多有微辭，曾引唐元薦之言云：「至李空同、何景明二子一出，變而學杜，壯乎偉矣，然正變雲擾，而剽襲雷同，比興漸微而風雅稍遠矣。」（《逸老堂詩話》卷下）而俞氏也對崇「唐」斥「宋」之風很不以爲然，其云：「古今詩人措語工拙不同，豈可以唐宋輕重論之？余訝世人但知宗唐，於宋則棄不取，如唐張林《池上》云：『菱葉乍翻人采後，荇花初沒舸行時。』宋張子野《溪上》云：『浮萍斷處見山影，小艇移時聞草聲。』巨眼必自識之。誰謂『詩盛於唐而壞於宋哉？』瞿宗吉有『舉世宗唐恐未公』之句，信然。」（《逸老堂詩話》卷上）俞氏呼應著瞿佑之言，且舉唐、宋各一聯詩，以其難分優劣而反駁崇「唐」斥「宋」與「詩盛於唐壞於宋」之論。

史稱李濂「初受知李夢陽，後不屑附和。」（註七四）李氏有絕句云：「唐人無選宋無詩，後肆輕狂肆貶詞。眞趣盎然流肺腑，底須摹擬失神奇。」（引自《列朝詩集小傳》丙集）李氏在詩中表述了他並不贊同七子的口號「唐人無選宋無詩」，也反對其「摹擬」的主張，認爲這樣會失去了詩的眞趣與神奇，其不屑附和李夢陽或即因此。

古文家歸有光約與後七子同時，王世貞主盟文壇時，史稱歸氏「力相觝排，目爲妄庸巨子。」（註七五）其云：「韓文公云：『李杜文章在，光燄萬丈長。不知群兒愚，那用故謗傷。蚍蜉撼大樹，可笑不自量。』文章至於宋、元諸名家，其力足以追數千載以上，而與之頡頏，而世直以蚍蜉撼之，可悲也。無乃一二妄庸人爲之巨子，以倡道之歟？」（《震川文集》卷二《項思堯文集序》）除所引之部份外，觀其全序，乃兼詩文而言，之中以宋、元名家可與千載以上之作者相頡頏，可謂備極尊崇。而對謗傷宋、元作家者，直以蚍蜉譏之，不屑之意甚明。史又稱王世貞後來也心折之，開始大憾（註七六），王氏所以能從「抑宋」進到「用宋」，或許與歸氏的觝排有關。

值得注意的是，都、俞、李、歸四氏所謂的「宋詩」，皆泛指宋代的詩（都穆更是合南北宋而言），並不純主某一體某一派。而且其爲「宋詩」辯護，並非崇「唐」抑「宋」的相反——崇「宋」抑「唐」，而是欲將「宋詩」提高到與「唐詩」同等的地位，並由此批判世人一味宗「唐」而棄「宋」於不顧的作爲。

四氏之外，被四庫館人形容爲「得罪名教，流毒後學」（註七七）的李贄，以「眞心」爲「童心」，力主只要童心常存，就無時不文、無人不文。其反對七子云：「詩何必古選？」（註七八）雖不若都、俞、李、歸四氏直接針對崇「唐」斥「宋」之說，然其影響或在諸人之上；論者多以後來一變七子之風的公安派，受其啓迪不小。（註七九）

此時不惟肯定「宋詩」之呼聲微弱，詩家所反映出來的創作思想亦然。不拘於時風，或出唐入宋、自爲一體者，如沈周、黄佐、文徵明、陸釴、喬桑、徐渭諸人（註八〇）；或專主「宋詩」如周鼎、張弼、林俊、方太古、張琦、孫一元、戚詔、及唐順之與陳白沙（註八一）諸人，於當時皆可謂特立之士。

丁、爲「宋詩」辯護的袁宏道

萬曆中葉「公安三袁」（袁宗道、袁宏道、袁中道三兄弟並稱）興起，如《明史》所載：「先是王、李之學盛行，袁氏兄弟獨心非之，宗道在館中與同館黄輝力排其說，於唐好白樂天，於宋好蘇軾，名其齋曰『白蘇』。至宏道益矯以清新輕俊，學者多舍王、李而從之，目爲『公安體』。」（卷二百八十八・《文苑・袁宏道傳》）不惟詩風轉移，前後七子亦由是而不斷地受到掊擊；公安三袁爲「宋詩」辯護，也不再只是微弱的呼聲而已。

公安三袁，一般認爲袁宗道、袁中道之才不及袁宏道（中郎）（註八二）。而宏道也以廓清時風、掃除積弊自許，《答李元善書》云：「弟才雖綿薄，至於掃時詩之陋習，爲末季之先驅，辨歐、韓之極冤，搗鈍賊之巢穴，自我而前，未見有先發者，亦弟得意事也。」（《袁中郎全集》卷二十三）而其尺牘、序文也幾乎無篇不批評「詩準盛唐」的摹擬風氣，挺身爲「宋詩」辯護。

袁宏道論詩著重於「性靈」與「時變」，前者爲品鑒與創作的基準，後者爲歷史進行的規律。袁氏合此二者反覆批判七子所造成的風氣，《敍小修詩序》：

弟小修……既長，膽量愈廓，識見愈朗，的然以豪傑自命，而欲與一世之豪傑爲友。……足跡所至，幾半天下，而詩文亦因之以日進。大都獨抒性靈，不拘格套，非從自己胸臆流出，不肯下筆。有時情與境會，頃刻千言，如水東注，令人奪魂。其間有佳處、亦有疵處，佳處自不必言，即疵處亦多本色、獨造語；然予則極喜其疵處，而所謂佳者尚不能不以粉飾蹈襲爲恨，以爲未能盡脫近代文人氣習故也。蓋詩文至近代而卑極矣，……詩則必欲準于盛唐，剿襲模擬，影響步趨，見有一語不相肖者，則共指以爲野狐外道，曾不知……詩準盛唐矣，盛唐人曷嘗字字學漢魏歟？……盛唐而學漢魏，豈復有盛唐之詩？惟夫代有升降而法不相沿，各極其變，各窮其趣，所以可貴，原不可以優劣論也。……故吾謂今之詩文不傳矣，其萬一傳者，或今閭閻婦人孺子所唱《擘破玉》、《打草竿》之類，猶是無聞無識，眞人所作，故多眞聲，不放顰於漢魏，不學步於盛唐……。（《袁中郎全集》卷一）

這段話是一種和世人完全相對抗的論調，其弟詩之疵處正其所喜；而所謂佳者，袁氏反評爲「未能脫盡近代文人氣習」，引爲憾恨。之所以如此，袁氏有自己的判準——即主「性靈」——認爲內容要從胸臆流出，形式則不拘格套，不加粉飾蹈襲。由此，效顰漢魏、學步盛唐而無「性靈」的詩爲袁氏所不喜，更認爲不如無知無識的婦人孺子所唱的小曲調。對於「詩必準于盛唐」的摹擬主張，袁氏除由「性靈」的詩觀加以否定外，亦從「代有升降而法不相沿」這種時變的史觀極力抨擊。從反面講是詩準盛唐，則盛唐曷嘗字字學漢魏？盛唐如果學漢魏，又那裏有盛唐呢？從正面講則是：每一代之詩，只要各極其變，各窮其趣，都有可貴、可傳之處而不必分優劣。袁氏的「性靈」與「時變」其實是一體的兩面；重性靈者本不拘格套，不相沿襲，於時自不得不變；時變者也正是每一時代之作者有其自己，語出胸臆，所作自是合乎性靈。

袁氏爲「宋詩」辯護，自是和時風相抗，也就不得不有所批評，其云：

大抵物眞則貴，眞則我面不能同君面，況古人之面貌乎？唐自有詩也，不必選體也。初、盛、中、晚自有詩也，不必初、盛也。李、杜、王、岑、錢、劉，下迨元、白、盧、鄭，各自有詩也，不必李、杜也。趙宋亦然，陳、歐、蘇、黃諸人，有一字襲唐者乎？又有一字相襲者乎？

至其不能爲唐，殆是氣運使然，猶唐之不能爲《選》，《選》之不能爲漢魏耳。今之君子乃欲概天下而唐之，又且以不唐病宋，夫旣以不唐病宋矣，何不以不《選》病唐？不漢魏病《選》，不《三百篇》病漢魏？不結繩鳥跡病《三百篇》耶？（《袁中郎全集》卷二十一《與丘長孺書》）

此處袁氏仍是以其「性靈」的論旨和「時變」的史觀交互發揮。認爲「宋詩」之所以不能爲唐，是氣運使然，不得強求。然亦自有其面目，不失爲「眞」的可貴處，故也不必一味地加以否定。他指責時人欲以「唐詩」概括天下的作法，不異於作繭自縛；同時認爲「不唐而病宋」的說法，根本是以本位出發，完全漠視了隨時而變的詩風的發展事實。故而其層層的逼問：「唐詩」如果不像選體，得詬病「唐詩」嗎？選體不像漢魏，得詬病選體嗎？漢魏不像《三百篇》，得詬病漢魏嗎？《三百篇》不像結繩鳥跡，得詬病《三百篇》嗎？可謂是以子之矛，攻子之盾，旣爲「宋詩」辯護，又指斥時風。

袁氏爲「宋詩」辯護，並非不知「宋詩」之弊。如云：「有宋歐、蘇輩出，大變晚（唐）習，于物無所不收，於法無所不有，於情無所不暢，於境無所不取，滔滔莽莽，有若江河。……然其敝至以文爲詩，流而爲理學，流而爲歌訣，流而爲偈誦，詩之弊又有不可勝言者矣。」（《袁中郎全集》卷一《雪濤閣集序》）旣指出了「宋詩」的優點所在，也無諱言「宋詩」以文爲詩、像理學、像歌訣、像偈誦的毛病。所以雖然他也曾激烈地高唱反調說：「世人喜唐，僕則曰唐無詩；世人喜秦漢，僕則曰秦漢無文；世人卑宋黜元，僕則曰詩文在宋、元諸大家。」（註八三）似是爲反抗而反抗，然綜觀袁氏諸論，則知並非如此。這句話只是激於時風的緣故罷了。

在所有宋人中，袁氏特別推崇蘇軾，乃至以其高過李白與杜甫。袁氏云：「蘇公詩無一字不佳者。青蓮能虛，工部能實。青蓮唯一於虛，故目前每有遺景；工部唯一於實，故其詩能人而不能天，能大能化而不能神。蘇公之詩，出世入世，粗言細語，總歸玄奧，恍忽變怪，無非情實，蓋其才力既高，而學問識見又迥出二公之上，故宜卓絕千古。」（《袁中郎全集》卷二十三《答梅客生開府書》）從李贄到袁宗道都對蘇軾特別加以推崇（註八四），袁宗道或有承於二人而加以發揮。至於其以蘇詩高於李、杜，則爲歷史所罕見之主張。

袁宏道之外，其兄袁宗道如《明史》所載，始倡白居易、蘇軾，力排王、李之說，具有起始之功。其齋名白蘇，詩文集就叫做《白蘇齋集》，更可見其宗旨所在。而袁宏道的友朋如陶望齡、黃輝、江盈科、雷思沛，曾可前，皆與其聲氣相投，則具輔翼之功（註八五）。到了袁中道時，公安派末流之弊已生，攻擊之聲也漸起，他常爲袁宏道辯護，肯定其改變時風之功，而歸咎學者不知「變」，以致產生流弊。如云：「先兄中郎矯之，其志以發抒性靈爲主，始大暢其意所欲言，極其韻致，窮其變化，謝華啓秀，耳目者一新。及其後也，學之者稍入俚易，境無不收，情無不寫，未免衝口而發，不復檢括；而詩道又病矣。由此觀之，凡學之者，害之者也；變之者，功之者也。」（《珂雪齋前集》卷十《阮集之詩序》）不過，他以「變」的觀念也肯定七子，稱袁宏道爲七子之功臣，恐有折衷公安與七子的意味。

由袁宏道所倡導的「公安派」興起，盛唐詩所主導的詩風稍挫。袁氏爲「宋詩」辯護，對清初詩壇崇「宋」之風具有先導的作用。其標榜「性靈」與「時變」的詩觀，也影響一些清代的論者。

戊、竟陵派與七子爭雄的局面

袁宏道萬曆二十年進士，時年二十五歲；卒於萬曆三十八年，享年四十三歲，主持公安派未滿二十年。《明史》載：「（公安體）戲謔嘲笑，間雜俚語，空疎者便之。其後王、李風漸息而鍾譚之說大熾。……自宏道矯王、李詩之弊，倡以清眞，（鍾）惺復矯其弊，變而爲幽深孤峭，與同里譚元春評選唐人之詩爲《唐詩歸》，又評選隋以前詩爲《古詩歸》，鍾、譚之名滿天下，謂之『竟陵體』。」（卷二百八十八・《文苑・袁宏道傳附鍾惺、譚元春》）就在袁宏道死的那一年，鍾惺三十七歲正中進士，七年後鍾氏與里人譚元春爲《詩歸》（合《唐詩歸》與《古詩歸》）寫了序，該書明末清初大爲流行，淸錢謙益形容當時說：「承學之士，家置一編，奉之如尼丘之刪定。」（《列朝詩集小傳》丁集中《鍾提學惺》）彼時七子之風雖漸息而影響仍在，遂演爲竟陵與七子爭雄的局面。

史稱鍾惺矯公安之弊，實則鍾氏論詩尚力矯七子之弊。公安有「時變」的史觀以反七子，鍾氏則云：「詩文年運不能不代趨而下，而作詩者之意、興、慮無不代求其高，高者取異於途徑耳。夫途徑者，不能不異者也，然其變有窮也；精神者不能不同者也，然其變無窮也。操其有窮者以求變，而欲以其異與氣運爭，吾以爲能異而終不能爲高，其究途徑窮而異者與之俱窮，不亦愈勞而愈遠乎？此不求古人眞詩之過也。（《隱秀軒文》昃集《詩歸序》）鍾氏認爲詩史之發展，雖隨時代而途徑有異，然「精神」卻是歷久彌新、百代不變，具體地表現在古人的作品中。而公安派只知求異、求變，卻不知從古人作品中求精神之擴充，以致其變有窮、其詩終不能高，「愈勞而愈遠」矣。這也就是他選《唐詩歸》、《古詩歸》的原因之一。公安派爲「宋詩」辯護，鍾氏則爲「唐詩」與「古詩」辯護。雖然如此，鍾氏也抨擊七子之弊云：「今非無學古者，大要取古人之極膚、極狹、極熟便于口手者，以爲古人在是。」（註八六）簡言之，這是鍾氏與七子論詩著重點的不同。鍾氏所強調的爲「古人之精神」——即「幽情單緒，孤行靜寄于喧雜之中」（註八七）。而七子則是著重在取「古人之法」，加以摹擬學習。

譚元春《詩歸序》亦言「孤懷」、「孤詣」，大旨與鍾氏相近。《唐詩歸》三十六卷，有取於中、晚唐諸家十二卷，也和七子專主盛唐並不相同。又譚氏也蠻肯定蘇軾的詩，《東坡詩選序》一文，充分流露其嚮慕之意，殆受袁宏道的影響而有以致之。

錢鍾書先生云：「後代論明詩，每以公安、竟陵與前後七子爲鼎立驂靳；余瀏覽明、清之交詩家，則竟陵派與七子體兩大爭雄，公安無足比數。」（註八八）錢氏舉了許多當時談藝之語「以顯眞理惑」，論據可謂充足有力，稍加查閱，即能知悉此時詩壇竟陵與七子爭雄的局面。

【附註】

註一：引自《元詩選》初集卷八《戴表元小傳》之語，頁十一，臺灣商務，景印文淵閣四庫全書本。

註　二：見所著《中國文學批評史》下卷第二篇《南宋金元》，頁一二六，明倫，民六十三。

註　三：見戴氏所著《剡源戴先生文集》卷九《陳晦父詩序》，頁八一，上海商務，四部叢刊初編縮本。

註　四：見前野直彬主編之《中國文學史》第六章《元》，頁一九一，連秀華、何寄澎合譯，長安，民六十八。

註　五：如所著《清容居士集》卷二十一《樂侍郎詩集序》云：「至理學興而詩始廢，大率皆以模寫宛曲爲非道。夫明於理者，猶足以發先王之底蘊。其不明理，則錯冗猥俚，散焉不能以成章，而諉曰：『吾唯理是言。』詩實病焉。」即是，頁三三七，上海商務，四部叢刊初編縮本。

註　六：如《清容居士集》卷二十二《李景山鳩巢編後序》云：「近世言詩家頗輩出，凌厲極致，止於清麗，視建安黃初諸子作，已憒憒不復省。」知其肯定漢、魏也。又卷四十九云：「詩盛於唐，終唐盛衰，其律體尤爲最精，各得所長，而音節流暢，情致深淺，不越乎律呂，後之言詩者不能也。」知其推尊唐律。又卷四十八《書湯西樓詩後》云：「玉溪生往學草堂詩，久而知其力不能逮，遂別爲一體，然命意深切，用事精遠，非止於浮聲切響而已也。」知其亦重李商隱，書同註五。

註　七：可參考近人陳衍《元詩紀事》卷十三《范梈小傳》之語，頁二三九，鼎文，民六十。

註　八：此據清顧嗣立《寒廳詩話》之言，頁二，收於丁福保所輯《清詩話》，藝文。

註　九：見所著《石初集》卷六《張梅間詩序》，頁五～頁六，臺灣商務，景印文淵閣四庫全書本。

註一〇：《四庫全書總目提要》卷一百六十八・評楊維楨《鐵崖古樂府》云：「元之季年，多效溫庭筠體，柔媚旖旎，全類小詞。維楨以橫絕一世之才，乘其弊而力矯之，根柢於青蓮、昌谷，縱橫排奡，自闢畦徑。」，又同一卷數・

評楊氏《東維子》亦云：「今觀所傳諸集，詩歌樂府出入於盧仝、李賀之間。」此外，日人吉川幸次郎《元明詩概說》亦指出楊維楨「唐以前則模擬漢魏六朝的樂府歌體；唐詩則祖襲杜甫、李白與李賀。」均可見楊氏作詩之得力所在。

註一一：見明宋濂《宋學士文集》卷十六．《鑾坡後集》卷六《元故奉訓大夫江西等處儒學提舉楊君墓誌銘有序》，頁一四四，上海商務，四部叢刊初編縮本。

註一二：如《元詩選》二集載五丘衍、李材、潘伯修，三集載甘泳、項炯、李序、李裕中、張天英、文質等諸人，皆法效李賀、或詩風與之近似者。

註一三：所據之版本爲臺灣商務，景印文淵閣四庫全書本。

註一四：如明高棅的《唐詩品彙》於《總敍》裏就對這一點有所不滿，詳後文《標舉盛唐》。

註一五：見所著《王常宗集》卷三，頁十～十一，臺灣商務，景印文淵閣四庫全書本。

註一六：此見《明詩綜》卷二十一《張楷小傳》之介紹。又卷三十載崔瀓有《和唐詩》三百七十餘首之多，亦可加以參考。

註一七：卷一百八十九．評《唐詩品彙》，頁四，藝文。

註一八：見《明史》卷二百八十六《文苑．林鴻傳》，頁一，臺灣中華，四部備要本。

註一九：書卷同註一八，附《高棅傳》，頁一。

註二〇：可參考簡錦松《明代文學批評研究》第二章之《參、臺閣體之名稱及相關問題》，頁三六～八三，學生，民七十八。

註二一：書同註二〇，頁四九及頁八三。

註二二：見《明詩綜》卷二十八《楊榮小傳》引黃太沖之言，頁五十二，臺灣商務，景印文淵閣四庫全書本。

註二三：據《明詩綜》詩人小傳之所載，如卷四之張以寧，卷六之趙汸，卷七之朱右，卷八之劉承宜、錢宰、童冀，卷十二之王沂，卷十八之許繼士等都是，書同註二二。

註二四：據《明詩綜》詩人小傳之所載，如卷十二之華幼武，卷十八之程本立、袁凱等都是，書同註二二。

註二五：所據爲《明詩綜》之詩人小傳，頁二三一、三一五、四八七、五〇〇、六四四、六六七，書同註二二。

註二六：所據爲《明詩綜》之詩人小傳，頁三〇五、五四七，書同註二二。

註二七：見《明史》卷一百四十一《方孝儒傳》，頁三，臺灣中華四部備要本。

註二八：其事之始末，可參考瞿氏所著《歸田詩話》卷上《鼓吹續音》一條，頁八～九，見丁福保輯《續歷代詩話》，藝文。

註二九：所著《明詩別裁》卷三《李東陽小傳》載：「永樂以後詩，茶陵起而振之，如老鶴一鳴，喧啾俱廢。」頁五十六，商務，國學基本叢書四百種。

註三〇：見所著《麓堂詩話》，頁二，收於丁福保輯《續歷代詩話》，藝文。

註三一：書同註三〇，頁三。

註三二：書同註三〇，頁三。

註三三：見卷二百八十五《文苑傳序》，頁一，臺灣中華，四部備要本。

註三四：見所著《明詩紀事》丙籤序，頁一四——九四五，鼎文。

註三五：《明詩綜》卷二十八載李夢陽評楊一清之詩「唐宋調雜」，卷二十九載浦文玉評邵寶之詩「謹重精純，得諸宋。雄渾森嚴，得諸唐。爾雅深厚，得諸漢。」斯皆可見其詩風近於其師李東陽。

註三六：卷二十六，頁二，百部叢書集成——紀錄彙編。

註三七：引《四庫全書總目提要》卷一百七十・評《懷麓堂集》之語，頁四十八，藝文。

註三八：引《四庫全書總目提要》卷一百七十一・評《空同集》之語，頁二十六，藝文。

註三九：所著《大復集》卷三十八《雜言十首》之五載：「經亡而騷作，騷亡而賦作，賦亡而詩作，秦無經、漢無騷、唐無賦、宋無詩。」，頁十五～十六，臺灣商務，景印文淵閣四庫全書本。

註四〇：見所著《原詩》內篇，頁二，收入丁福保輯《清詩話》，藝文。

註四一：見所著《考功集》卷八《戲成五絕》之第四首，頁十四，臺灣商務，景印文淵閣四庫全書本。

註四二：轉引自《明詩綜》卷三十四《李夢陽小傳》，顧璘引李夢陽之言，頁一～二，臺灣商務，景印文淵閣四庫全書本。

註四三：此點可參看《四庫全書總目提要》卷一百七十一・評《空同集》，頁二十六，藝文。

註四四：見所著《大復集》卷三十二《與李空同論詩書》，頁二十，臺灣商務，景印文淵閣四庫全書本。

註四五：據許建崑《李攀龍文學研究》第二章《李攀龍年譜》，頁五〇～五一，文史哲，民七十六。

註四六：見《明史》卷二百八十七《文苑・李攀龍傳》，頁九，臺灣中華，四部備要本。

註四七：日人平野彥次郎《唐詩選研究》一書，附有《唐詩選》參考書目，我國所注即有十四種，日人所注有二十三種，除少數與李攀龍無必然關係外（四、五種），亦多達三十幾種。另據許建崑先生的整理，國內可見尚有《唐詩廣選》、《唐詩選註》、《唐詩選玉》、《唐詩訓解》、《古唐詩選》、《唐詩集註》、《唐詩選》、《唐詩選評釋》等八種。見許氏《李攀龍文學研究》，頁二九五～三〇〇及三一〇～三一三，文史哲，民七十六。

註四八：《四庫全書總目提要》卷一百九十二・評《唐詩選》云：「舊本題明李攀龍編、唐汝詢註、蔣一葵直解。……攀龍所選歷代之詩，本名《詩刪》，此乃摘其所選唐詩；汝詢亦自有《唐詩解》，此乃割取其註，皆坊賈所為。疑蔣一葵之直解，亦託名矣。然至今盛行鄉塾間，亦可異也。」，頁三十三，藝文。

註四九：見所著《李攀龍研究》第四章《著述與流傳》，頁三〇八，文史哲，民七十六。

註五〇：見《滄溟集》卷一《古樂府序》之所載，頁一，臺灣商務，景印文淵閣四庫全書本。

註五一：引見《明史》卷二百八十七《文苑・李攀龍傳》，頁九，臺灣中華，四部備要本。

註五二：見所著《元明詩概說》第六章，頁二三〇，鄭清茂譯，幼獅，民七十五。

註五三：此外王氏《讀書後》卷四《書蘇詩後》，以蘇軾之合於杜甫，更甚於黃庭堅。又劉鳳《王鳳洲先生弇州續集序》、李維楨《王鳳洲先生全集序》也都說王氏喜好蘇詩，此皆可參看之。

註五四：此據《詩話與詞話》一書之所言，見其第三節《明代詩話》，頁四七，木鐸，民七十六。

註五五：見所著《藝圃擷餘》，頁七八二，收入清何文煥輯《歷代詩話》，漢京，民七十二。

註五六：見所著《明詩紀事》丁籤卷二，頁一四——一一七八，鼎文。

註五七：《四溟詩話》卷一載：「格高氣暢，自是盛唐家數。」，頁八，收於丁福保輯《續歷代詩話》。

註五八：書同註五七，卷一載：「詩以漢魏並言，魏不逮漢也。建安之作，率多平仄穩帖，此聲律之漸。而後流於六朝，千變萬化，至盛唐極矣。」又同卷載：「七言絕句，盛唐諸公用韻最嚴。大歷以下，稍有旁出者，作者當以盛唐爲法。」

註五九：書同註五七，卷一載：「唐人或漫然成詩，自有含蓄託諷，此爲辭前意。」又卷四載：「所謂辭前意也，或造句弗就，毋令疲其神思，且閱書醒心，忽然有得。意隨筆生，而興不可遏，入乎神化，殊非思慮所得。」

註六〇：書同註五七，卷二載：「杜約夫問曰：『點景寫情孰難？』予曰：『詩中比興固多，情景各有難易。……多夜園亭具樽俎，延社中詞流，時庭雪皓目，梅月向人，清景可愛，模寫似易，如各賦一聯擬摩詰有聲之畫，其不雷同而超絕者，諒不多見。此點景難於情也。惟盛唐人得之。』」，頁十三。

註六一：書同註五七，卷四載：「凡作近體，但命意措辭一苦心，則成章可逼盛唐矣。」，頁十三。

註六二：引自《四庫全書總目提要》卷一百九十七．評《詩家直說》，頁二十五，藝文。

註六三：可參考《四庫全書總目提要》卷一百九十六．評《藝圃擷餘》之語，頁九，藝文。

註六四：見《明史》卷二百八十七《文苑．王世貞傳附胡應麟》，頁十一，臺灣中華，四部備要本。

註六五：所著《宋元戲曲史．自序》載：「凡一代有一代之文學，楚之騷、漢之賦、元代之駢語、唐之詩、宋之詞、元之曲，皆所謂一代之文學，而後世莫能繼焉者也。」，五元文庫，民六十。

註六六：如前野直彬主編之《中國文學史》、吉川幸次郎之《元明詩概說》等書皆主是說。

註六七：未舉之書，讀者可參看《明史》卷九十九《藝文志》，頁十四～十五，臺灣中華，四部備要本。

註六八：明末詩壇是七子與竟陵爭雄的局面，可知彼時法效七子之風仍盛。讀者可參考錢鍾書《新編談藝錄》之《補訂一〇三頁》一條所舉之例。降及清代，其影響仍在，據《清詩紀事初編》所載，如吳謙恒、任源祥、劉正宗、孫廷銓、曹貞吉等人，皆受七子影響者。又楊松年先生亦嘗指出此點，見其《中國文學評論史編寫問題論析　晚明至盛清詩論之考察》第三章，頁二一八～二二〇，文史哲，民七十七。

註六九：錢鍾書《新編談藝錄》之《補訂一四四頁》一條亦載云：「明中葉以後，厭薄七子，如公安、竟陵之拔戟自成一隊者不待言。餘人爲宋詩張目，每非眞賞宋詩，乃爲擊排七子張本耳。觀黃黎洲《明文授讀》所錄數篇，思過半矣。」錢氏舉黃書卷三十六之葉向高，卷三十七之何喬遠、曾異等人，讀者可自行加以參考。

註七〇：如清初吳喬之推尊晚唐即是，另外也可參看下文《百家爭鳴期》介紹吳喬部份。

註七一：見《升菴詩話》卷四《劣唐詩》一條，頁二，收於丁福保所輯之《續歷代詩話》。

註七二：書同註七一，卷一《文與可》一條，頁十一。

註七三：書同註七一，卷十二《劉原父喜雨詩》一條，頁十二。

註七四：見《明史》卷二百八十六《文苑・李濂傳》，頁十三，臺灣中華，四部備要本。

註七五：見《明史》卷二百八十七《文苑・歸有光傳》，頁十二，臺灣中華，四部備要本。

註七六：同註七五。

註七七：見《四庫全書總目提要》卷一百九十二・評《三異人集》，頁三十五，藝文。

註七八：見所著《焚書》卷三《童心說》，頁九八，河洛，民六十三。

註七九：如郭紹虞《中國文學批評史》、田素蘭《袁中郎文學研究》皆持如是的看法。

註八〇：所據爲《明詩綜》之詩人小傳，頁七五四、四三、五七、八六、一三六、三一九。臺灣商務，景印文淵閣四庫全書本。

註八一：所據爲《明詩綜》之詩人小傳，頁六三六、七一一、七三五、七七〇、八〇四、八八八、七〇。另唐順之與陳白沙二人，可加以參考錢鍾書《新編談藝錄》之《四二、明清人師法宋詩，桐城詩派》一條。

註八二：《列朝詩集小傳》丁集中《袁庶子宗道》載：「其才或不逮二仲，而公安一派實自伯修發之。」又《明詩綜》卷六十六《袁中道小傳》云：「小修才遜中郎而過於伯氏。」本此可知宗道、中道之才皆不及宏道也。

註八三：見《袁中郎全集》卷二十二《張幼于書》，頁十六，偉文，民六十五。

註八四：李贄之推尊蘇軾，載於其《焚書》卷二《復弱焦侯》一文。袁宗道之推尊蘇軾見《明史》卷二百八十八・《文苑・袁宏道傳》，此皆自加參考，即可知悉。

註八五：可參考田素蘭《袁中郎文學研究》第一章第三節《中郎的兄弟與友朋》，頁二五～五七，文史哲，民七十一。

註八六：見所著《隱秀軒文》昃集《詩歸序》，頁七，偉文，民六十五。

註八七：同註八六，頁八。

註八八：見所著《新編談藝錄》之《補訂一〇三頁》一條。

第四節　百家爭鳴期（明末清初——清末民初）

「唐詩」、「宋詩」之爭，在江西詩派與盛唐詩主導期時，詩家與論者所積累的思想，已成爲極豐富的業績，在此一基礎上，往後不到三百年的詩壇，呈現著百家爭鳴的現象，的確是「江山代有才人出」，各領風騷一時。尤其詩論部份，如郭紹虞先生所云：「以前論詩論文的種種主張，無論是極端的尚質，或極端的尚文，極端的主應用，或極端的純美，種種相反的或調和的主張，在昔人曾經說過者，清人無不演繹而重行申述之。五花八門，無不具備，眞是極文壇之奇觀。由這一點言，清代的文學批評可以稱爲極發達的時代。」（註一）

在這不到三百年的時間裏，又大略有三個時間段落：

㈠順治、康熙時。此時影響詩壇最力者，前有錢謙益，後有王士禎。由錢謙益而漸使「宋詩」與盛；由王士禎晚年《唐賢三昧集》之選，其標榜「神韻」的「唐詩」亦漸爲人所宗。錢、王之外，尚有推尊晚唐、盛唐（含盛唐以上），及有唐一代之詩者。「唐詩」、「宋詩」斷斷諍辯，甚至有些主張如冰炭相激、水火不容。

㈡乾隆、嘉慶時。此時爲狹義的「唐詩」、「宋詩」之爭的轉向，論者多對之不滿而加以批評，或刻意與之劃清界限、或進而加以折衷、調停。當時論詩三大家爲沈德潛、袁枚、翁方綱，沈、袁二氏更有書信之論戰，而爲乾隆年間之一大事，翁氏論詩則影響到後來的「同光詩派」。此外，官方有《四庫全書總目提要》之作，自居官方立場以裁決各家、各派，也是當時重要的主張。又許多的詩家與論者，於創作或品鑒上的主張，亦多批判狹義的「唐詩」、「宋詩」之爭。

㈢道光、咸豐以迄民初。此時清代的國勢日漸衰頹，內亂、外患相繼而起。回應時代的變局，總結「唐詩」、「宋詩」之爭，以「同光詩派」最爲代表。此派盛於同治、光緒年間，道光、咸豐則爲之先驅。其立論主作詩與「學問」、「爲人」二而一之，詩與文亦二而一之；又標舉開元、元和、元祐爲詩之極盛，力破「唐」、「宋」之分界，而爲有名的「三元說」。彼時雖有王闓運、樊增祥、易順頂、南社諸人等，蘄向與之相左，南社諸人更力詆之不遺餘力，仍難與「同光詩派」鼎足而立。

民國以來，有新文化之運動，然口號爲非理性之「打倒孔家店」、「線裝書扔毛廁」、「廢止漢字」、「全盤西化」之語（註二），極力斲喪自家文化之根。彼時固有白話詩興起，亦不屑汲取傳統之養料。「唐詩」、「宋詩」之爭，此一蘊涵豐富之詩學觀念的歷史問題，故無由開展，誠不能令人無憾焉！

甲、從錢謙益到「宋詩」的興盛

一、錢謙益

明末詩壇爲竟陵與七子爭雄的局面，降及清初，二派勢力仍盛，特別是七子一派，清初的雲間諸人與之的淵源即不淺（註三）。然二派亦引起當時詩壇激烈的反擊，此一「唐詩」、「宋詩」之爭的百家爭鳴期，亦由之而揭開序幕。批評最烈，影響最大，首推錢謙益。吳宏一先生更以「總結明代詩壇之紛爭，下而開啓清代詩學之論辨」許之（註四），頗能說明他的重要性。

錢氏早年亦順七子之風者，由於家世與王世貞游好，對《弇州四部稿》更是熟讀背誦，欲與驅駕（註五）。後受袁中道與程嘉燧的影響（註六），始改轅易向，不惟於七子抨擊不已，即竟陵詩派亦受其詬詈。錢氏批判七子，以李夢陽與李攀龍爲最；日人青木正兒以其攻擊非難七子有三點：「第一：不可將學習目標限於秦、漢文和盛唐詩。第二：不可忘卻了悟古人精神，而徒學其形骸。第三：不可剽竊、模擬古人字句。他每攻擊擬古派，即舉此三點相對。雖以此交錯辯論，畢竟還是歸結到這三點上。又第二和第三點是相關的理論，要之，或可說即學習的目標論和方法論。」（註七）除此三點外，尚可注意者有二：

㈠詩史觀。青木正兒所言的第一點，錢氏就因爲有自己的詩史觀爲之基礎，始能橫說豎說而加以反對。如云：「天地之運會，人世之景物，新新不停，生生相續，而必曰漢後無文。唐後無詩，此數百年之宇宙日月盡皆缺陷晦蒙，直待獻吉而洪荒再闢乎？」（註八），和公安派以時變的史觀極爲類似。由於如此的詩史觀，他反對對「唐詩」分期以推尊盛唐，著眼於整個唐代來看待「唐詩」，如云：「唐人一代之詩，各有神髓，各有氣候。」（註九）；同時也進而對宋、元之詩加以肯定。錢氏云：

嗟夫！天地之降才，與吾人之靈心妙智，生生不窮，新新相續，有《三百篇》則必有楚騷，有漢、魏、建安則必有六朝，有景隆、開元則必有中晚及宋、元，而世皆遵守嚴羽卿、劉辰翁、高廷禮之瞽說，限隔時代，支離格律，如癡繩穴牖，不見世界，斯則良可憐愍者！（《有學集》卷四十七《題徐季白詩卷後》）

可知錢氏批判七子「詩必盛唐」、「宋無詩」之類的主張，其所持之詩史觀也是不可忽略的因素；同時也可以知道他有取於公安之所在，以致對其罕有批判之辭（註一〇）。附帶一提的是，由於錢氏如是的詩觀，所以他肯定、推崇的唐詩選集，也以不標舉盛唐爲主，如《唐百家詩選》、《唐詩鼓吹》、《唐詩英華》等書即是。

㈡杜詩學。錢氏論詩雖有近似公安派者，卻也有與之相異的地方，最明顯則是其杜詩學。錢氏認爲「自唐以降，詩家之途轍，總萃於杜氏。」（註一一）以杜詩集盛唐諸家之長，而中、晚唐及宋、元諸家乃由之而出，雖不相師卻靡不相合——善學者可以致之。李夢陽雖以學杜自命，卻是不善學而致僞體產生。所以錢氏薄七子，而肯定中唐以迄宋、元之詩（註一二）。前面提過袁宏道之推崇蘇軾甚於杜甫，錢氏則與之迥異。錢氏更有《讀杜小箋》、《讀杜二箋》、《注杜詩略例》等箋注杜詩之書，開啓後人研究杜詩之風（註一三）。

青木正兒所言錢氏攻擊非難七子的第二點，竟陵派論詩亦主類似的看法。然錢氏於竟陵極不相合。竟陵批判七子而強調「古人之精神」；錢氏則以「鬼趣」、「詩妖」詆之，以竟陵弊病在於「不學」，從之者則病於「便於不說學」（註一四）。此蓋錢氏與竟陵所謂的「精神」相異，一主「渾涵汪茫」，一主「幽情單緒」；本源不同，加之竟陵的才學往往不能副其詩識（註一五），遂受錢氏激烈的抨擊。錢氏錢氏雖肯定「宋詩」，於黃庭堅則力加詆斥，其云：「自宋以後，學杜詩者莫不善於黃魯直，……魯直之學杜也，不知杜之眞脈，所謂前輩飛騰，餘波綺麗者，而擬議其橫空排奡，奇句硬語，以爲得杜衣鉢，此所謂旁門小徑也。」（註一六）又錢氏論詩本力詆嚴羽，然於嚴羽指斥江西詩病，則大爲嘉許，其云：「宋之學者祖述少陵，立魯直爲宗子，遂有江西宗派之說，嚴羽卿辭而闢之，而以盛唐爲宗，信羽卿之有功於詩也。」（註一七）可知錢氏對黃庭堅與江西詩派極爲不滿。其門人馮舒、馮班兄弟更與江西派形同水火，互相排斥，殆或淵源於此（註一八）。

錢氏摧廓明季竟陵與七子爭雄之風，爲百家爭鳴的「唐詩」、「宋詩」之爭揭開了序幕。錢氏尚隱立虞山詩派（註一九），該派論詩雖與之不儘相同，攻擊竟陵與七子，則爲錢氏之羽翼。《鈍吟雜錄》卷七載：「錢□（牧）翁學元裕之，不啻過之，每稱宋、元人，矯王、李之失也。」其後，舉世以「宋詩」爲貴，錢氏獎倡之功不可沒。又錢氏論詩也對七子、竟陵之批評態度加以攻擊，然卻難掩自身「好罵人」的態度（註二〇）；加之屈志迎敵，爲世所病，亦常成爲後代掊擊之對象（註二一）。

二、爲「宋詩」辯護——兼肯定「唐詩」與「宋詩」者

對「宋詩」的肯定，明代已有微弱的呼聲，明季的公安三袁更是極力的辯護，然摹倣盛唐之風仍盛。降及清初，錢謙益撻伐七子極峻，甚至「每稱宋、元人」以矯之，對於扭轉時風，厥功至偉。彼時也有一些人，不滿七子崇「唐」斥「宋」的主張，積極爲「宋詩」辯護，同時兼肯定「唐詩」與「

宋詩」，如賀貽孫、葉燮、田雯等人，對於廓清明季的詩習、導引清初「宋詩」的興盛，也有一定程度的影響。玆述其人論詩之大要如下：

㈠賀貽孫。賀氏約與錢謙益同時，撰有《詩筏》一書（註二二），其論詩大旨，皆於此書可見。賀氏承認「唐詩」與「宋詩」有別，卻反對由是而排斥「宋詩」，如云：

△嚴滄浪云：「唐人與宋人詩，未論工拙，直是氣象不同。」此語切中窾要。但余謂作詩未論氣象，先看本色。……宋人雖無唐人氣象，猶不失本色。（《詩筏》）

△謂宋詩不如唐，宋末詩又不如宋，似矣。然宋之歐、蘇，其詩別成一派，在盛唐中亦可名家。而宋末詩人，當革命之際，一腔悲憤，盡洩於詩。如家鉉翁《憶故人詩》……皆宋、元間人也，情眞語切，意在言外，何遽減唐人耶？（引同上）

△宋人學問精妙，才情秀逸，不讓三唐，自歐、蘇、黃、梅、秦、陳諸公外，作者林立，即無名之人，亦有一、二佳詩，散見他集。倘有眼選手，爲之存其精華，汰其繁冗，使彼精神長存人間，何至後人詆訶之甚也！明代弘、正、嘉、隆間諸詩人，非無詩可傳，但其議論太苛，謂後人目中不可有宋人一字。不知唐人詩集，汗牛充棟，今所稱不朽名篇，僅得爾許，不獨精靈之氣，神物護持，亦賴歷代明眼，棄瑕錄瑜，排沙簡金，得有今日，豈眞上天生才，唐、宋懸殊乎？果爾，則何以有今日也！宋詩惟談理談學者，當如禪家偈頌，另爲一書。彼原不欲以詩名家，不必選入詩中耳，亦勿以此遂貶宋詩也。（引同上）

賀氏之書稱許唐人唐詩者極多，於盛唐更盛讚爲「氣格渾老、神韻生動」。然賀氏並不因此而排斥「宋詩」，所引之言，可見其以宋人「不失本色」，諸大家不愧於盛唐稱許之。而且更進一步探討到斥「宋」之因由：㈠唐代之詩，歷來皆有「有眼選手」，爲之汰蕪存精，故「唐詩」足以光耀千古。然卻無人爲宋代之詩做同樣的選輯，以故有崇「唐」斥「宋」之風。㈡誤以宋代談理、談學之詩爲「宋詩」。其實彼等原不欲以詩名家，應不得以之代表「宋詩」，或選入集中。不過，賀氏於創作上之主張，並不贊成由「宋」入手，以爲會被習氣所蔽；所以認爲要先熟看唐人詩，再多看「宋詩」以助波瀾。

㈡葉燮。葉氏生於明天啓七年，卒於康熙四十二年。撰有《原詩》一書，是中國詩話中思想體系比較嚴謹、而有系統的著作，四庫館人以「是作論之體，非評詩之體」病之（註二三），熟知今日視之，卻正是其優點所在，近代學者已日漸重視而加以研究（註二四）。葉氏之論可注意者有四：

1.葉氏所批判的對象以明前後七子之摹擬盛唐，與時人標榜尊「唐」、或崇「宋」之名而行剽竊之實爲主。亦不滿矯七子之公安與竟陵，詆其矯枉不當，溺於偏畸之私說。

2.葉氏之批判可謂「縱橫博辨之致」，層層論析，反覆詰難，以見其非。尤難能可貴的是，他尙且建立了一套自己的論詩系統，不徒攻擊非難而已。其論詩的兩個重點——詩史觀與創作觀，往往交互支援應用。茲以《原詩》內篇爲主，間採外篇之言，述其要如下。

(1)詩史觀

葉氏認爲七子的詩史觀是「斥近而宗遠，排變而崇正」，以詩史之源頭獨在《三百篇》、建安、黃初、初唐、盛唐，是爲詩之正，也是詩之盛。所以「不讀唐以後書」、「非是者必斥焉」。簡繪如圖㈠所示：

圖㈠

源＝正＝盛

（三百篇、建安、黃初、初盛唐）

尊崇

流＝變＝衰

（唐以後作品）

貶抑

然葉氏以天地萬物、世運氣數，皆「遞變遷以相禪」，詩歌的發展亦非如七子所言之膠固而不變。除《三百篇》爲源、爲盛而無衰外，後代之詩，皆有正、有變，「正」會由於相沿積弊而衰，變會由於變得合經適道，不違事理而救正之衰而盛，而爲「正」。其云：

且夫《風》、《雅》之有正、有變，……故有盛無衰，詩之源也。吾言後代之詩，有正、有變，其正變係乎詩，謂體格、聲調、命意、措辭、新故、升降之不同，此以詩言時，詩遞變而時隨之。故有漢、魏、六朝、唐、宋、元、明之互爲盛衰，惟變以救正之衰，故遞衰遞盛，詩之流也。……歷考漢、魏以來之詩，循其源流升降，不得謂正爲源而長盛，變爲流而始衰，惟正有漸衰，故變能啓盛。（《原詩》內篇）

如是，其論詩史，乃由詩之發展而立論，非由時（或史、或政治社會情形）之發展而論詩，因爲「時有變而詩因之，時變而失正，詩變而仍不失其正」，二者並非一貫而並進，故論詩史須本著詩歌發展之規律而言。又其詩史觀中的源流、正變、盛衰的關係，可繪如圖㈡：

圖㈡

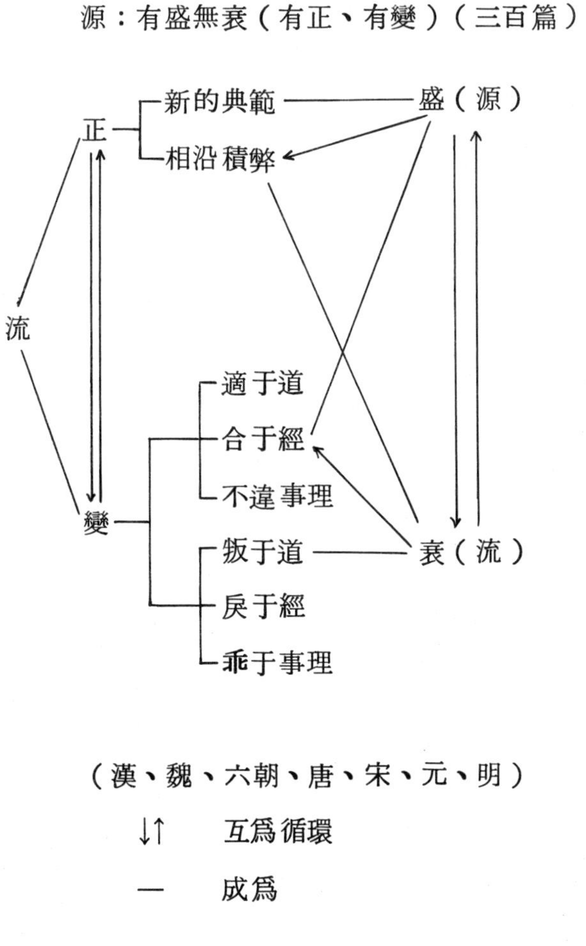

正、變在七子是評價性的用語，葉氏則將之轉成描述語，而爲詩史現象的說明。其中「正」可以理解爲在詩史上，作者（們）對詩的體格、聲調、命意、措辭等開出新的典範，新的「源」頭。開始時通常爲「盛」，傳之於後，相沿積弊而漸「衰」。「變」則是對積弊之風所作的變化，作者（們）獨出新裁，掃陳廓弊，所以能救「正」之「衰」而「盛」，而爲另一「源」，不定然爲「衰」，爲「流」。然必須注意的是，「變」固然是理也、勢也，可是葉氏也說：「惟叛於道，戾于經，乖於事理，則爲反古之愚賤耳。」可知「變」非離經叛道，仍須合於一定的準則，始能救「正」之「衰」而「盛」，否則仍爲「衰」。

從圖㈠與圖㈡的明顯差異，不難知道葉氏爲何詆排七子不餘遺力。即如公安、竟陵雖起而掊之、矯而反之，卻非適道合經，故流爲偏畸、頗僻，與七子合爲兩弊。清初反七子與竟陵之詩風，葉氏亦有批評云：「推崇宋元者，菲薄唐人；節取中、晚唐者，遺置漢、魏，則執其源而遺其流者，固已非矣；得其流而棄其源者，又非之非乎！然則學詩者，使竟從事于宋、元、近代，而置漢、魏、唐人之詩而不問，不亦大乖于詩之旨哉！」（《原詩》內篇）甚至對當時百家爭鳴的情形，葉氏也持此史觀而批評云：「由稱詩人，人短力弱，識又矇焉，而不知所衷，既不能知詩之源流、本末、正變、盛衰，互爲循環。並不能辨古今作者之心思、才力、淺深、高下、長短，孰爲沿、爲革、爲創、爲因？孰爲流弊而衰？孰爲救衰而盛？一一剖析而縷分之，兼綜而條貫之，徒自詡矜張，爲郛廓隔膜之談，以自欺而欺人也。于是百喙爭鳴，互自標榜，膠固一偏，勦獵成說，後生小子，耳食者多，是非淆而性情汩，不能不三歎於風雅之日衰也。」（引同上）可知葉氏睥睨一世，不以「唐詩」、「宋詩」之爭爲然，良有以也。

(2)創作觀

葉氏對七子主摹擬的創作觀，及時人剽竊之風，從三個方面加以批判：

①摹擬者喜宣稱「此得古人某某之法」及時人偶用字必本古人，葉氏則反問云：「昔人又推而上之，必有作始之人。彼作始之人，復何所本乎？」。又云：「昔人可創之於前，我獨不可創於後乎？」（上引皆見內篇）

②學古人，重在「意」，不能僅涉獵皮毛。「要知古人之意，有不在言者」，甚至「古人之言，有藏於不見者；古人之字句，有側見者、有反見者。」（引皆見外篇）。

③讀古人詩，每見其胸襟、品量，此方爲作詩的基礎，有此基礎「然後能載其性情、智慧、聰明、才辨以出，隨遇發生，隨生即盛。」（內篇），不徒多讀古人之詩而已。

葉氏有其自己的創作觀，不僅僅批評摹擬、剽竊而已。如前云，葉氏重獨創性，故反問云「我獨不可創於後乎？」、「作始之人，復何所本乎？」所依據的準則即是：

不過揆之理、事、情，切而可，通而無礙，斯用之矣。（外篇）

其所言之理、事、情，既是天地萬物（詩之材料）所具備，亦爲好詩所不得缺。於作者自身之條件則強調才、膽、識、力，之中尤以「識」爲另三者之定向。結合作者的才、膽、識、力與天地萬物的理、事、情而創作，表現於作品，既合乎理、事、情，又得以見作者之眞面目、眞性情。由是七子倡言的「法」，葉氏認爲不過是「死法」而已，並不知尚有神而明之的「活法」。七子無「識」以察之，法效之者更是等之自鄶。以是之故，葉氏云：「惟有明末造，諸稱詩者，專以依傍臨摹爲事，不能得古人之興會神理，句剽字竊，依樣葫蘆，如小兒學語，徒有喔咿，聲音雖似，都無成說，令人噦而卻走耳。乃妄自稱許曰：『此得古某某之法。』尊盛唐者，盛唐以後，俱不掛齒。近或有以錢、劉爲標榜者，舉世從風，以劉長卿爲正派，究其實不過以錢劉淺利輕圓，易于摹倣，遂呵斥宋元。又推崇宋詩者，竊陸游、范成大與元之元好問諸人，婉秀便麗之句，以爲秘本。昔李攀龍襲漢、魏古詩樂府，易一、二字便居爲己作。今有用陸、范及元詩句，或顚倒一、二字，或全竊其面目，以盛誇于世，儼主騷壇，傲睨今古，豈惟風雅道衰，亦可窺其術智矣。」（內篇）批判可謂激烈。

3.由於如是的詩史觀與創作觀，葉氏兼肯定「唐詩」與「宋詩」，以其皆爲「變」以救衰而盛，而爲「正」；其間之詩人皆能不隨乎風會而又轉動風會，不摹擬、依傍且卓然自立。葉氏尤其推崇杜甫、韓愈與蘇軾三人。門人沈德潛說他：「論詩以少陵、昌黎、眉山爲宗，成《原詩》內外篇，掃除陳見俗諦。」（《歸愚文鈔》卷十《葉先生傳》）所言大抵符實。

4.《清詩別裁集》卷九載云：「先生初寓吳時，吳中稱詩者多宗范、陸，究所睹者，范、陸之皮毛，幾於千手雷同矣。先生著《原詩》內外篇四卷，力破其非，吳人始多訾謷之，先生沒後，人轉多從其言者。」這段話有兩點可講：一、葉氏生前之影響力並不是很大。二、雖然力破吳地之宗「宋詩」

者，實矯其學范、陸之皮毛。然而葉氏的實際傾向，仍是爲「宋詩」辯護，所以立論更多的是針對七子而發。當時提倡「宋詩」的吳之振，亦與之酬唱；而其極力推尊的韓、蘇之詩，亦多爲崇「宋」者所加以推尊和倣效。由此可見葉氏於「宋詩」的興盛所造成間接的助益。

㈢田雯。田氏生於明崇禎八年，卒於康熙四十二年。其論詩云：「今之談風雅者，率分唐、宋而二之。不知唐之杜、韓，海內俎豆之矣。宋梅、歐、王、蘇、黃、陸諸家，亦無不登少陵之堂，入昌黎之室。惟其生於宋也，南轅以後，競趨道學，遂以村究語入四聲，去風人之旨實遠。況程、邵以下，誠齋一出，腐俗已甚。而學者一概皆詆牾之，其殆啜狂泉而病嗥囈也耶？」（《古歡堂雜著》卷一）以宋代諸家與杜、韓的淵源極深，反對「唐」、「宋」二分，進而爲「宋詩」辯護。田氏與倡「神韻」說的王士禎約略同時，然「與之不相辨難，亦不相結納」（註二五）。世人或認爲士禎主「唐」，指王、孟以實之；認爲田氏崇「宋」，指蘇、陸以實之。其長孫田同之於《西圃說詩》尚且爲此而大加辨駁，由此皆可見田氏與「宋詩」關係之密切。

三氏中，賀氏的呼籲選輯「宋詩」，對於後來的《宋詩鈔》或有催生的作用。而葉氏的思想，則有助於探討「唐詩」、「宋詩」之爭。無論如何，三人的主張亦代表了「唐詩」、「宋詩」之爭中的某種意見，不僅有助於矯正當時崇「唐」斥「宋」的風氣，亦促進了後來「宋詩」的興盛。

三、「宋詩」的興盛

康熙十一年，以吳之振爲主，黃宗羲、呂留良相助，編有《宋詩鈔》一書。《漫堂說詩》載：「

明自嘉隆以後，稱詩家皆諱言宋，至舉以相訾謷，故宋人詩集，庋閣不行。近二十年來，乃專尚宋詩，至余友吳孟舉《宋詩鈔》出，幾於家有其書矣。」可知「宋詩」的興盛，該書的影響不小。

黃、吳二人論詩如出一轍。黃氏之論主要見於《張心友詩序》，吳氏之論主要見於《宋詩鈔序》、《瀛奎律髓序》，大旨如下：

㈠詩不可以時代劃界，「唐詩」、「宋詩」不宜優劣論之。黃氏云：「宋元各有優長，豈宜溝而出諸於外，若異域然。即唐之時，亦非無蹈常襲故，充其膚廓，而神理蔑如者。……聽者不察，因余之言，遂言宋優於唐，……於是搢紳先生，閒謂余主宋詩，噫！亦寃矣。」（註二六）此言宋代之詩有佳者，唐代之詩亦有劣者，以「唐詩」優於「宋詩」固非，反之，以「宋詩」優於「唐詩」亦非。吳氏則從詩史的發展而云：「時代雖有唐、宋之異，自詩觀之，總一統緒相條貫，如四序之成歲，功雖寒暄，殊要屬一元之遞禪爾。而固者遂畫爲鴻溝、判作限斷，或尊唐而黜宋，或宗宋而祧唐，此眞方隅之見也。」（註二七）所言亦然。

㈡區別眞正的「唐詩」與七子所謂的「唐詩」之不同，進而抨擊七子尊「唐」的主張。黃氏區別有三：

1. 永嘉四靈所謂的「唐詩」：浮聲切響，以單字隻句計巧拙。

2. 嚴羽所謂的「唐詩」：王孟家數，於李杜之海涵地負無與。

3. 七子所謂的「唐詩」：摹擬杜甫之鋪寫放縱。

黃氏以2.不備1.之特色，1.雖亦爲「唐」，而已狹陋不足，何況著重於摹擬的3.只是「聲調之似」，離眞正的唐詩」，更是遠之又遠了。吳氏則區分爲二：

1.嘉隆後所謂的「唐詩」

2.唐宋人所謂的「唐詩」

抨擊1.爲「臭腐」、「鹵莽剽竊」、「陳陳相因」、「千喙一喝」，極爲激烈。而2.才是眞正的「唐詩」。

(三)指出「宋詩」與眞正的「唐詩」間的關係，由是既佐證(一)之論調，也由之而主「宋」抑「唐」七子所謂的「唐」。黃氏認爲江西詩派雖當時不以爲「唐」，可是「浸淫於少陵，以極盛唐之變」，所以「以文字爲詩，以才學爲詩，以議論爲詩」，其實「莫非唐音」。吳氏則認爲「宋人之詩，變化於唐而出其所自得，皮毛落盡，精神獨存。」；所以宋人是「化」唐人而近於唐宋人之所謂的「唐詩」。

助吳之振者尚有呂留良。其《答張菊人書》詆斥時風爲「僞唐詩」，且更由宋人之詩進而肯定「宋人之學」，亦與黃、吳相近。

《宋詩鈔》之選，力破前此的宋詩選集的標準。如明萬曆間李蓘的《宋藝圃傳》、曹學佺《十二代詩選》內所載，吳氏認爲他們所選取的標準是遠於「宋」而近於「唐」，結果「唐終不可近，而宋人之詩則已亡矣。」於是《宋詩鈔》的編者乃強調「宋」之所以爲「宋」的特色而加以選詩。因此書及黃、吳、呂諸人之論，清代詩壇轉貴「宋詩」，宗漢、魏、盛唐者，每爲人以摹擬、耳食之徒譏誚

（註二八），由是而爭端起矣。

宗奉「宋詩」之風，在康熙年間大盛，雍正、乾隆、嘉慶時，間亦有受其影響者。茲據今人楊松年先生《中國文學評論史編寫問題論析　晚明至盛清詩論之考察》一書所列的規模，加以補充及說明當時宗奉「宋詩」的概貌。詩家如許旭（註二九）、楊炤（註三〇）、孫奇逢（註三一）、魏禮（註三二）、彭定求（註三三）、葉方藹（註三四）、董大倫（註三五）、周起渭（註三六）、史中義（註三七）、許夢麟（註三八）、吳苑（註三九）、唐夢賚（註四〇）、查慎行（註四一）、李鍾壁（註四二）、陳常夏（註四三）、顧我均（註四四）、徐達源（註四五）、諸錦（註四六）、翁方綱（註四七）、王又曾（註四八）、黃之紀（註四九）、祝喆（註五〇）等人，專主「宋詩」，或詩風與之相近。亦有始宗「唐詩」（或七子），折而入「宋」者，如陳子升（註五一）、汪琬（註五二）、翁澍（註五三）、龔士薦（註五四）、曹貞吉（註五五）、梁佩蘭（註五六）諸人。大抵當時所宗之「宋詩」，以蘇軾與陸游居多，黃庭堅、范成大、楊萬里及江西詩派次之。亦有由蘇詩以求進至杜甫者，如孫枝蔚（註五七）、劉榛（註五八）。或者宗蘇、陸，兼及白居易、韓愈（註五九）。影響所及，單獨宗奉白居易，或詩風與之相近者亦復不少，如朱鶴齡（註六〇）、吳景旭（註六一）、莊歆（註六二）、張永銓（註六三）、高珩（註六四）、謝重輝（註六五）、徐豫貞（註六六）等人即是，乾隆皇帝甚且有《擬白居易樂府》四册。

本來「庋閣不行」的宋人詩集，由於崇「宋」之風，箋注與總集之編纂，亦漸趨繁夥。《清史稿》

卷一百四十八《藝文志》所載：

1. 箋注之宋人詩文集如下：

宋王安石《荊公文集注》四十四卷　沈欽韓撰

《蘇（軾）詩施注補注》四十二卷、《王注正譌》一卷　邵長蘅、李必恒同撰

《蘇詩補注》一卷　馮景撰

《補注東坡編年詩》五十卷　李愼行撰

《蘇詩查注補正》四卷　沈欽韓撰

《蘇詩合注》五十卷、《附錄》五卷　馮應榴撰

《蘇詩編注集成》一百三卷、《雜綴》一卷　王文浩撰

《蘇詩補注》八卷　翁方綱撰

范成大《石湖詩集注》三卷　沈欽韓撰

謝翱《西臺慟哭記注》一卷　黃宗羲撰

案：由右邊所列可知清人重視蘇軾詩的一面

2. 編纂宋詩總集如下：

《四朝詩》三百十二卷　康熙四十八年，張豫章等奉勅編

《宋詩刪》二十五卷　顧貞觀編

《宋百家詩存》二十八卷　曹庭棟編
《宋詩選》四十九卷　曹學佺編
《宋元詩會》一百卷　陳焯編
《宋金元詩永》二十卷、《補遺》二卷　吳綺編
《宋金元詩選》八卷　吳翌鳳編

此外，如厲鶚有《宋詩紀事》、《南宋雜事詩》、戴熙有《宋元四家詩選》、周之麟有《宋四家名詩》、陳訏有《宋十五家詩選》、鮑廷博有《南宋八家集》、知不足齋輯有《宋詩補遺》、《群賢小集補遺》諸書與前面所舉一樣，皆反映了當時「宋詩」興盛的情形。

乙、王士禛與神韻說及附和羽翼者

繼錢謙益之後，王士禛於康熙時，主盟詩壇近五十年，地位崇高，影響深遠，如《四庫全書總目提要》云：「當康熙中，其聲望奔走天下，凡刊刻詩集，無不稱漁洋山人評點者，無不冠以漁洋山人序者，如《聊齋志異》之類，士禛偶批數語於行間，亦大書王阮亭先生鑒定一行，弁於卷首，刊諸梨棗以爲榮。」（卷一百七十三・評《精華錄》）頗似明代七子於當時的地位。論者多由其言「神韻」比之嚴羽的「興趣」，以其爲清初宗奉盛唐的代表。然王氏論詩非此所能囿限，他的詩學宗旨的變化過程，也是說明當時「唐詩」、「宋詩」之爭所不可忽略的部份。以下先介紹此一變化過程，再述及

其著名的「神韻」說。

一、王士禛詩學宗旨的變化過程

論及王士禛，首先不能不注意其詩學宗旨的變化過程，俞兆成《漁洋詩話序》載王氏之言云：

還念平生，論詩凡屢變，而交游中，亦如日之隨影，忽知其轉移也。少年初筮仕時，惟務博綜該洽，以求兼長，文章江左，煙月楊州，人海花場，比肩接迹，入吾室者，俱操唐音，韻勝於才，推爲祭酒。然而空存昔夢，何堪設想！中歲越三唐而事兩宋，良由物情厭故，筆意喜生，耳目爲之頓新，心思於焉避熟，明知長慶以後，已有濫觴，而淳熙以前，俱奉爲正的。當其燕市逢人，征途輯客，爭相提倡，遠近翕然宗之。既而清利流爲空疎，新靈寖以佶屈，顧瞻世道，怒焉心憂，於是以太音希聲，藥淫哇錮習，唐賢三昧之選，所謂乃造平淡時也。然而境亦從茲老矣。朋舊凋零，吟情如覩，吾敢須臾忘哉！

這段話有三個意義可尋：

㈠王氏詩學宗旨變化的過程，反映了他生命中每一時期對「唐詩」、「宋詩」之爭的意見：

少年：主「唐詩」，特色爲博綜、兼長、韻勝於才

中年：主「宋詩」，特色爲厭故喜生、心思避熟

老年：主「唐詩」，特色爲平淡、境老、太音希聲

而如是的意見除與自身生命的進程相關外，也往往與友朋交游互有影響。

(二)此一變化過程，尚反映了清初詩壇「唐詩」、「宋詩」之爭的梗概。王氏順治七年即童試及第，順治十二年會試及第，時年二十二歲，頗躊躇自滿（註六七）。此時所主爲博綜、繁麗的「唐詩」，近於七子之風。順治十八年，王氏二十八歲，曾拜訪錢謙益，頗受錢氏的佳許。到了快五十歲時，仍然引之爲「平生第一知己」（註六八），中年時期的宗奉「宋詩」，恐怕是受有錢謙益的影響。到了晚年，轉而宗尚平淡的「唐詩」（康熙二十七年編《唐賢三昧集》），又與少年時所主的「唐詩」不同。清初詩風亦大抵是七子——「宋詩」——「唐詩」的變化過程，所以其詩學宗旨的變化，也可以反映當時詩壇的趨向。

(三)由於王氏聲望極高，影響極大。他的詩學宗旨的變化不僅反映了時代而已，且對時代具有導引的作用。晚年所倡的「唐詩」，天下固翕然響應；中年奉爲正的的「宋詩」，也影響時人不小。

王氏詩學宗旨固有變化，卻非一變而盡去前說，這與他論詩「博取衆長而有論斷」的態度有關。對於當時的「唐詩」、「宋詩」之爭，王氏《鬲津草堂詩集序》云：「三十年前，予初出交當世名輩，見夫稱詩者，無一人不爲樂府，樂府必爲漢鐃歌，非是者弗屑也；無一人不爲古、選，古、選必十九首、公讌，非是者弗屑也。予竊惑之，是何能漢、魏者之多也？……故嘗著論，以爲唐有詩，不必建安、黃初也；元和（中唐）以後有詩，不必神龍（初唐）、開元（盛唐）也；北宋有詩，不必李、杜、高、岑（盛唐）也。二十年來，海內賢知之流，矯枉過正，或乃欲祖宋而祧唐，至於漢、魏、樂府、古、選之遺音，蕩然無復存在，江河日下，滔滔不返，有識者懼焉。」（《帶經堂詩話》卷三引《蠶尾文》），可知王氏少年時代雖主「唐詩」，卻也肯定中唐與「宋詩」。中年雖主「宋詩」，卻反對祖「宋」祧「唐」者。這實是其論詩不主偏勝之說，而能「博取衆長」之故。

二、神韻說

王氏論詩，最引起注意與爭議，而一般也多以之代表王氏之說者，爲其晚年的「神韻」說。此一辭語也像嚴羽的「興趣」一樣，近人的解釋紛繁無比，各言其是（註六九）。我們則認爲至少有三點可講：

㈠王氏詩學宗旨既有變化的過程，他早年拈出「神韻」一詞的意涵，勢必也會有所變化。康熙元年，王氏二十九歲，已曾選唐人律詩、絕句諸詩編爲《神韻集》，目的是課授二子（註七〇）。到了四十歲他編《感舊集》時，自序云：「又取向所撰《神韻集》一編，芟其十七附焉。」大有昔非而今是之意。到了康熙二十七年，王氏五十五歲，編選了《唐賢三昧集》。如今人黃景進先生說：「但今本的《感舊集》已無《神韻集》的痕跡，可能是漁洋晚年時刪去的。而晚年所以刪去《神韻集》則可能是因爲漁洋已經選了《唐賢三昧集》，當年的《神韻集》已經被包括在《三昧集》裏面。」（註七一）從《神韻集》詩選的變化過程，不難看出王氏解釋「神韻」的轉變；這也正是王氏少年與晚年所主「唐詩」的差異所在。

㈡神韻的意涵。王氏論「神韻」，意指詩的「三昧」，即詩的奧妙、眞面目與眞精神（註七二）。《唐賢三昧集》即以此標榜，觀其序文即知。又其門人王立極於該書《後序》云：「大要得其神而遺其形，留其韻而忘其迹。」可謂契合其師之旨。王氏論「神韻」，上承鍾嶸、戴叔倫、司空圖、嚴羽、徐楨卿諸人，而爲說明王維、孟浩然一類偏重「平淡」風格的理論，可解說爲三點：

1. 吟咏情性是詩的本質。他非常贊同鍾嶸所云：「夫屬詞比事，乃爲通談。若乃經國文符，應資博古，撰德駁奏，宜窮往烈。至乎吟咏情性，亦何貴於用事？『思君如流水』，既是即目。『高臺多悲風』，亦惟所見。『清晨登隴首』，羌無故實。『明月照積雪』，詎出經史？觀古今勝語，多非補假，皆由直尋。」（《詩品》）這一段話。王氏《論詩絕句》云：「五字『清晨登隴首』，『羌無故實』使人思，定知妙不關文字，已是千秋幼婦詞。」即是特別肯定「吟咏情性」乃爲詩歌的本質。不過，他與鍾嶸仍略有不同。《香祖筆記》卷三載：「表聖論詩有二十四品，予最喜『不著一字，盡得風流』八字。」《詩友師傳錄》云：「司空表聖云『不著一字，盡得風流』此性情之說也。楊子雲云『讀千賦則能賦』，此學問之說也。二者相輔而行，不可偏廢。若無性情而侈言學問，則昔人有譏點鬼簿，獺祭魚者矣。學力深，始能見性情，此一語是造微破的之論。」鍾嶸雖主性情，卻於學問似有偏廢，而王氏則站在主性情的立場，兼取學問，認爲二者相濟，始爲正道。

2. 作詩要感物而動，有所興會。《漁洋詩話》卷上載：「蕭子顯云：『登高極目，臨水送歸，蚤雁初鶯，花開葉落，有來斯應，每不能已，須其自來，不以力構。』王士源序孟浩然詩云：『每有製作，佇興而就。』余平生服膺此言，故未嘗爲人強作，亦不耐爲和韻詩也。」同卷尙云：「古人詩興會超妙，不似後人章句，但作記里鼓也。」即是此意。蓋王氏認爲詩文的三昧，即在於感物而動，興會而起，莫明所自，自然而來：

△越處女與勾踐論劍術曰：「妾非受於人也，而忽自有之。」司馬相如答盛覽曰：「賦家之心，得之於內，不可得而傳。」雲門禪師曰：「汝等不記己語，反記吾語，異日稗販我耶？」數語皆詩家三昧。（《漁洋詩話》卷上）

△南城陳伯璣允衡善論詩，昔在廣陵評予詩，譬之昔人云『偶然欲書』，此語最得詩文三昧。今人連篇累牘，牽率應酬，皆非偶然欲書者也。（《香祖筆記》卷九）

所以是「忽自有之」、「偶然欲書」。既不力搆強作，稗販人語，更不牽率應酬，如此以見詩之眞面目與眞精神。

3.王氏引了許多前人的話嘗試說明這種與會而作的詩境：

戴叔倫論詩云：「藍田日暖，良玉生煙。」司空表聖云：「不著一字，盡得風流。」、「神出古異，澹不可收。」、「采采流水，逢逢遠春。」、「明漪見底，奇花初胎。」、「晴雪滿林，隔溪漁舟。」劉蛻《文冢銘》云：「氣如蛟宮之水。」嚴羽云：「如鏡中之花，水中之月，如羚羊挂角，無跡可求。」姚寬《西谿叢語》載《古琴銘》云：「山高谿深，萬籟蕭蕭。古無人蹤，惟石嶤嶤。」東坡《羅漢贊》云：「空山無人，水流花開。」王少伯詩云：「空山多雨雪，獨立君始悟。」（《漁洋詩話》卷下）

這個詩境「可望而不可置於眉睫之前」（如藍田日暖、良玉生煙）（註七三），卻能令人馳騁遐思、回味無窮（如盡得風流、澹不可收），同時也須讀者自加感受體會始有所得（如獨立君始悟）。

如是，性情、興會與詩境融爲一體而各爲「神韻」的一個側面，可以作爲詩之優劣的判準。王氏曾舉了一些詩例加以說明（註七四），甚至編了《唐賢三昧集》一書，具體表現他論詩之旨。該書三卷，所選共四十三人，詩四百三十二首，其前五名分別爲：

王維　一百十一首
孟浩然　四十八首
李頎　四十二首
岑參　三十六首
王昌齡　二十九首

之中以王、孟爲主，尤其王維之詩，入選數量最多，遠非諸家所可比擬。王氏此選正爲糾正王維之《和賈至舍人早朝大明宮》等「高華」、「壯麗」的作品，所以多入選如《過香積寺》、《山居秋暝》、《終南別業》、《歸嵩山作》、《輞川集》等類偏於「平淡」風格的作品，而「神韻」則爲其理論的說明。然而必須指出的是，王氏也注意到「議論敍事」一類的作品，但他認爲這些只適合於七言古詩與歌行的體裁，不能概括全體，是爲其「神韻」說之外所兼取者。（註七五）

㈢神韻說與「唐詩」、「宋詩」之爭的關係

最能具體表現王氏的神韻說，爲其晚年所編的《唐賢三昧集》一書。該書對當時主「唐」、或主

「宋」者，皆有糾正之意。前言其詩學宗旨變化時，王氏自云主「宋詩」之弊是：「清利流爲空疎，新靈寖以佶屈。」，於是有此書之選。又如其弟子何世璂所記的一段話云：

七月初八日，登州李鑑湖來謁，問曰：「某頗有志於詩，而未知所學，學盛唐乎？學中唐乎？師曰：「此無論初、盛、中、晚也。初、盛有初、盛之眞精神、眞面目，中、晚有中、晚之眞精神、眞面目，學者從其性之所近，伐毛洗髓，務得其神，而不襲其貌，則無論初、盛、中、晚，皆可名家。不然，學中、晚而止得其尖新，學初、盛而止得其膚廓，則又無論初、盛、中、晚，均之無當也。璂進曰：「然則《三昧》之選，前不及初，而後不及中、晚，是則何說？是非欲人但學盛唐，而不及中、晚之意乎？」師曰：「不然！吾蓋疾夫世之依附盛唐者，但知學爲『九天閶闔』、『萬國衣冠』之語，而自命高華，自矜爲壯麗，按之其中，毫無生氣，故有《三昧集》之選，要在剔出盛唐眞面目與世人看，以見盛唐之詩，原非空殼子、大帽子話，其中蘊藉風流、包含萬物，自足以兼前後諸公之□（案：應爲長字），彼世之但知學爲『九天閶闔』、『萬國衣冠』等語，果眞盛唐之眞面目、眞精神乎？抑亦優孟叔敖也。苟知此意，思過半矣！（《然燈記聞》）

可知王氏此書之選，更有爲糾正主「唐詩」者（即矯語盛唐者）之弊而發。其中屢批評學「九天閶闔」、「萬國衣冠」之詩，乃王維《和賈至舍人早朝大明宮》之作，高棅的《唐詩品彙》、李攀龍的《古今詩刪》，及署名李攀龍而廣爲流傳的《唐詩選》都選入此詩，尤其是《唐詩選》所收尚多類此「高華」、

「壯麗」的作品，可能就是王氏所批評的對象。王氏又特別強調詩的眞面目與眞精神，所以推崇「唐詩」，並不限於初、盛唐而已，即中、晚唐亦有所肯定。不過此時王氏已明顯地以「唐詩」優於「宋詩」，如云：

問：宋詩不如唐詩者，或以氣厚薄分耶？

答：唐詩主情，故多蘊藉，宋詩主氣，故多徑露，此其所以不及，非關厚薄。（《師友詩傳續錄》）

《師友詩傳續錄》成於王氏晚年，殆無疑義（註七六）。此中以「唐詩」主性情，多蘊藉，故合於神韻之旨；而「宋詩」主氣、多徑露，自然是卑於「唐詩」了。這種思想傾向對於當時詩風之由「宋」趨「唐」，影響甚大。

三、附和羽翼者

王氏的友朋、門人頗多，大抵皆附和、羽翼王氏論詩之旨。如《清詩別裁集》之《田同之小傳》載：「（田同之）篤信謹守乃在新城王公，有攻新城學術者，幾欲拌命與爭，《論詩》一篇，其宗旨也。不直趙秋谷宮贊，故大聲疾呼論之。」（轉引《國朝耆獻類徵初編》卷百四十三，頁三十八）即是很好的例子。附和、羽翼王氏者，多崇奉其晚年所標舉的《唐賢三昧集》，尊「唐」之風，由斯而漸盛。茲述與「唐詩」、「宋詩」之爭有關者如下：

㈠張實居、張篤慶。二氏推尊盛唐、反對當時崇「宋」之風。張篤慶云：「近世風尚，每苦前人之拘與隘，而轉途於長慶、劍南，甚且改轍於宋、元，是以愈趨愈下也，有心者急欲挽之以開、寶，要不必藉口於宗歷下，轉令攻之者樹幟紛紛耳。」（《師友詩傳錄》）是亦不以七子爲然。張實居則宗嚴羽之論，主學詩由盛唐入門始正。然實居以「宋詩」較之「唐詩」，雖氣象有別，不若其佳，卻也肯定歐、蘇、黃、江西詩派各有本領，非一概抹殺。

㈡施閏章、宋犖。二氏皆當時有名的詩家，世稱「南施北宋」。施氏有《蠖齋詩話》之作，亦好言唐人三昧，宗旨所尚在於杜甫、王維、孟浩然和唐人絕句，除較爲強調杜甫外，頗近於王士禛。然施氏批評宋人則云「笨伯」、云「以詩當文，冗濫不已」、云「要入議論，著見解，力可拔山，去之彌遠」，抨擊至爲激烈。施氏論詩尚重經史，較之士禛之神韻爲篤實，故士禛門人洪昇問詩法於施氏時，其答云：「子師言詩，如華嚴樓閣，彈指即現；又如仙人五城十二樓，縹緲俱在天際。余即不然，譬作室者，瓴甓木石，一一須就平地築起。」（《漁洋詩話》卷中）施、王之異，由此可見。宋氏受士禛中年倡「宋詩」的影響頗大，自云學詩歷程：「余年十二，即奉先文康庭訓，從事聲律。……迨筮仕黃州，官僑岑寂，頗究心詩學。然初接王、李之餘波，後守三唐之成法，於古人精意，毫未窺見。康熙壬子、癸丑，閒屢入長安，與海內名宿尊酒細論，又闌入宋人畛域，所謂旗東亦東，旗西亦西，猶之乎學王、李，學三唐也。庚申虔州返命，舟泊鄱湖，月夜做匡廬，與兒至作詩話，忽有所得。」（《漫堂說詩》）大抵是七子→三唐→宋詩→自得的過程。引文所言海內名宿當指王士禛。彼時值王氏中年倡談「宋詩」之際，故受其影響。宋氏晚年也贊許王氏《唐賢三昧集》力挽尊「宋」祧「唐」之習，惟獨疵其「杜之海涵地負，韓之鼇擲鯨呿，尚有所未逮。」（註七七）又宋氏強調由《唐詩正聲》入手，漸次及於漢、魏、盛唐、宋、元、明諸家，以達「悟後境」，彼時「不必𣩍唐，不必𣩍古，亦不必𣩍宋元明」，隨興會所之，「漢魏亦可，唐亦可，宋亦可，不漢魏、不唐、不宋亦可。」非唐宋所能拘也。知其祈嚮於此。

㈢汪懋麟、徐乾學。汪氏學詩本由唐而上溯漢、魏，後入京師而為王士禛之門人，轉奉「宋詩」（註七八），屢為「宋詩」辯護，曾與毛奇齡爭論，毛氏《西河詩話》卷五載此事云：

……嘗在金觀察許，與汪蛟門舍人論宋詩，舍人舉東坡詩「春江水暖鴨先知」、「正是河豚欲上時」，不遠勝唐人乎？予曰：「此正效唐人而未能者。『花間覓物鳥先知』，唐人句也。覓路在人，先知在鳥，以鳥在花間故也，此『先』，先人也。若鴨則誰『先』乎？水中之物，皆知冷暖，必『先』以鴨，妄矣！且細繹二句，誰勝誰負。若以鴨字、河豚字為不數見，不經人道過，遂矜為過人事，則江鰍土鼈，皆物色矣？

《漁洋詩話》卷下亦有類似的記載，毛氏但云「鵝也先知，怎只說鴨？」不若這段話之詳細。此爭辯雖只針對蘇軾的一句詩（裏頭的三個字），背後卻是針鋒相對的「唐詩」、「宋詩」之爭。不僅於此，汪氏也和同門師兄弟徐乾學諍論，郭紹虞先生述之甚詳：「汪季用（懋麟）與徐健庵（乾學）二人對於漁洋的認識便不相一致。當在一個文酒之會，徐健庵稱新城之詩度越有唐，而季用卻說：『詩不必學唐，吾師之論詩未嘗不兼取宋、元。辟之飲食，唐人詩猶粱肉也，若欲嘗山海之珍錯，非討論眉山、山谷、劍南之遺篇，不足以適志快意；吾師之弟子多矣，凡經指授，斐然成章，不名一格，吾師之學無所不該，奈何以唐人比擬！』而健庵則斷斷置辨，以爲漁洋詩惟七言古頗類韓、蘇，自餘各體體製、風格未嘗廢唐人繩尺。這段爭論，直到後來季用卒後，徐氏爲漁洋《十種唐詩選書後》，猶且舊事重提，以伸漁洋宗唐之說。」（註七九）士禛詩學本有變化的過程，門人執其一端而斷斷爭辯，固然爲同室操戈之舉，卻也顯出「唐詩」與「宋詩」的爭辯來。二人一直各堅其說，並無結果（註八〇）。

㈣顧嗣立。宋犖《元詩選序》云：「先是吾友石門吳孟舉有《宋詩鈔》行世，學者靡然趨之，距今將三十年矣。而顧子乃起而爲元詩之選。」繼「宋詩」的盛行，《元詩選》激發了宗奉元詩之風。論者每以康熙年間爲宋、元詩盛行的時期，可知顧氏《元詩選》的影響和《宋詩鈔》同等重要。顧氏於該書《凡例》云：「颷流所始，同祖風騷，騷人以還，作者遞變。五言始于漢魏而變極于唐。七言盛于唐而變極于宋。迨于有元，其變已極，故由宋返乎唐而諸體備焉。……（元）上接唐、宋之淵源而後復啓有明之文物。」由詩史的遞變觀點，肯定元詩上接唐宋，下啓明代的地位。顧氏尚撰有《寒廳詩話》一書，如吳宏一先生云：「蓋以推闡元詩爲主，書中屢引馮班、王士禛之言以爲論詩的根據。引王氏之言固不必論，其所以引用馮氏之言者，則是因爲馮班主西崑體，與『力務修飾』（毛奇齡之語）的元詩有相通處之故。」（註八一）值得一提的是，該書引馮氏之言，尚有排斥江西詩派之意。

㈤杭世駿。杭氏有《容城詩話》三卷，如《四庫全書總目提要》評云：「其論詩以王士禛爲宗，故如馮舒、馮班、趙執信、龐塏、何焯諸人不附王士禛者，皆深致不滿。於同時諸人，無不極意標榜，欲仿士禛雜著。然士禛善於選擇，每一集節取一、二聯，往往可觀，世駿則未能也。」（卷一百九十七）知其宗法王士禛極篤。杭氏之書卷上論及西崑與江西之爭云：「戚進士鼔言德清縣人，每爲二馮左袒，予跋其《才調集點本》後云：『固哉！馮叟之言詩也，承轉開闔、提倡不已，乃村夫子長技。緣情綺靡，寧或在斯，古人容有細心通才，必不當爲此迂論；右西崑而黜西江。夫西崑沿於晚唐（案：《四庫全書總目提要》早已指出「晚唐無西崑之語，此語失考」）西江盛於南宋，今將禁晉魏之不爲齊梁，禁齊梁之不爲開元、大歷，此必不得之數，風會流轉，人聲因之，合三千年之人爲一朝之詩有是乎？二馮可謂能持詩之正，未可謂遂盡其變者也。」杭氏於西崑與江西，自歷史演進之必然而俱加肯定，頗有折衷調和之意。

以上所舉諸人，意見雖然並不相同，然皆可謂在王士禛的影響籠罩之下。

丙、推尊「唐詩」的另一股思潮

錢謙益、王士禛是清初詩壇影響最力的兩家，單純的主「宋」或主「唐」並不足以說明二氏。然而錢氏對於「宋詩」、王氏對於「唐詩」的興盛，都有著莫大的影響。錢氏於前、王氏於後，清初詩壇亦大略爲前「宋」後「唐」的詩風。錢、王之外，亦有推尊「唐詩」而與王士禛相異的另一股思潮。

一、推尊晚唐

㈠馮舒、馮班兄弟

錢謙益乃明末清初之大家，隱立虞山詩派，門人以馮舒、馮班二兄弟最爲著名。二馮詩學門徑與論詩之偏重微有不同：馮舒以杜牧爲宗，及於白居易、元稹，以起承轉合之法評詩；馮班以溫庭筠、李商隱爲宗，而溯其源於騷、選、漢魏、六朝，論詩則欲化去起承轉合之法（註八二）。二馮有承於錢謙益的地方，在於攻擊非難七子、竟陵二派。如馮舒發憤而作的《詩紀匡謬》即在於糾正李攀龍《古今詩刪》與鍾惺《詩歸》之謬誤（註八三）。馮班《鈍吟雜錄》卷三《正俗篇》云：「王、李、李、何之論詩，如貴冑子弟倚恃門閥，傲忽自大，時時不會人情；鍾、譚如屠沽兒家，時有慧黠，異乎雅流。」卷四《讀古淺說》亦有類似的批評。馮班批評七子，也像錢謙益一樣，溯流竟委，對嚴羽、高棅一併批評，尤其針對嚴羽，有《嚴氏糾繆》一卷，詆爲「漫漶顚倒」，幾爲古今批評嚴羽最烈者。凡此皆可見虞山詩派相承之宗旨所在。

然二馮論詩以晚唐爲宗，上溯齊梁。對於受錢謙益影響而提倡宋、元詩者，多有微辭。《鈍吟雜錄》卷七載云：「錢□（牧）翁學元裕之，不啻過之，每稱宋元人，矯王李之失也。陸孟鳧本無所知，乃云：『唐人不足學。』斯言也，不可以欺三歲小兒，邑人信之，爲可笑！錢公極學唐，但齊梁以上，未免憒憒耳。」雖非針對錢氏而發，論詩偏重顯然與之有異。當時虞山詩派亦有反對二馮者，如錢陸燦即譏其：「以妖冶爲溫柔，堆砌爲敦厚。」（註八四）不以二馮論詩爲然。

虞山派內之爭，尚隱而不顯，二馮主崑體以排江西詩派，則極爲激烈。馮班《同人擬西崑詩序》云：「嗚呼！自江西派盛，斯文之廢久矣！至於今日耳食之徒，羞言崑體，然王荊公云：學杜者當從李義山入；歐陽文忠嘗稱楊劉之工，世有二公必能鑒斯也。」立論宗旨已極爲明顯。到了二馮與何焯評閱《瀛奎律髓》，更是具體地左袒崑體，訾議江西（註八五）。此外，《二馮評點才調集》亦表現相同的態度，《四庫全書總目提要》評此書云：「韋穀之選是集，其途頗寬，原不專主晚唐，故上至李白、王維，以至元白長慶之體，無不具錄。二馮乃以國初風氣矯太倉、歷城之習，競尚宋詩，遂借以排斥江西，尊崇崑體，黃陳、溫李斷斷爲門戶之爭。」（卷一百九十一）自是而後，西崑與江西之爭，形同水火，又爲「唐詩」、「宋詩」之爭的另一型態。

㈡吳喬

非虞山詩派，而與二馮論詩相近者，當時尚有吳喬。吳氏論詩大旨有四：

㈠主李商隱而排七子與「宋詩」。《答萬季埜詩問》載：「又問：『丈丈何故舍盛唐而爲晚唐？』答曰：『二十歲以前，鼻息拂雲，何屑作中、晚耶！二十歲以後，稍知唐明之眞僞，見盛唐體被明人弄壞，二李已不堪，學二李以爲盛唐者，更自畏人，深愧前非，故捨之耳。』」可知他因七子之弊轉而崇尚晚唐。吳氏譏詆七子極爲激烈，《圍爐詩話》卷一甚至以「牛呞驢鳴」詈罵之，比其爲畜生。吳氏所崇之晚唐，尤重在李商隱，曾選其《無題詩》十六首及其認爲有所寓託之詩，編爲《西崑發微》一書。吳氏排擊「宋詩」，不專針對江西詩派，舉凡蘇軾、黃庭堅、陸游、江湖詩人，俱加非難；宋代詩人惟取梅堯臣。如此的態度，與二馮極爲類似。

㈡比興的詩觀。吳氏主李商隱而排七子與「宋詩」，立論根據有二，即比興的詩觀與「變復」的詩史觀。茲先述前者。吳氏分別賦與比興之不同云：「蓋賦必在言中，可因言以求意。比興意在言外，意不可以言求。」（《西崑發微序》）他所說的「意在言外，意不可以言求」，比較偏向於諷諭寄託的意義，也因此《西崑發微》在解讀李商隱的《無題詩》時，喜歡與令狐陶相牽合，以證明不是「豔情詩」，反而是「優柔敦厚」，合乎《三百篇》、屈、宋的作品。吳氏言比興雖然強調諷諭寄託，仍不廢感物、興會的一面，如《圍爐詩話》卷一云：「感物而動則爲興，託物而陳則爲比。」即是（註八六）。憑藉著比興與賦的區別，吳氏對「唐詩」、「宋詩」也加以優劣。

△大抵文章實做則有盡，虛做則無窮。《雅》、《頌》多賦，是實做；《風》、《騷》多比興，是虛做。唐詩多宗《風》、《騷》，所上靈妙。（《圍爐詩話》卷一）

△唐詩有意，而託比興以雜出之，其詞婉而微，如人而衣冠。宋詩亦有意，惟賦而少比興，其詞徑以直，如人而赤體。（引同上）

△宋詩率直，失比興而賦猶存。（引同上）

相對於「宋詩」，明人擬作的「唐詩」連賦都沒有，更遑論比興之義了，如云：

△明人不知比興而說唐詩，開口便錯。（引同上）

△弘嘉人詩無文理，并賦亦失之。（引同上）

以是之故，吳氏認爲「宋詩」尚優於「明詩」。《答萬季埜詩問》載：「又問：『宋、明之界云何？』答曰：『宋人不可輕也。宋詩如三家村叟，布袍草履，是一箇人。明詩土偶蒙金，昨日已言之矣，唐人死話亦活，實話亦虛，明人反是。」明白了吳氏比興的詩論，則其如此的抑揚，自不會感到訝異。

㈢「變復」的詩史觀。所謂的「變復」，《逃禪詩話》云：「變，謂不襲古人之狀貌。復，謂能得其神理。」由是變與復本是一體的兩面，如《圍爐詩話》卷一所云：「詩道不出乎變復。變，謂變古；復，謂復古。變乃能復，復乃能變，非二道也。」詩史之盛衰，正繫乎能否同兼變與復，否則徒得其一，終落下乘。吳氏云：

漢、魏詩甚高，變《三百篇》之四言為五言，而能復其淳正。盛唐詩亦甚高，變魏、漢之古體為唐體，而能復其高雅；變六朝之綺麗為渾成，而能復其挺秀。藝至此尚矣！晉、宋至陳、隋，大曆至唐宋，變多于復，不免于流，而猶不違于復，故多名篇。此後難言之矣！宋人惟變不復，唐人之詩意盡亡；明人惟復不變，遂為叔敖之優孟。二百年來非宋則明，非明則宋，而皆自以為唐詩。（《圍爐詩話》卷一）

漢、魏、盛唐兼變與復，其崇高地位固不待言。即如晚唐，雖變多于復，尚不違于復，故吳氏標舉之。而宋、明各執一端，自以為「唐」，其實乃一邊偏變，一邊偏復，所謂的「唐詩」、「宋詩」之爭，不過宋、明之爭罷了！

㈣對是古非唐者的反駁。吳氏云：「唐詩法嚴，非老於此工能之至者不佳也，此實唐詩難於古詩處，耳食者是古非唐耳。」（《答萬季埜詩問》）可以代表他對古、唐之爭的看法。

值得一提的是，吳氏論詩雖宗晚唐的李商隱，而學詩的主張卻不專主於斯。如云：「學詩不可雜，又不可專守一家。樂天專學子美，西崑專學義山，皆以成病。」（《圍爐詩話》卷一）亦不鼓勵專學李商隱。甚至說：「中唐七律，清刻秀挺，學者當于此入門，上不落晚唐之雕琢，中不落于宋人之率直，下不落于明人之假冒。」（引同上，卷二）以中唐七律爲初學門徑。

㈢趙執信

趙執信是王士禛的甥壻，兩人初相甚得，後因種種細故（註八七），轉成水火，不能相容。康熙四十八年，趙氏四十八歲，撰《談龍錄》集矢於王士禛；王氏是年七十六歲，亦撰《分甘餘話》旁藉詆排馮班之《鈍吟雜錄》，以攻趙氏（註八八）。自王士禛標舉神韻，編選《唐賢三昧集》之後，天下翕然宗之，彼時亦有反對之者，而排擊最爲激烈，則莫過於趙氏。

趙氏於《談龍錄》自云曾「竊得」王士禛律調之法，力反王氏密不宣人的態度，動輒語人。李重華《貞一齋詩話》則載趙氏請教王士禛，王氏「吝不一示」，遂發憤研究，而有悟聲調之法。今日所見，趙氏有《聲調譜》、王氏有《古詩平仄論》、《律詩定體》，斯皆探討作詩聲調之問題，有啓乾、嘉年間的翁方綱。趙氏在《談龍錄》一書中詆排王士禛最烈，甚至有譏諷王氏獎掖後進爲相阿附之類近於人身攻擊的話語（註八九）。若略此不論，則趙氏論詩大旨如下：

㈠王氏所宗神韻，源於嚴羽爲多。馮班、吳喬二人論詩則力排嚴羽。馮氏有《嚴氏糾繆》之文，吳氏則譏詆王士禛爲「清秀李于鱗」（註九〇），故爲趙氏引爲同調以排擊王士禛。

㈡趙氏特別強調吳喬「詩中須有人在」與蘇軾「詩外尚有事在」二語，由重人、重事進而重詩之「講諷怨譎」、「貴知學」、「貴知道」。於是批評王士禛乃蔽於嚴羽之囈語而不知詩之精義。又批評王氏過於狹隘：

△司空表聖云：「味在酸鹹之外」，蓋概而論之，豈有無味之詩乎哉？觀其所第二十四品，設格甚寬，後人得以各從其所近，非第以「不差一字，盡得風流」爲極則也。嚴氏之言，寗堪並舉，馮先生糾之盡矣。（《談龍錄》）

△阮翁酷不喜少陵，特不敢顯攻之，每舉楊大年村夫子之目以語客。又薄樂天而惡昭諫。余謂昭諫無論已，樂天《秦中吟》新樂府而可薄，是絕《小雅》也。（引同上）

經過趙氏的指摘，後之疵病神韻說者，多從是說（註九一）。

㈢對於彼時的「唐詩」、「宋詩」之爭，趙氏云：「攻何、李、王、李者曰：『彼特唐人之優孟衣冠也』，是也。余見攻之者所自爲詩，蓋皆宋人之優孟衣冠也。均優也，則從唐者勝矣。余持此論垂三十年矣，和之者數人，皆力排規撫者。」（《談龍錄》）可知趙氏除排擊王士禛外，亦詆七子與法效「宋詩」者。彼時馮班已歿，如《紀聞》所載：「（趙氏）見其遺書，至具朝服下拜，以私淑門人，刺焚班墓前。」（註九二）而《談龍錄》裏也大加推崇與馮班論詩相近的吳喬諸人，引爲同道者。

㈣其它

詩家法效晚唐，詩風近似者，據《清詩紀事初編》所載有顧夢游（註九三）、朱崍（註九四）、吳銘道（註九五）、宗誼（註九六）、徐昂發（註九七）、錢二白（註九八）、楊士凝（註九九）、岳端（註一〇〇）、陳殿桂（註一〇一）、丁澎（註一〇二）、沈季友（註一〇三）、宋起鳳（註一

○四）、游恢（註一○五）、劉友光（註一○六）諸人。箋注補編晚唐諸家之詩集（含乾、嘉年代），《清史稿》卷一百四十八《藝文志》載有：

李賀《長吉歌詩彙解》四卷、《外集》一卷	王琦撰
樊宗師《紹述集注》二卷、盧同《玉川子詩集注》五卷	孫之騄撰
杜牧《樊川文集注》二十卷	馮集梧撰
李商隱《義山詩注》三卷、《補注》一卷	朱鶴齡撰
《重訂李義山詩集箋注》三卷、《外集箋注》一卷	程夢星撰
《李義山詩集注》十六卷	姚培謙撰
《李義山文集箋注》十卷	徐樹穀箋；徐炯注
《玉溪生詩詳注》三卷、《樊南文集詳注》八卷	馮浩撰
《樊南文集箋注補編》十二卷、《附錄》一卷	錢振倫箋；錢振常注
溫庭筠《飛卿集箋注》九卷	顧予撰；子嗣立增補
羅鄴《比紅兒詩注》一卷	沈可培撰

斯皆反映當時於推崇「宋詩」與提倡神韻的「唐詩」之外，尚有推尊晚唐的另一股思潮，且以李商隱（當時或名崑體）的影響最大。

二、推尊盛唐（含盛唐以上）

約在王士禛之前，而與錢謙益同時，有王夫之者，論詩又與前述諸人不同。

王氏論詩有取《詩經》、《楚辭》、漢、魏、晉、宋（尤尊陶潛、謝靈運）、初唐、盛唐（尤尊李白、杜甫，然有時對杜甫有微辭），罕取中唐，視晚唐與「宋詩」如同齊梁，皆不足取，評爲「惡詩」。王氏且激烈地批評高棅、七子和竟陵諸人，尤深惡痛絕其「建立門庭」、「絕望風雅」。大抵王氏論詩本於儒家教化的實用觀，所以齊梁的「綺語」、中晚唐的「豔詩」、宋人的「爭疆壘」、明人的「立門庭」，皆不符其論詩之旨，有時甚至詆爲「蠱人心、敗風俗」（註一〇七）。然王氏於情、理，情、景，比、興等中國詩論重要的觀念，有其精到的見解。例如情、理此二觀念，張少康先生稱許說：「王夫之詩歌理論的重要歷史貢獻之一，就在於他比較好地總結了這場情、理之爭，既充份肯定了主情派的主流，又在一定程度上克服了他們的弱點，能夠比較辯證地看待情理關係問題。」（註一〇八）王氏談情、理，雖不是直接針對「唐詩」、「宋詩」之爭而發，可是當我們要檢討「唐詩」主情，「宋詩」主理所衍生的情、理之爭時，勢非參考王氏之論不可。

王夫之之外，推尊盛唐者，有肯定七子一路，如下列諸人：

㈠陳子龍。陳氏《熊伯甘初盛唐律詩選序》，以律詩自初、盛唐以後，「非偏枯麤澀，則漓薄輕佻，不足法矣。」（註一〇九）故主張由初、盛唐律詩進至古詩，再進至《雅》、《頌》，與七子之論，非常雷同。事實上陳氏所編《皇明詩選》，早被吳喬譏爲「七子餘調」（註一一〇）。

㈡毛先舒。毛氏早歲從陳子龍游，而受其賞識，論詩宗旨亦與之相近，《詩辯坻》卷四載云：「

學者但取盛唐以上，《三百篇》以下之作，隨拈當吾意者，……。詎復虛嬌之氣，捃摭之華，能恫喝者耶！」可知其推尊盛唐（含以上）之意。彼時錢謙益、馮班諸人，撻伐嚴羽不遺餘力，毛氏則引嚴羽爲同調，《詩辯坻》卷三載云：「嚴儀卿生宋代，能獨覩本朝詩道之誤，……論眉山、江西，亦可稱沈著痛快，眞夐絕之識，其詩之足傳宜也。」諸氏對嚴羽異同之說的背後，實爲論詩宗旨懸絕而有以致之。毛氏雖亦抨擊七子末流之弊，「而上下千古所鑄金呼佛者，則惟一李攀龍焉。」（註一一一）《詩辯坻》卷四有《竟陵詩解駁議》，專爲糾繆《詩歸》而發，詆斥之辭，極爲激烈。

㈢李沂。李氏推尊李夢陽爲「一代之冠冕」，且其《秋星閣詩話》載云：「人皆知當學唐詩，而乃有云不必學唐詩者。人皆知當學盛唐，而乃有云不必學盛唐者，此好立異之過也。」李氏既視學盛唐爲理所當然，自是批評反對者只是「好立異」而已。該書成於康熙二十年（註一一二），是時王士禛四十八歲，李氏或是針對士禛而發也未定。唯可以確定的是，該書卑視宋、元及中、晚唐之詩極爲明顯。

㈣朱彝尊。朱氏當時與王士禛抗衡，並爲大家，人比二氏爲唐之李、杜，宋之蘇、黃（註一一三）。《四庫全書總目提要》載云：「彝尊未入翰林時，嘗編其行稿爲《竹垞文類》，王士禛爲作序，極稱其永嘉詩中《南亭》、《西射堂》、《孤嶼》、《瞿溪》諸篇，然是時僅規撫王、孟，未盡所長。至其中歲以還，則學問愈博，風骨愈壯，長篇險韻，出奇無窮。」（卷一百七十三・評《曝書亭集》）述其與王士禛的淵源與同異，甚爲詳細。朱氏中歲以後之詩，如查愼行云：「其稱詩以少陵爲宗，上追漢、魏，而氾濫於昌黎、樊川，句酌字斟，務歸典雅。」（《曝書亭集序》）朱氏爲宗奉「宋詩」的浙派的創始人，論詩卻不專主於斯，《書劍南集後》載云：「邇者詩人多舍唐學宋，予嘗嫌務觀太熟，魯直太生；生者流爲蕭東夫，熟者降爲楊廷秀，蕭不傳而楊傳，效之者何異海畔逐臭之夫邪！」（《曝書亭集》卷五十二）是對宋人與清初學宋者有所微辭。又朱氏編選明人詩作而爲《明詩綜》一書，《四庫全書總目提要》言其以糾錢謙益《列朝詩集》之謬而作；我們比較二書，不難發覺其間最大的差異在於對前後七子的態度。錢氏極力詆譏，朱氏則加以推重（註一一四），四庫館人言之不謬。

除此而外，亦有推尊盛唐，卻排斥七子（或明詩）的另一路思潮。

王士禛盛時，毛奇齡嘗與王氏弟子汪懋麟爭論「唐詩」、「宋詩」之優劣。毛氏《西河文集》收有詩話八卷，一百八十九則，論詩推尊盛唐，力詆宋、明之詩。其云：「開、寶以後，便如冶金削石條條矣。」（卷七）宗旨可見。而詆斥宋、明詩者極多，如云：「向學宋詩者，椎陋惡劣，下者類田吏，上者類市儈，醜象已極。」（卷七），又云：「明詩與唐詩絕遠……若嘉隆七子，則第倣盛唐，影響近所謂得其郛廓者，其于唐人刻劃沈摯，循題即事之法，全然不曉，而目爲唐詩，寃矣！近以惡明詩，而併惡及唐，識者謂惡丑及頊，惡陽虎而及孔子。予謂孔、陽、丑、頊原是相似，故可比擬，明何與于唐，而以此儗之。」（卷七）可知毛氏論詩不惟崇「唐」斥「宋」，對於明人摹擬盛唐、清初反明人而崇「宋」斥「唐」者，皆極力撻伐。又有龐塏，對王士禛既「不相辨難，亦不相結納」（註一一五），可謂獨立之士。龐氏有《詩義固說》二卷，極爲推尊《三百篇》、漢魏、盛唐，盛唐中尤尊杜甫，許之爲「宗子」，宋、元、明則一概詆斥，如云：「下逮宋、元，漸迷漸失，遂流入於粗淺鄙俚而不可救。有明代起，王、李爭於氣格，其失也膚廓，鍾、譚矯以幽澹，其失也淺弱，總相爭於皮毛之外，大似退之裘葛之喻，非中論也。」（卷下）又龐氏論詩特別重視「賦」，以之爲主，而比興爲賓，頗異諸家之論（註一一六）。

亦有肯定盛唐，而於七子似若無涉；既不特別推崇，亦不特別加以排擊，如吳喬引爲同調的賀裳即是（註一一七）。賀氏撰有《載酒園詩話》，內容「略於初、盛，而詳於中、晚」唐（註一一八），批評「宋詩」極烈（註一一九），與馮班、吳喬二人論詩之旨頗近。然其論詩實以盛唐與李、杜爲主，如云：「不讀全唐詩，不見盛唐之妙；不遍讀盛唐諸家，不見李、杜之妙。」（《載酒園詩話又編》）賀氏對嘉隆間過份卑視中、晚唐與萬曆末又尊之過甚，皆表不滿（註一二〇）。大抵其視中、晚唐介於盛唐與「宋詩」之間，有褒、有貶，不可一例視之。之中，又偏好中唐過於晚唐，賀氏云：「中唐人故多佳詩，不及盛唐者，氣力減耳。雅澹則不能高渾，雄奇則不能沉靜，清新則不能深厚。至貞元以後，苦寒、放誕、纖縟之音作矣。」（引同上）而批評晚唐則說：「詩至晚唐而敗壞極矣，不待宋人。」（引同上）於溫庭筠、李商隱多所指責（註一二一），與馮、吳二人又迴然有別。另外，周容《春酒堂詩話》亦明顯地推崇盛唐、貶抑「宋詩」，但與七子也似若無涉。

整體而言，異乎王士禛而推尊盛唐者，大多貶抑「宋詩」，也不強調「神韻」義。所宗以李白、杜甫爲主，甚或上溯漢、魏、《三百篇》，並不特別肯定王維、孟浩然之類風格平淡的詩家。而肯定七子者，則往往肯定明詩的歷史地位，反之則不然。

三、推尊有唐一代的詩

廣泛地就唐代的詩而加以推崇，力反「唐詩」之分期者。如主「分解」說的金聖歎即是。其《答敦厚法師》云：「初唐、盛唐、中唐、晚唐，此等名目，皆是近世一妄先生之所杜撰，其言出入，初無準定，今後萬不可又提置口頰。」（《金聖歎全集》之四《貫華堂選批唐才詩等六種》，頁六一）今觀其《貫華堂批選唐才子詩》，於初、盛、中、晚唐並無厚薄，可謂具體表現其論詩之旨。論詩與金氏相類的徐增，所撰《而菴詩話》亦有相近的看法（註一二二）。又如下列詩選亦然：顧茂倫編有《唐詩英華》、徐焯編有《全唐詩錄》、康熙四十六年，彭定求等奉敕編《全唐詩》，康熙五十二年，康熙帝選《御選唐詩》。尤以《全唐詩》爲代表，康熙帝爲該書序云：「夫性情所寄，千載同符，安有運會之可區別？而論次唐人之詩者，輒執初、盛、中、晚，岐分疆陌，而抑揚軒輊之過甚，此皆後人強爲之名，非通論也。」故所選以蒐羅一代之詩爲主。

附帶一提與錢謙益同時的著名詩家吳偉業，其詩風，《四庫全書總目提要》云：「格律本乎四傑，而情韻爲深。敍述類乎香山，而風華爲勝。」（卷一百七十二・評《梅村集》）可謂於創作實踐具體反映了尊「唐」的思想，又與前述諸人皆不相同。

丁、狹義的「唐詩」、「宋詩」之爭的轉向

清初雖有些論者的主張已非狹義的「唐詩」、「宋詩」之爭所能囿限，如影響詩壇最力的錢謙益與王士禛，及兼肯定「唐詩」與「宋詩」的賀貽孫、葉燮、田雯等人即是。然彼時諸家爲主「唐」或宗「宋」斷斷諍辯，判若水火，甚或爲之攘臂的現象，仍極爲普遍。降及乾、嘉年間，此一局面則逐漸轉向。論者與詩家多不滿狹義的「唐詩」、「宋詩」之爭，有的刻意與之劃清界限，有的則進而加以折衷、調停與批判。然諸人論詩仍各有偏重，如沈德潛特重「人倫日用」之旨、袁枚標舉「性靈」、翁方綱獨拈「肌理」，並立壇坫；乾隆年間，沈德潛與袁枚更有書信之論戰，而爲詩界之一大事。又彼時有動員數千之人力以纂修《四庫全書》之舉，既蒐羅逸册，復焚燬禁書，功不掩過；四庫館人評騭各書，勒其綱領，撰成《四庫全書總目提要》，自居官方立場以裁決各派之爭，於狹義的「唐詩」、「宋詩」之爭的轉向，影響亦大。另外，當時宗奉「唐詩」者，如金楷（註一二三）、李堃（註一二四）、方南堂（註一二五）、王壽昌（註一二六）、陸鎣（註一二七）、余成教（註一二八）、黃子雲（註一二九）、錢泳（註一三〇）等人，多貶抑「宋詩」，所論大抵沿襲前代之說，罕有新意，故不詳述。

一、沈德潛、袁枚與翁方綱

(一)沈德潛與袁枚

沈德潛，康熙十二年生、乾隆三十四年以九十八歲高齡卒。少年曾受業於葉燮門下，且目覩「宋詩」與神韻的「唐詩」盛衰之遞禪。沈氏「潦倒名場、晚登科第」（註一三一），六十七歲始與二十四歲的袁枚同中進士（時乾隆四年）。袁枚《小倉山房文集》卷十七收有《答沈大宗伯論詩書》、《再與沈大宗伯書》二文，載二氏諍辯的情形，惜沈氏《歸愚文鈔》未錄及此，二氏於「唐詩」、「宋詩」之諍辯，又以《答沈大宗伯論詩書》一文爲主。據該文所示，有幾點可注意：

㈠袁枚謂沈氏之論有三點：

1.不喜厲鶚的詩，原因是：「沿宋習，敗唐風。」

2.唐人變漢魏而自爲詩，甚且由初、盛自變爲中、晚。

3.詩貴溫柔，不可說盡，又必關人倫日用。

㈡袁氏之反駁有五點：

1.厲鶚七古「索索然寡眞氣」，非之甚當。然而近體卻清妙可取，不必皆非。

2.論詩重點在於「工拙」，而不在於「今古」，亦不在於「唐」、「宋」。從古至今，詩皆有工、有拙，古人未必皆工，今人未必皆拙。「唐詩」與「宋詩」亦然。

3.唐人旣能變漢魏，且自變，宋、元亦然。事實上宋、元乃善學、善變唐人者。

4.「唐宋分界之說」，宋、元無，明初無，成宏之七子始有。後來之公安、竟陵、錢謙益雖反之，皆「摩壘奪幟」、「門戶之見」，非平心公論。

5.詩可以含蓄、可以說盡；可以關係人倫日用，也可毫無關係。袁氏引孔子之言以佐證：「可以興，可以群」、「可以觀、可以怨」、「邇之事君」、「多識於鳥獸草木之言」。另外，袁氏之《再與沈大宗伯書》一文，更是針對此點力加批駁。

由於源出袁氏之筆，自是加強已說之合理以非難對方。世人或因此而言沈氏主「唐」斥「宋」，然以此看待沈氏實有所不足，茲補充如後：

沈氏宗奉漢、魏、盛唐，人所共知。《湖海詩傳》卷二之《厲鶚小傳》載：「（厲鶚）擷宋詩之精詣而去其疎蕪。時沈文愨公（案即沈德潛）方以漢、魏、盛唐倡於吳下，莫能相掩也。」可見其宗旨所在。沈氏編有《古詩源》、《唐詩別裁》、《明詩別裁》、《清詩別裁》，獨無宋、元二代，似類李攀龍《古今詩刪》之舉。除批評厲鶚外，沈氏亦有批評「宋詩」之言云：

△德潛於束髮後，即喜鈔唐人詩集，時競尚宋、元，適相笑也。迄今幾三十年，風氣駸上，學者知唐爲正軌矣。（《唐詩別裁序》）

△學者每從唐人詩入，以宋、元流於卑靡。（《唐詩別裁・凡例》）

△宋詩近腐，元詩近纖，明詩其復古也。……有明之詩，誠見其轢宋躒元而上追前古也。（《明詩別裁序》）

前二段話重在指出學詩趨向須以唐人爲「正軌」，入門最好從唐人入，後一段話則是肯定明詩過於宋、元。然沈氏亦云：

△唐詩者，宋、元之上流；而古詩又唐人之發源也。（《古詩源序》）

△唐詩蘊蓄，宋詩發露，蘊蓄則韻流言出，發露則意盡言中。愚未嘗斥宋詩，而趨向舊在唐詩，

故所選風調音節，俱近唐賢，從所尙也。（《清詩別裁・凡例》）

△擴清俗諦，以求大方，斯眞宋詩出矣。「春水渡旁渡，夕陽山外山。」何工於著景也！「客游兒廢學，身拙婦持家。」何工於言情也！此種何嘗不是宋詩？（《說詩晬語》卷下）

雖宗尙在「唐」，卻未嘗斥「宋」，是丹而未嘗非素，論甘而未必忌辛。所以，若持袁枚之書以斷定沈氏崇「唐」斥「宋」，則得其一端而謬其另一端也。沈氏《題劍南集》云：「宗唐祧宋非吾事，繼續東坡有劍南。」（《歸愚詩鈔》餘集卷七）更是自言心事。

沈氏立論的準據，偏於儒家實用的詩觀，即強調詩與政治、社會、道德、教育的關係這一面。《說詩晬語》卷上云：「詩之爲道，可以理性情，善倫物，感鬼神，設邦國，應對諸侯，用如此其重也；……學者但知尊唐，而不上窮其源，猶望海者指魚背爲岸，而不自悟其見之小也。今雖不能竟越三唐之格，然優柔漸漬，仰溯風雅，詩道始尊。」這也正是沈氏編《古詩源》一書的原因（註一三二）。又必須指出的是沈氏於唐所重爲杜、韓，兼取《唐賢三昧集》（註一三三）；於宋則標蘇、陸而斥江西詩派（註一三四）；於明七子則較他人爲肯定（註一三五）；凡此皆袁枚所未及指出者。

袁枚反駁沈德潛之論，前已述及。茲更詳述其論詩要旨如下：

㈠徹底地反對「唐宋分界」，反對「唐詩」、「宋詩」之爭。除《答沈大宗伯論詩書》外，《隨園詩話》亦多論及於此，如：

△詩分唐、宋，至今人猶恪守，不知詩者，人之性情；唐、宋者，帝王之國號。人之性情，豈因

國號而轉移哉！（卷六）

△楊龜山先生云：「當今祖宗之法，不必分元祐與熙豐也，國家但取其善者而行之可也。」予聞人論詩好爭唐宋，必以先生此語曉之。（卷七）

△徐朗齋曰：「有數人論詩，爭唐宋爲優劣者，幾至攘臂。乃援嵩（案即朗齋）以定其說，嵩乃仰天而嘆，良久不言。衆問何嘆？曰：『吾恨李氏不及姬家耳，倘唐朝亦如周家八百年，則宋、元、明三朝詩，俱號稱唐詩，諸公何用爭哉？須知論詩只論工拙，不論朝代，譬如金玉，出於今之土中，不可謂非寶也。敗石瓦礫，傳自洪荒，不可謂之寶也。』衆人聞之，乃閉口散。」余謂詩稱唐，猶宋之斥魯之銜也，取其極工者而言，非謂宋外無斥，魯外無銜也。（卷十五）

袁氏以「唐詩」、「宋詩」，僅爲朝代之區分而已，故反覆闢說，無非要說明朝代之分不同於詩之別，詩之別在於「性情」，在於「工拙」。故「唐詩」、「宋詩」之爭僅是門戶之見，毫無意義。袁氏認爲沈德潛崇「唐」斥「宋」，故與之書信諍辯。不僅於此，當時大賞袁枚反駁沈德潛之施蘭垞，欲與之共倡「宋詩」，也遭袁氏批判，其云：「終宋之世，無斥唐人者。子忽欲尊宋而斥唐，是率其子弟，攻其父兄也。恐詩未作，而教先敗也已！」（《小倉山房文集》卷十七《答施蘭垞論詩書》）由茲可見袁氏持論之徹底而一貫。

㈡於古今詩取兼容並包的態度。袁氏《續詩品》之《戒偏》云：「偏則成魔，分唐界宋。」知其反對「分唐界宋」，本爲「戒偏」而發。《隨園詩話》卷一載云：「以昌黎之崛強，宜鄙俳體矣，而

《滕王閣序》曰：『得附三王之末，有榮耀焉。』以杜少陵之博大，宜薄初唐矣，而詩曰：『王楊盧駱當時體，不廢江河萬古流。』以黃山谷之奧峭，宜薄西崑矣，而詩云：『元之如砥柱，大年若霜鶚，王楊立本朝，與世多郛郭。』今人未窺韓柳門戶，而先掃六朝，未得李杜皮毛，而已輕溫李，何蜉蝣之多也？」十足可見其戒偏而取兼容並包的態度。以是之故，他痛詆門戶之見，有時則爲論詩之爭作爲折衷之說，如云：「嚴滄浪以禪喻詩，借謂羚羊挂角，香象渡河，有神韻可味，無跡象可尋，此說甚是，然不過詩中一格耳。阮亭奉爲至論，馮鈍吟笑爲謬談，皆非知詩者。詩不必首首如是，亦不可不知此種境界。」（《隨園詩話》卷八）又如云：「吾鄉詩多浙派，專趨宋人生癖一路，惟小同以明七子風格救之。」（《隨園詩話補遺》卷四）其折衷王士禎與馮班、七子與浙派之意，甚爲明顯。

㈢袁氏立論的準據爲「性靈」，此一名詞亦是解釋繁多，難有定論（註一三六）。然可注意者有三：

1.袁氏所謂的「性靈」是好詩的判準。

2.袁氏認爲詩的本質是吟咏情性，有時甚且將之提高爲好詩的本質，故性靈有時可以性情釋之。

3.「性靈」的美學特點在於有我、自然、平易、鮮活等等。

由於如此，他推崇鍾嶸、白居易、楊萬里等人，又雖絕少提及袁宏道，立論卻與之相似。（註一三七）他也據此反對沈德潛之強調「人倫日用」、「溫柔敦厚」等類儒家實用的詩觀；亦不贊同翁方綱以學問代性靈的考證作風（註一三八）；更排擊規「唐」仿「宋」之論，其云：「抱韓杜以凌人而粗脚笨手者，謂之權門託足。倣王孟以矜高而半吞半吐者，謂之貧賤驕人。開口言盛唐及好用古人韻者，謂之木偶演戲。故意走宋人冷徑，謂之乞兒搬家。」（《隨園詩話》卷五）然而就像郭紹虞先生所指出，袁枚是「修正的性靈說」，意即雖強調性靈，立論亦注意及性靈所可能產生的弊病，諸如輕忽學問、人力、後天這一面；故袁枚主性靈卻不偏廢於此，與楊萬里、袁宏道諸人有所不同。

沈德潛、袁枚二人皆執當時詩壇之牛耳，其諍辯自是格外引人注目。然僅透過袁氏的書信，不足以全面了解沈氏。沈氏雖宗漢、魏、盛唐，卻又明明說出「未嘗斥宋詩」，知其有刻意與狹義之主「唐」者劃清界限的用心。而袁氏則獨標「性靈」，批判狹義的「唐詩」、「宋詩」之爭不遺餘力，對於時風的轉向，影響更在沈氏之上（註一三九）。

(二)翁方綱

乾、嘉年間，考據、訓詁之學大盛，有時「一字音訓，動辨數百言之類」（註一四〇）。論詩與當時學風最一致者，厥爲翁方綱。其論詩大旨有三點值得注意：

(一)乾、嘉學風可以王念孫的這句話作爲代表：「訓詁、聲音明而小學明，小學明而經學明。」（註一四一）翁氏論詩標舉「肌理」，以之爲進入處，目的是要達到詩的精妙所在——可以說是神韻、也可以說是格調（註一四二）。此一思考模式和乾嘉學人極爲類似，即「肌理明而神韻（或格調）明」，所以甚至會說「肌理就是神韻」（註一四三）。他也常並舉考據和「肌理」而言，如云：「爲學必以考訂爲準，爲詩必以肌理爲準」（註一四四）。事實上，在他看來，此二者根本就是同一回事，如云：

「考訂訓詁之事與詞章之事，未可判爲二途。」（註一四五）所以說他是結合乾、嘉學風以論詩，以之挽明七子、王士禛論詩之失亦可。至於他所謂的肌理，郭紹虞先生指出有「義理之理」與「文理、條理之理」二義（註一四六）；此中文理、條理之理是他的偏重所在，尤其重視字音、章句之細處，曾注釋王士禛、趙執信談論聲調之書，如《古詩平仄論》、《趙秋谷所傳聲調譜》、《五言詩平仄舉隅》、《七言詩平仄舉隅》等，當時已有不少人譏詆其作風（註一四七）。

(二)翁氏論詩兼肯定「唐詩」與「宋詩」，並且以考據與學問來肯定「宋詩」，如云：「盛唐諸公全在境象超詣，……天地之精英，……俱爲唐賢佔盡。……宋人之學，全在研理日精，觀書日審。……南渡而後，……莫不借詩以資考據，而其言之是非得失，與聲之貞淫正變，亦何可互按焉。」（註一四八）。

(三)「宋詩」諸家中，除蘇軾外，翁氏也特別肯定黃庭堅與江西詩派。《湖南詩傳》卷十五就說他「詩宗江西派，出入山谷、誠齋間。」而翁氏論詩，對於黃庭堅的「以古人爲師，以質厚爲本」二語，尤念茲在茲。（註一四九）

翁氏之前，「宋詩」固曾盛極一時，然所重以蘇軾、陸游居多；而翁氏則特尊蘇軾、黃庭堅與江西詩派。又清初黃宗羲早知由學力所成的「文人之詩」和由鍛鍊而得的「詩人之詩」的差別，卻並不強調「學人之詩」（註一五〇）；翁氏則予以重視，更以之爲「宋詩」上繼「唐詩」的理論根據。這兩方面正是後來「同光詩派」之所重，翁氏實爲其先導。

二、四庫館人的主張

清室對待漢人，十分防猜。入主中國，高壓與懷柔並用，許多大型的叢書，由茲完成（註一五一）；而屢興文字獄，亦悚人聽聞（註一五二）。至乾隆年間，如錢穆先生云：「漢人反動心理，殆亦消失淨盡。」（註一五三）乾隆三十七年開館纂修《四庫全書》，歷十年始成，收書三千四百七十部，七萬九千一十六卷；僅存書名而未收錄者，更有六千八百一十九部，九萬四千零三十四卷（註一五四）。而十年間藉徵書之名，燒燬犯禁書籍達五百三十八種，一萬三千八百六十二部（註一五五），所以《四庫全書》仍是高壓與懷柔下的產物。其正總裁有宗室郡王、大學士等十六人，副總裁有二十五人，總纂官則有紀昀等三人，其餘尚有總校官、翰林院提調官、武英殿提調官、總目協勘官、校勘《永樂大典》纂修兼分校官、校辦各省送到遺書纂修官等等之類，勞師動衆，工程浩大（註一五六）。

乾隆三十八年二月初六曾下旨承辦人員：「將書中要指隱括，總敍厓略，粘開卷副頁右方，用便觀覽。」（註一五七）《四庫全書總目提要》之作，肇因於此。該作雖以紀昀之力最多，實也代表了館人的「官方說法」。《提要》諸文於「唐詩」、「宋詩」不惟兼有肯定，對歷來之諍辯，亦多所調和、折衷與批判，所言至今仍有發人深省者，不必以其書編纂之動機而廢其言。

《提要》所取之「唐詩」與「宋詩」可以乾隆十五年御定的《唐宋詩醇》爲代表，其云：

御定凡唐詩四家，曰李白、曰杜甫、曰白居易、曰韓愈；宋詩二家，曰蘇軾、曰陸游。詩至唐而極其盛，至宋而極其變，盛極或伏其衰，變極或失其正，亦惟兩代之詩，最爲總雜。於其中通評甲乙，要當以此六家爲大宗。蓋李白源出《離騷》，而才華超妙，爲唐人第一。杜甫源出於《國風》、《二雅》，而性情眞摯，亦爲唐人第一。自是而外，平易而最近乎情者，無過白居易。奇崛而不詭乎理者，無過韓愈。錄此四集，已足包括衆長。至於北宋之詩，蘇黃並鶩；南宋之詩，范陸齊名。然江西之宗派，實變化於韓杜之間，既錄杜韓，可無庸複見。《石湖集》篇什無多，才力識解亦均不能出《劍南集》上，既舉白以槩元，自當存陸而刪范，權衡至當，洵千古之定評矣。（卷一百九十・評《唐宋詩醇》）

此言於唐則李、杜並列第一，不加優劣，兼取白、韓，以一平易、一奇崛，四者合而可包括衆長。於宋則取蘇、陸，以其才力、識解能卓然自立，足與唐人抗衡。《提要》以此六家囊括唐、宋二代之詩，李、杜、白、韓代表「唐詩」，蘇、陸代表「宋詩」，雖較偏重「唐詩」，而折衷之意，極爲明顯。又《提要》以唐代爲詩之極盛，宋代爲詩之極變，雖兼肯定其價值，卻也指出其歷史發展所可能蘊涵的弊病：「盛極或伏其衰，變極或失其正」。《提要》一書常以如是的史觀來說明詩史發展的規律，觀其看待宋、元、明、及清初的詩家、詩派即知：

△元代詩人，世推虞、楊、范、揭。史稱其（楊載）文章，一以氣爲主，而於詩尤有法度。自其詩出，一洗宋季之陋云云。蓋宋代詩派凡數變：西崑傷於琱琢，一變而爲元祐之樸雅；元祐傷於平易，一變而爲江西之生新。南渡以後，江西宗派極盛而衰，江湖諸人欲變之而力不勝，於是仄徑旁行，相率而爲瑣屑寒陋，宋詩於是掃地矣。載生於詩道極壞之後，窮極而變，乃復其

始，風規雅贍，雍雍有元祐之遺音。（卷一百六十七・評元楊載《楊仲宏集》）

△宋之末年，江西一派與四靈一派併合而爲江湖派，猥雜細碎，如出一轍，詩以大弊。元人欲以新豔奇麗矯之，迨其末流，飛卿、長吉一派與盧同、馬異一派，併合而爲鐵體。妖冶俶詭，如出一轍，詩又大弊。百餘年中，能自拔於風氣外者，落落數十人耳。明初閩人林鴻始以規仿盛唐立論，而棅實左右之。是集其職志也。（卷一百八十九・評明高 《唐詩品彙》）

△考明自洪武以來，運當開國，多昌明博大之音。成化以後，安享太平，多臺閣雍容之作。愈久愈弊，陳陳相因，遂至嘽緩冗沓，千篇一律。夢陽振起，痿痺使天下復知有古書，不可謂之無功。……平心而論，其詩富健，實足以籠罩一時，而古體漢、魏，近體必盛唐，句擬字摹，食古不化，亦往往有之。（卷一百七十一・評明李夢陽《空同集》）

△詩至太倉、歷下，以雄渾博麗爲主，其失也膚。公安、竟陵以清新幽渺爲宗，其失也詭。學者兩途並窮，不得不折而入宋，其弊也滯而不靈，直而好盡，語錄、史論皆可成篇。於是士禛等重申嚴羽之說，獨主神韻以矯之，蓋亦補弊救偏，各明一義。（卷一百九十・評清王士 《唐賢三昧集》）

此說明自宋以來，詩家詩派之興，皆爲乘乎風會，矯正時弊，而又轉動風會，使天下翕然宗之於一時。然其興或隱其衰，承襲久之，遂又成弊，於是又有詩家詩派興起。以是之故，不管是江西詩派、清初之主「宋」者，或元明之崇盛唐、清初之主「神韻」與晚唐，其興皆有功於詩壇，其弊亦爲實情，功過並存，不能互掩。《提要》於末世之詩風，殊無好感，評宋末之江湖詩人云「仄徑旁行，相率爲瑣屑寒陋，宋詩於是掃地矣。」、評元末之鐵體云「妖冶俶詭，如出一轍，詩又大弊」，評明末之公安、竟陵云「清新幽渺爲宗，其失也詭」，此固其詩史觀之使然，或也與其自居官方立場，昌明盛世之音以迎合乾隆帝好大喜功的心理有關。

其論詩風如是，論論者亦然。宋、明推尊盛唐最力者如嚴羽、高棅、李夢陽、李攀龍等人，《提要》咸認爲其爲救時弊而起，有一定之歷史意義與價值，過毀、過譽皆門戶之見，亦非公允之論。見卷一百九十五評《滄浪詩話》、卷一百九十八評《唐詩品彙》、卷一百七十一評《空同集》、卷一百七十二評《滄溟集》即可知。此外，《提要》亦多折衷、調停諸家諍議之論，如：

1.卷一百五十四・評宋陳師道《後山集》：「方回論詩以杜甫爲一祖，黃庭堅、陳與義及師道爲三宗，推之未免太過，馮班諸人肆意詆排，王士禎至指爲鈍根，要亦門戶之私，非篤論也。」於主「宋」（如方回）、主「唐」（如馮班、王士禎）之論者，俱有微辭，試爲調停，以平情看待陳師道之詩。

2.卷一百九十七・評清吳喬《圍爐詩話》：「……遂以王、李爲牛哞馬鳴，而比陳子龍於王錫爵之僕。夫七子摹擬盛唐，誠不免流弊，然亦各有根據，必斥之不比於人類，殊未得其平。」於清初反七子之風，有所折衷，七子固有流弊，斥之過當，亦未得平。

3.卷一百九十一・評清馮舒、馮班《二馮才調集》：「二馮以國初風氣矯太倉、歷城之習，競尚宋詩，遂借以排斥江西，尊崇崑體。黃陳、溫李斷斷爲門戶之爭。不知學江西者，其弊易流於粗獷；學崑體者，其弊易流於纖濃。除一弊而生一弊，楚固失之，齊亦未得也。」不以江西、西崑之爭爲然，蓋二派各有優點、亦各有缺失。《提要》復引杭世駿《容城詩話》卷上折衷、調和二派，而俱加肯定之語，稱許云「其論頗當」，知其意與杭氏雷同。

4.卷一百九十・評清王士　《唐賢三昧集》：「（王士禛主神韻之說）其後風流相尙，光景流連，趙執信等遂復操二馮舊法，起而相爭，所作《談龍錄》排詆是書，不遺餘力。其論雖非無見，然兩說相濟，其理乃全，殊途同歸，未容偏廢。」以王、趙之爭，各自有所得，有所弊，乃進至云「使兩家互救其短，乃可以各見所長」（卷一百七十三・評趙執信《田園集》）亦其兩說相濟之義。

凡此，皆不難看出《提要》作者自居官方立場以裁決各家各派的態度。《集部總敍》云：「今掃除畛域，一準至公，明以來諸派之中，各取所長而不回護其所短，蓋有世道之防焉，不僅爲文體計也。」則其折衷、調和諸家之諍辯，又有其詩學以外的考慮。

《提要》雖標榜「一準至公」，然《四庫全書》編纂之過程，燒燬犯禁書籍極爲慘烈。由之不難知悉清代皇室及四庫館人思想也有偏頗的一面。其與本論文較有關係者：㈠公安諸人之作。㈡錢謙益之作。㈢明末遺老之作，如顧炎武、黃宗義、王夫之等。諸人所撰之著作，多爲查禁燒燬，《提要》雖偶於《存目》敍述，亦多詆抑之詞，更遑論諸人於「唐詩」、「宋詩」之爭中正面的意義與價値了。《提要》之得與失，或亦「功過不能相掩」。

三、其　它

除沈德潛、袁枚、四庫館人之外，當時之詩家與論者，也有不少人於創作或品鑒上批評狹義的「唐詩」、「宋詩」之爭，而於「唐詩」與「宋詩」有所取捨，不復單純之主「唐」或宗「宋」而已。茲條舉如下：

㈠吳雷發。吳氏大致是康熙末葉至乾隆中葉時人（註一五八），撰有《說詩菅蒯》，其論詩亦強調「性靈」，言及「唐詩」與「宋詩」有幾點值得注意：一、一代之詩，不全然相同，唐詩中有「宋詩」，宋詩中亦有「唐詩」。二、一人之詩，亦不全然相同。有些近於「唐詩」，有些則近於「宋詩」。三、創作固須取法古人，重點卻在於作品之成功與否，而不在於取法「唐詩」或「宋詩」。四、「唐詩」、「宋詩」之爭中，執一端以排擊另一端的見解，皆為偏頗之論。

㈡薛雪。薛氏與沈德潛同為葉燮的門人，撰有《一瓢詩話》，其論詩於創作之主張上承葉燮，強調「胸襟」、「志氣」、「與古人抗衡」等等，故反對必學「唐」或必學「宋」的主張。然於品鑒上則推尊漢、魏、盛唐而貶抑「宋詩」，尤不喜黃庭堅與江西詩派。對於李商隱與明詩，則頗有好感。

㈢李重華。李氏撰有《貞一齋詩說》，問者曰：「尊唐者劣宋，祖宋者祧唐，其折衷可得聞與？」，李氏云：「唐宋時代之異，未可一概優劣也。何則？唐以聲律，宜其工者固多于宋。然公道論之，唐之中，拙者什四三；宋之中，工者亦什四三，原不可時代限矣。」一方面反對狹義的「唐詩」、「宋詩」之爭，另一方面以「唐詩」有拙者、「宋詩」亦有工者各占什四三加以折衷。又李氏對宋、元、明之學「唐」，俱加詆排；以西崑與江西俱屬偏勝，非詩之正道。

㈣蔣士佺。蔣氏與袁枚、趙翼並爲當時有名的詩家，號爲「江左三大家」。論詩旣重性情，又重溫柔敦厚之義，殆於袁枚、沈德潛之旨兼有所取，亦由此二義兼肯定「唐詩」與「宋詩」，如云：「唐宋諸賢，不必相襲，寓目即書，直達所見，其人品學，隱然活躍於其間，所謂忠孝義烈之心，溫柔敦厚之旨，則一焉。」（註一五九）、又云：「文章本性情，不在面目同。李杜韓歐蘇，異曲原同工。」（註一六〇）蔣氏又以「唐詩」與「宋詩」之異，由於時代而不得不然，故云：「唐宋皆偉人，各成一代詩，變出不得已，運會實迫之。」（註一六一）以是之故，他譏詆狹義的「唐詩」、「宋詩」之爭云：「奈何愚賤子，唐宋分藩籬。」（註一六二）於創作之主張，則云：「寄言善學者，唐宋皆吾師。」（註一六三）兼取「唐詩」與「宋詩」。

㈤趙翼。趙氏論詩之旨主要見於《甌北詩話》中。此書評論李白、杜甫、韓愈、白居易、蘇軾、陸游、元好問、高啓、吳偉業、查愼行等十人。其中高、吳、查此明清三家殆後來所加上（註一六四）。趙氏所取之唐宋詩家，與四庫館人全部相同。王建生先生云：「除了宗室郡王外，大部份的學者（案：即四庫館人）都與甌北有往來。」（註一六五）知其論詩宗旨沆瀣一氣，非無由也。

㈥方熏。方氏撰有《山靜居詩話》，論詩重「性靈」，嘗指出崇「唐」斥「宋」者，乃由於「以氣格論詩」；若由時代言詩，則「代有其詩」，不須分疆立壘。且云：「詩盛於唐，至宋元以來，格法始備。論者概以溫柔敦厚，語意含蓄爲法則，不悟《三百篇》亦惟《二南》有之。餘皆非一格矣。」

知其更由「格法」肯定「宋詩」。

(七)楊際昌。楊氏撰有《國朝詩話》，論詩云：「總之，漢、魏、六朝、三唐、宋、元，必難禁其於天地間，隨體別裁，隨時挽救，過分門戶，皆失平心。」（卷二）其以「唐詩」與「宋詩」爲必然的產物，反對宗奉者之分門別戶，轉而強調「隨體」、「隨時」之義，以裁別僞體、挽救風雅。

(八)延君壽。延氏撰有《老生常談》，論詩亦主「性靈」，乃至云：「人人讀書，具有性靈，安有唐、宋之別裁？」所以他認爲「唐」、「宋」之分，僅爲「論其大段不似耳」。強調學者「豈有不讀李、杜、韓、蘇，不見全唐人詩之理。」於「唐詩」、「宋詩」亦皆有所取。

(九)梁章鉅。梁氏撰有《退庵隨筆》，極爲贊同四庫館人標舉《唐宋詩醇》之旨。

(十)朱庭珍。朱氏撰有《筱園詩話》，論詩云：「要之各派皆有所長，亦皆有所短。善爲詩者，上下古今，取長去短，吸收神髓而遺皮毛，融貫衆妙，出以衆化，別鑄眞我，以求集詩之大成，無執成見爲愛憎，豈不偉哉！何必步明人後塵，是丹非素，祧宋尊唐，徒聚訟耶？執一格以繩人，互相攻擊，此弊始於南宋，明代詩人效尤，愈啓爭端。」（卷一）知其以集大成、兼衆長，鎔鑄諸家對治狹義的「唐詩」、「宋詩」之爭，以其皆「執一格以繩人」，永無止休之時。朱氏所最鍾情的作家爲曹植、阮籍、陶潛、謝靈運、李白、杜甫、韓愈、蘇軾，以此八人爲「今古大家，不止冠一代一時。」（卷二）

(土)潘德輿。潘氏撰有《養一齋詩話》，基本上認爲「元不逮宋，宋不逮唐，大彰名著矣。」（卷四）然卻又舉不少宋人近於「唐詩」作品，進而反對「唐」、「宋」之分，反對狹義的「唐詩」、「宋詩」之爭。且稱讚袁枚「唐、宋者，歷代之國號，與詩無異；詩者，各人之性情，與唐、宋無異。」之言爲「雋語解頤，一空蔀障」（卷五）又撰有《養一齋李杜詩話》，知其不滿狹義的「唐詩」、「宋詩」之爭而宗旨所趨在於李、杜。

(十二)闕名。《靜居緒言》有云：「唐詩之高于宋時，猶漢魏之高於唐代，此何待言論！然不知宋詩，焉知唐詩？詩以體裁、格律而別唐、宋乎？若僅於體裁、格律論詩，亦難矣。時人學唐、學宋，標榜門戶，入主出奴，甚而指唐詩之擺脫者嗤爲近宋，宋詩之莊雅者惡其類唐，何異因噎廢食？」雖視漢魏優於「唐詩」、「唐詩」優於「宋詩」爲理所當然，卻不因此而標榜一端，反以狹義的「唐詩」、「宋詩」之爭者爲「因噎廢食」，且於「唐」、「宋」之分的準據有所質疑。

以上諸人以受袁枚及四庫館人的影響較大，論調雖然不一，在創作或品鑒上反對狹義的「唐詩」、「宋詩」之爭則一也。

戊、「同光詩派」的興盛及其詩論（附當時不同主張之各派）

乾、嘉之際，清代的國勢盛極而衰，錢穆先生以其原因有四：㈠帝王精神，一代不如一代。㈡滿族官僚，日益貪污放肆。㈢漢人亦志節日衰，吏治日窳。㈣戶口激增，民間經濟情形轉變。（註一六六）以故乾隆末葉時，民變之事已相繼而起。到了道光年間，內有洪楊之亂、外有中英鴉片戰爭之役，皆幾乎傾覆清室。自是而後，內亂、外患，永無寧日。回應時代之變局，總結清代紛紜的「唐詩」、「宋詩」之爭者，以清季「同光詩派」的興盛，最受矚目。就中，道光、咸豐實已爲之先驅；同治、光緒以迄民初，則爲其大盛之時。與之蘄向不同者有王闓運、樊增祥、易順鼎與南社諸人，其中南社諸人，激詆同光詩派甚烈。然言及清季詩壇，仍不得不以「同光詩派」爲其主盟。

㈠「同光詩派」的興盛及其詩論

清代詩風，至道光、咸豐年間，宗奉「宋詩」，鳴唱時代的悲歌，已成爲主流。《石遺室詩話》卷一載云：「道、咸以來，何子貞紹基，祁春圃寯藻，魏默深源，曾滌生國藩，歐陽磵東輅，鄭子尹珍，莫子偲友芸諸老，始喜言宋詩。何、鄭、莫皆出程春海侍郎恩澤門下，湘鄉詩文字皆私淑江西，洞廷以南言聲韻之學者稍改故步。」此外，如鄧顯鶴、陳沆、龔自珍、金和、江湜等人，詩風亦與「宋詩」爲近（註一六七）。若更細而論之，《石遺室詩話》卷三又據其師承與風格分爲兩派：

1.清蒼幽峭。所師：自《古詩十九首》、蘇、李、陶、謝、王、孟、韋、柳以下，逮賈島、姚合、陳師道、陳與義、陳傅良、趙師秀、徐照、徐璣、翁卷、嚴羽、范梈、揭傒斯、鍾惺、譚元春。

2.生澀奧衍。所師：自《急就章》、《鼓吹詞》、《饒歌十八曲》以下，逮韓愈、孟郊、樊宗師、盧仝、李賀、黃庭堅、薛季宣、謝翱、楊維楨、倪元璐、黃道周等。

前者如陳沆、魏源等人，後者如鄭珍、莫友芝等人，其影響更及於同治、光緒年間。又觀其師承，不難知悉此時雖宗「宋詩」，尚廣泛地兼取漢、魏、盛唐、中唐、晚唐，乃至元、明諸家。即若「宋詩」，除黃庭堅與江西諸人外，亦有兼取四靈、嚴羽，或薛季宣、謝翺，皆非純主「宋詩」所能概括。這也正是此時推尊「宋詩」的運動，在經過紛紜的「唐詩」、「宋詩」之爭後，與前此之宗奉者有所差異的地方。

此時固宗奉「宋詩」，博取諸家，而論詩重點尤在作詩與「學問」、「爲人」二而一之。如鄭珍云：

余謂作者先非待詩以傳。杜、韓諸公苟無詩，其高風峻節，照耀百世，自若也；而復有詩，而復莫踰其美，非其人之爲耶？故竊以爲古人之詩，非可學而能也；學其詩，當自學其人始。誠似其人之所學而志，則性情、抱負、才識、氣象皆其人，所語言者獨奚爲而不似？即不似猶似也。（《鄙亭詩鈔序》，轉引《中國近代文論選》，頁一二五）

所最重者在於人，即人格、人品之謂也。本之而肯定杜、韓諸人及其詩，且標示學習之重點在於「學其人」，使己之性情、抱負、才識、氣象皆同其人，則詩自亦似之，鄭氏甚至說「即不似猶似也」。何紹基也有類似之論，其云：「詩文不成家，不如其已也。然家之所以成，非可於詩文求之也，先學爲人而已矣。」（註一六八）何氏更進而曰：「是則人與文一。人與文一，是爲人成，是爲詩文之家成。……其人之無成，浮務文藻，鏤脂翦楮，何益之有？」（註一六九）已明言人與文二而一之之旨，且大加抨擊徒事吟咏者。於舉世滔滔，朝綱不振之際，標舉如斯，自有回應時代而激濁揚清的作用在。

諸家既重爲人，復重學問，本身皆記醜言博，學術精湛之士（註一七〇）。莫友芝更以此而批評嚴羽云：「聖門以詩教，而後儒者多不言，遂起嚴羽『別裁、別趣，非關書理』之論，由是競出於浮薄不根，而流僻邪散之音作，而詩道荒矣。夫儒者力有不暇，性有不近，則有矣；而古今所稱聖於詩、大宗於詩，有不儒行絕特、破萬卷、理萬物而能者邪？」（註一七一）是以爲人、學問爲準則而批判嚴羽之旨甚明。

同治、光緒年間，承道光、咸豐之詩風與詩論，踵事增華，篇什流布，盛極一時。《石遺詩話》卷一載云：「丙戌在都門，蘇堪告余，有嘉興沈子培者，能爲同光體。同光體者，余與蘇堪目同、光以來詩人，不專宗盛唐者也。」據此文可知，同光之名體當在光緒十二年以前就已開始，本出於陳衍與蘇堪二人之戲稱同治、光緒以來，「不專宗盛唐」之諸詩家而言。到了後來「同光體」已成爲當時宗奉的對象，天下翕然從之，蔚爲流派，此所以後世以「同光詩派」目之。又尤信雄先生說：「因此派作者，非產於閩則出於贛，故又有閩贛派之稱，此派不專主盛唐，以宋詩爲宗尚，而奪譎江西，故又有逕稱爲江西詩派者。」（註一七二）。

「同光詩派」之詩人及孚應者極多（註一七三），其詩論以陳衍最具代表性，有名的「同光體」、「三元說」，皆其起始。他人之論，本於衍者多（註一七四），茲述其論詩大要如下：

㈠總結道、咸論詩之大成，對「詩文合一」加以論定。此有三點可講：

1.人詩合一。《石遺室詩話》卷八載云：「作詩文要有眞實懷抱，眞實道理，眞實本領，非靠一、二靈活虛實文字可此可彼者，斡旋其間，便自詑能事也。」此論和鄭珍、何紹基所言相類似，皆重視

「人」，而抨擊徒事吟咏，炫耀辭藻者。陳氏更認爲作詩非競悅於人、干乎利祿，故仍肯與周旋者，「必其人者賢者也」（註一七五）。

2.學詩合一。人詩要合一，則又須學詩合一。陳氏云：「余生平論詩，以爲必具學人之根柢，詩人之性情，而後才力與懷抱相發越，三百篇之大小雅材是已。今人爲詩，徒取給於漢、魏、六朝、唐、宋諸名家，雖號稱鉅子，主派別，收召俊才，免於風而不雅之憾者蓋寡矣。」（註一七六）由於重「學人之根柢」，所以像莫友芝一樣，陳氏在《瘦唵詩序》也痛詆嚴羽「詩有別材，非關學也。」之言。於此則不管是主「唐」或宗「宋」者，若無學人之根柢、詩人之性情，與詩合一，總不免有憾。《石遺室詩話》卷十四又云：「然不先爲詩人之詩，而逕爲學人之詩，往往終於學人，不到眞詩人境界；學問有餘，性情不足也。」可知陳氏雖強調學問，卻不因此而忽略「性情」，作爲偏勝之說。

3.詩文合一。詩文之異，雖若昭然，然陳氏認爲及其工、及其至，並不可分。陳氏云：「詩者以言情、說理、紀事與文同，而所以言之、寫之、紀之者，與文稍有不同，及其工也，可誦、可讀、又無不同，所以古者鈞謂之文。」（註一七七）《石遺室詩話》卷二十六亦云：「余嘗論古人詩文合一，其理相通，斷無眞能詩而不能文，眞能文而不能詩。自周公、孔子，以至李、杜、韓、柳、歐、蘇，孰是工於此而不工於彼者？」陳氏認爲上至周、孔聖哲，下至李、杜諸家皆爲詩文合一者，由玆以印證己論。

此三點又有嗣續宋人論詩之旨，爲「宋詩」辯護的意義隱涵其間。宋人詩學意識爲「技進於道」，故強調「人」及「治心養氣」、「讀書學問」。而歷來批判「宋詩」，亦多集矢於「以學爲詩」、「以文爲詩」等類之特色。陳氏論詩如是，毋怪乎一般多認爲「同光詩派」是一「宋詩運動」。

(二)標舉「三元」之說，力破「唐」、「宋」之分界。「三元說」爲「同光詩派」有名的論詩之旨，可謂是承之道，咸而特予標舉，以此回應紛紜的「唐詩」、「宋詩」之爭。王蘧常《沈寐叟年譜》之《光緒二十五年》一條，指出此說爲沈增植、鄭孝胥與陳氏所同定。「三元說」之大旨謂詩學莫盛於開元、元和、元祐此三時期，目的則是要說明「唐詩」與「宋詩」的離合關係，進而爲己派辯護。《劍懷堂詩草序》云：

今之人，喜分唐詩、宋詩，以爲浙派爲宋詩，閩派爲唐詩，咎同、光以來，閩人舍唐詩不爲而爲宋詩。夫學問之事，惟在至與不至耳，至則有變化之能事焉，不至則聲音笑貌之爲爾耳。唐人之聲貌至不一矣：開、天、元和、一其人，一其聲貌，所以爲開、天、元和也；開、天之少陵、摩詰，元和之香山、昌黎，又往往一人不一其聲貌。故開、天、元和者，世所分唐、宋詩之樞幹也。廬陵、宛陵、東坡、臨川、山谷、後山、無咎、文潛，岑、高、杜、韓、劉、白之變化也；簡齋、止齋、滄浪、四靈，王、孟、韋、柳之變化也。子孫雖肖祖父，未嘗骨肉間一一相似，壹壺化生，人類之進退由之；況非子孫，奚能刻意蘄肖之耶！天地英靈之氣，古之人蓋先取精而宏矣。取之而不能盡，故《三百篇》、漢、魏、六朝而有開、天、元和、元祐以至於無窮，在爲之至與不至耳。（《石遺室文集》卷九，轉引自《中國近代文論選》，頁三九五）

崇盛唐者專舉開、天，主「宋詩」者力標元祐，陳氏於此則指出元和，以爲「唐」、「宋」之樞幹，聯結唐、宋二代之詩史。如此，由唐至宋，詩歌的發展是連續而非斷裂。宋代的詩家詩派如歐、梅、蘇、王、黃、陳、晁、張固承於元和、開、天諸家，南宋之陳與義、葉適、嚴羽、四靈諸人，亦淵源於彼。分別「唐詩」與「宋詩」本屬不當，又加以抑揚，則更加爲非。尤其責「宋詩」者，全不知其本「學問之事」，至焉而又有變化，以故陳氏屢云「宋人皆推本唐人詩法，力破餘地耳。」（註一七八）可見其打破「唐」、「宋」之分界，而又爲「同光詩派」辯護的立場。

陳衍以「三元說」稱讚道、咸諸家：「欲取道元和、北宋，進規開、天，以得其精神、結構之所在，不屑貌爲盛唐以稱雄。」（註一七九）不僅不屑於貌爲盛唐，亦不屑於徒襲江西之轉韻與拗體（註一八〇），而所重乃在精神、結構，即在於人、詩、學合一。如是，陳氏既總結道、咸年間論詩之大成，對於時代有所回應；復於紛紜的「唐詩」、「宋詩」之爭，有所批判與指正，成爲「同光詩派」鮮明的標幟。

清季除「同光詩派」外，尚有王闓運等之復古派，及樊增祥、易順鼎等之中、晚唐派，雖無法與之抗衡，要亦爲當時另二股不同的詩風。錢基博先生極推崇王闓運此派，所著《增訂本現代中國文學史》云：「清季王闓運崛起，與武岡鄧輔綸倡爲古體，每有作皆五言，力追魏、晉，上闚風、騷，不取宋唐歌行近體。輔綸《白香亭詩》，高秀出湘綺樓之上，闓運自謂學二陸，至陶謝已無階梯可登。而輔綸和陶，冲淡微遠，深嚌神味。衡陽曾熙學詩輔綸，又奉手闓運，述二人教學之法曰：『擬古而已。』蓋以爲六朝詩人，皆有擬古之作；惟其能與古合，斯能與古離也。武陵詞人陳鋭字伯弢，爲闓運弟子，著《裦碧齋論詩》，稱詩中之聖，而自爲詩，初學漢、魏、選體，晚乃脫然自立，思深旨遠，雖時嫌生硬，尚不失爲楚人之詩也。章炳麟，詩不多作，每出一篇韻高格古，欲駕湘綺。其弟子黃侃，五言頗窺庾鮑，皆屬此宗。」（註一八一）述此派流別甚詳，而此派論詩多斥「宋詩」（註一八二）。

辛亥革命前夕，又有以柳亞子爲首的「南社」，聚會彼時不少青年。此派論詩力主「唐詩」，於當時「同光詩派」諸人之倡導「宋詩」則深惡痛絕。柳氏《胡寄塵詩序》云：「論者亦知倡宋詩以爲名高，果作俑於誰氏乎？蓋自一、二罷官廢吏，身見放逐，利祿之懷，耿耿勿忘。既不得逞，則塗飾章句，附庸風雅，造爲艱深以文淺陋。彼其聲氣權勢，猶足奔走一世之士，士之夸毗無識者，輒從和之，衆呴漂山，群盲詫日。後生小子，目不見先正之典型，耳不聞大雅之緒論，氓之蚩蚩，惟捫盤逐臭者是聽；而黃茅白葦之詩派，遂遍天下矣。」（《南社》第五集，轉引自《中國近代文論選》，頁四四五）柳氏又云：「余與同人倡南社，思振唐音以斥傖楚。」（引同上）宗旨可見於斯。

此外，如王韜云：「竊見今之所爲詩人矣，撦撏以爲富，刻劃以爲工，宗唐祧宋以爲高，摹杜範韓以爲能，而於己之性情無有也，是則雖多奚爲？」（註一八三）、朱次琦云：「云何昵門戶，蘧分祖右左。彼我相是非，議論益叢脞？」（註一八四），皆若欲有所調和狹義的「唐詩」、「宋詩」之爭，然與乾、嘉諸人沒有太大的不同，故於此不再詳述。

【附註】

註一：見所著《中國文學批評史》下卷第一篇《總論》，頁八，明倫，民六十三。

註二：見錢穆《國史大綱》第八編第四十六章，頁六九九，臺灣商務，民七十四年十一版。

註三：雲間詩派如陳子龍、宋徵輿、李雯諸人，共同選評《皇明詩選》，當時吳喬已譏之為「七子之遺調」矣。見《圍爐詩話》卷六，頁六六三，收入《清詩話續編》，藝文。

註四：見所著《清代詩學初探》第三章第一節《錢謙益》，頁一二九，牧童，民六十六。

註五：錢謙益《牧齋有學集》卷十七《宋玉叔安雅堂集序》載其「家世與弇州游好。」。又卷三十九《答山陰徐伯調書》載：「僕年十六、七時，……空同、弇山二集，瀾翻背誦，暗中摸索，能了知某紙，搖筆自喜，欲與驅駕，以爲莫己若也。」，上海商務，四部叢刊初編縮本。

註六：錢氏《牧齋初學集》卷三十三《賀中冷淨香稿序》載其與袁中道「尊酒相對，談諧間作」。卷七十五《答唐訓導論文書》及《牧齋有學集》卷三十九《復遵王書》，引中道論詩之語、復贊曰：「賢哉小修（即袁中道），其所見去人遠矣。」錢氏受袁中道的影響，由玆可見。又《復遵王書》載：「僕少壯失學，熟讀空同，弇山之書，中年奉教孟陽（即程嘉燧）諸老，始知改轅易向。」知其亦受程嘉燧的影響。諸書皆上海商務，四部叢刊初編縮本。

註七：見所著《清代文學評論史》第一章《一、錢謙益》，有關詳細論證，可自加參考，玆不詳引。頁七，陳淑女譯，臺灣開明，民五十八。

註八：見所著《列朝詩集小傳》丙集《李副使夢陽》，頁三一一，世界，民五十四。

註九：見所著《牧齋有學集》卷十五《唐詩鼓吹序》，頁一二八，上海商務，四部叢刊初編縮本。

註一〇：吳宏一《清代詩學初探》針對此點而說錢氏「囿於門戶之見」，可加以參看。頁一一七～一一八，牧童，民六十六。

註一一：見所著《牧齋初學集》卷三十二《曾房仲詩敍》，頁三四三，上海商務，四部叢刊初編縮本。

註一二：見《曾房仲詩敍》可知，書與卷數同註一一，頁三四三～三四四。

註一三：錢氏注杜後不久，朱鶴齡亦有注杜之作，二氏更因此而交惡互爭，一般以爲肇因於朱氏引用錢注而不加以註明。二氏之後，研究杜詩之風極盛，《清史稿》卷一百四十八《藝文志》所載箋注之書卽有：仇兆鼇之《杜詩詳注》、楊倫之《杜詩鏡銓》、張溍之《杜詩注解》、許寶善之《杜詩注釋》、顧施禎之《杜工部疏解》、汪灝之《知本堂讀杜》、吳瞻泰之《杜詩提要》、黃生之《杜詩說》、紀容疏之《杜詩疏》、張遠之《杜詩會粹》、盧元昌之《杜詩闡》、吳見思之《杜詩論》、顧宏之《杜詩注解》、江浩現之《杜詩集說》、毛張戒之《杜詩譜釋》、范輦雲之《歲寒堂讀杜》、浦起龍之《讀杜心解》、李文煒之《杜詩通解》、陳之壎之《杜工部詩注》、范廷謀之《杜詩直解》，卽多達二十種之多，頁四三七五，洪氏點校本。

註一四：見所著《列朝詩集小傳》丁集《鍾提學惺附譚解元元春》，頁五七二，世界，民五十四。

註一五：此據錢鍾書《新編談藝錄》之《二九、竟陵詩派》之言。

註一六：見所著《錢牧齋箋注杜詩》之《注杜詩略例》，頁三，臺灣中華，民五十六年臺一版。

註一七：見所著《牧齋初學集》卷三十二《徐元歎詩序》，頁三四〇～三四一，上海商務，四部叢刊初編縮本。

註一八：可參考後文介紹及馮舒、馮班兄弟之處。

註一九：《牧齋初學集》卷三十三《林六長虞山詩序》載：「自余通籍，以至於歸田，海內之文人墨卿、高冠長劍，連袂而游於虞山者，指不可勝屈也。」此其隱立虞山詩派之由來。頁三六三，上海商務，四部叢刊初編縮本。

註二〇：可參考郭紹虞《中國文學批評史》下卷第五篇第二章第二目《牧齋的態度》，及吳宏一《清代詩學初探》第三章第一節《三、錢謙益的論詩態度》。

註二一：當時吳殳已有《正錢錄》之作，到了四庫館人編纂《四庫全書》時，則禁燬其書，《集部總敍》更詆其曰：「顛倒賢奸，彝良泯絕。」，知其受到掊擊甚烈。

註二二：除《詩筏》外，賀氏尚撰有《易觸》、《詩觸》、《掌錄》、《水田居詩文集》，然與本論文關係較少，故不提及，後所述諸人，亦本此原則。

註二三：見《四庫全書總目提要》卷一百九十七・評《原詩》，頁四十八，藝文。

註二四：大陸學者如霍松林有《原詩箋注》、蔣凡有《葉燮和原詩》，國內學者丁履有《葉燮的人格和風格》、王策宇有《「原詩」析論》碩士論文之作。此外，單篇之作尚多，此不詳舉。

註二五：見《四庫全書總目提要》卷一百七十三・評《古懽堂集》，頁三十九，藝文。

註二六：見《南雷文定》前集卷一《張心友詩序》，頁一二，臺灣商務，國學基本叢書四百種。

註二七：見所著《瀛奎律髓序》，收於紀昀之《瀛奎律髓刊誤》一書之卷首，頁四，佩文。

註　二八：如鄧之誠《清詩紀事初編》卷三《許虬小傳》載：「清代論詩率貴宋，云有變化，若漢、魏、六朝，輒以摹擬輕之。」，頁三四四，鼎文，民六十。

註　二九：書同註二八，卷一《許旭小傳》載：「詩格闌入宋元，雄深渾折，誠一時作手。」，頁八一。

註　三〇：書同註二八，卷一《楊炤小傳》載：「少以詩受知于錢謙益，……自謂學樂天、東坡，其實似汪水雲。」，頁九六。

註　三一：書同註二八，卷一《孫奇逢小傳》載：「奇逢詩文，……似爲南宋人所作。」，頁一六〇。

註　三二：書同註二八，卷二《魏禮小傳》載：「自今觀之，……詩則頗近江西宗派。」，頁二二六。

註　三三：書同註二八，卷三《彭定求小傳》載：「詩摹范、陸，多與尤珍唱和，尚不及其警闢。」，頁三四七。

註　三四：書同註二八，卷三《葉方藹小傳》載：「檢學菴類稿哀三公詠作詩法傳夔州，蘇、陸屬其植。」，頁三七七。

註　三五：書同註二八，卷三《董大倫小傳》載：「詩學宋人。」，頁四五一。

註　三六：書同註二八，卷四《史申義小傳》載：「與周起渭並稱，申義學劍南，起渭學眉山，實有工力。」，頁五二三。

註　三七：同註三六。

註　三八：書同註二八，卷五《許夢麟小傳》載：「詩學范、陸、饒有作意。」，頁五七七。

註　三九：書同註二八，卷五《吳苑小傳》載：「苑詩得力於范、陸，格律清整。」，頁五九五。

註　四〇：書同註二八，卷六《唐夢賚小傳》載：「王士禎目爲文似蒙莊，詩似東坡，不免過譽。」，頁六八五。

註　四一：書同註二八，卷七《查慎行小傳》載：「詩學蘇、陸，嘗注蘇詩，甚有體要。」，頁八〇八。

註　四二：書同註二八，卷八《李鍾璧小傳》載：「詩自謂學蘇，與其文俱有才氣，而有時失之槎枒。」，頁九七一。

註　四三：書同註二八，卷八《陳常夏小傳》載：「詩學黃、陳，在其時爲獨具標格。」，頁九八八。

註　四四：《蘇州府志》卷一〇六《顧我鈞傳》載：「詩宗蘇、陸，生新豪放。」，轉引自楊松年《中國文學評論史編寫問題論析》一書，頁二五〇，文史哲，民七十七。

註　四五：書同註四四，卷一〇七《徐達源傳》載：「詩宗楊誠齋，晚年出入山谷間。」。

註　四六：見《湖海詩傳》卷五《諸錦小傳》載：「生平博聞强識，詩法山谷、后山。」頁一〇一，臺灣商務，國學基本叢書四百種。

註　四七：書同註四六，卷十五《翁方綱小傳》載：「詩宗江西詩派，出入山谷、誠齋間。」頁三四九。

註　四八：書同註四六，卷十六《王又曾小傳》載：「作詩專仿宋人，信手拈來，自多生趣。」，頁四〇一。

註　四九：書同註四六，卷十九《黃之紀小傳》載：「詩與宋范、陸爲近。」，頁四八三。

註　五〇：書同註四六，卷二十三《祝喆小傳》載：「詩學山谷老人，疎瘦苦澀，不肯墮尋常逕術。」，頁六〇七。

註　五一：見《清詩紀事初編》卷二《陳子升小傳》載：「入清以後，折而入宋。」，頁三一九，鼎文，民六十。

註　五二：書同註五一，卷三《汪琬小傳》載：「其詩先摹初唐，折而入宋。讀宋人詩，亦是瓣香玉局，配以陸、范。」，頁三四三。

註　五三：書同註五一，卷三《翁澍小傳》載：「其詩初學晚唐，……中年貧落，……始醉心陸、范。」，頁三六七～三六八。

註五四：書同註五一，卷四《龔士薦小傳》載：「詩初學晚唐，後乃學宋，尤篤好東坡。」，頁四四八。

註五五：書同註五一，卷六《曹貞吉小傳》載：「貞吉詩從七子入，世貴眉山、劍南，乃稍變其體。」，頁七一三。

註五六：書同註五一，卷八《梁佩蘭小傳》載：「早歲之作，尚不脫七子窠臼。及交王士禛、朱彝尊，始參以眉山、劍南。」頁一〇〇六。

註五七：書同註五一，卷二《孫枝蔚小傳》，頁一八九。

註五八：書同註五一，卷八《劉榛小傳》，頁九二三。

註五九：書同註五一，卷三《顧嗣立小傳》載：「詩才贍敏，頗擬韓、蘇。」又卷五《阮晉小傳》載：「詩筆力追香山、劍南，稍傷率易。」又卷七《徐嘉炎小傳》載：「詩摹初唐四傑，後乃學韓、蘇。」、《顧永年小傳》載：「餘多學白、蘇，不免率氣。」、《徐焯小傳》載：「詩早年學七子，晚乃折入香山、劍南，盡棄少作。」，此皆韓蘇、白蘇、白陸並稱矣。

註六〇：書同註五一，卷一《朱鶴齡小傳》，頁八五。

註六一：書同註五一，卷二《吳景旭小傳》，頁二八四。

註六二：書同註五一，卷四《莊歆小傳》，頁四七二。

註六三：書同註五一，卷四《張永銓小傳》，頁五〇三。

註六四：書同註五一，卷六《高珩小傳》，頁六八七。

註六五：書同註五一，卷六《謝重輝小傳》，頁七一九。

註六六：書同註五一，卷七《徐豫貞小傳》，頁七九三。

註六七：讀者可參考金榮《漁洋精華錄箋註》之《年譜》，頁一九，臺灣中華，民五十七年臺一版。

註六八：見《帶經堂詩話》卷八《自述下》引《古夫于亭雜錄》，頁七，清流，掃葉山房石印。

註六九：黃景進《王漁洋詩論之研究》第四章第二節《現代學者釋神韻》即羅列了朱東潤、徐亮之、青木正兒、劉大杰、黃維樑、鈴木虎雄、余煥棟、橋本循、慕梵、郭紹虞、劉若愚、林理查（Lynn, Richard John）、王夢鷗、黃永武、陳雨島、許久等諸位先生之解釋，此皆可加以參考，頁八四～九〇，文史哲，民六十九。

註七〇：見《帶經堂詩話》卷四《纂輯》引《居易錄》之言，頁四，清流，掃葉山房石印。

註七一：見所著《王漁洋詩論之研究》，第四章第四節《漁洋之神韻說》，頁一〇五，文史哲，民六十九。

註七二：此段話之所以如此闡釋，乃據王士禎晚年論詩之旨以定義其所謂「神韻」，異乎近代學者先定義「神韻」一辭之意涵，再述其晚年論詩之旨。筆者以為王氏晚年論詩之旨，本以「神韻」為宗，知其旨，自能知其「神韻」。

註七三：《司空表聖文集》卷三《與極甫書》亦載：「戴容州云：『詩家之景，如藍田日暖、良玉生煙，可望而不可置於眉睫之前也』。象外之象，景外之景，豈容易可談哉？」，頁三，臺灣商務，景印文淵閣四庫全書本。

註七四：如《漁洋詩話》卷中載：「律句有神韻天然，不可湊泊者，如高季迪『白下有山皆繞郭，清明無客不思家。』、曹能始『春光白下無多日，夜月黃河第幾灣。』、李太虛『節過白露猶餘熱，秋到黃州始解涼。』程孟陽『瓜步江空微有樹，秣陵天遠不宜秋。』是也。余昔登燕子磯有句云『吳楚青蒼分極浦，江山平遠入新秋。』或庶幾爾。」頁三，收入丁福保輯《清詩話》，藝文。此外，王氏亦常舉詩以言「有味外味」、「作語得三昧」等等用語，亦有助於了解其「神韻」之意涵，此皆可檢閱其書，加以參考。

註七五：見《師友詩傳續錄》載：「問：『《唐賢三昧集》序羚羊掛角云云，即音流絃外之旨否？間有議論痛快，或以序事體為詩者，與此相妨否？』答：『嚴儀卿所謂如鏡中花、如水中月，……熟看拙選《唐賢三昧集》自知之矣！至於議論敘事，自別是一體。』又此書屢云七言古詩「發揚蹈厲、無施不可」、故議論、敘事以此為可。而《漁洋詩話》卷下，亦盛讚李、杜、蘇、黃之七言歌行，皆異於《唐賢三昧集》所標之旨。

註七六：王士禛晚年閉戶讀書，多與張篤慶、張實居往來唱和，門人郎廷槐嘗問三人詩學之問題而有《師友詩傳錄》之作。劉大勤《師友詩傳續錄》以郎錄在前，故稱「續」焉。又二書皆詢及《唐賢三昧集》之種種問題，亦可證其為王氏晚年之作。

註七七：見所著《漫堂說詩》，頁二，收入丁福保輯《清詩話》，藝文。

註七八：徐乾學《憺園文集》之《刑部主事季角汪居墓誌銘》一文云：「（汪懋麟）於詩尤得力，始嘗出入於漢、魏、六朝，以及唐人。猶為未足以盡風雅之變，乃合杜、韓、蘇、陸四家為一集，及宋諸家詩，無不研練揣摩，疲精力於斯。」，頁百一，國朝文會。

註七九：見所著《中國詩的神韻、格調及性靈說》，頁四五，華正，民七十。

註八〇：徐乾學《憺園文集》之《刑部主事孚角汪居墓誌銘》一文云：「余嘗駮之（按指汪懋麟），宋詩第博其旨趣足足矣，不足學。君亦執其說益堅，予亦不能難也。」，頁百一，國朝文會。

註八一：見所著《清代詩學初探》第五章第四節《宋元詩的流行》，頁二〇四，牧童，民六十六。

註八二：此據馮武之《二馮先生評閱才調集凡例》之所言，見《虞山二馮先生評才調集》，宛委堂刊本。

註八三：見馮舒《詩紀匡謬》卷首之引文可知，百部叢書集成——知不足齋叢書。

註八四：見《清詩紀事初編》卷三《錢陸燦小傳》，頁三三〇，鼎文，民六十。

註八五：連極力詆疵方回的紀昀也批評說：「海虞馮氏嘗有批本，曾於門人姚考功左垣家借閱。顧虛谷左祖江西，二馮又左祖晚唐，冰炭相激，負氣詬爭，遂併其精確之論，無不深文以詆之。矯枉過正，未免轉惑後人。」，見其《瀛奎律髓刊誤》之序，頁二～三，佩文。

註八六：可參考蔡英俊《比興物色與情景交融》一書介紹吳喬部份，頁五六～七，大安，民七十五。

註八七：《四庫全書總目提要》卷一百九十六・評《談龍錄》云：「執信爲王士禛甥壻，初甚相得，後以求作《觀海堂集序》不得，遂至相失。」又吳宏一先生指出康熙二十八年，趙執信因「國喪演劇」而罷斥終身，陰中之者爲王士禛。二人交惡，或因此二事。吳氏之言見《清代詩學初探》，頁一九六，牧童，民六十六。

註八八：此據《四庫全書總目提要》卷一百二十二・評《分甘餘話》之語，頁三十六，藝文。

註八九：如《談龍錄》載：「獎掖後進，盛德事也。然古人所稱引，必佳士，或勝己者，不必盡相阿附也。今則善貢諛者斯賞之而已，後來秀傑，稍露圭角，蓋罪謗之不免，烏覩夫盛德！」，頁五，收入丁福保輯《清詩話》，藝文。

註九〇：見所著《答萬季埜詩問》，頁二，收入丁福保輯《清詩話》，藝文。

註　九一：如《四庫全書總目提要》卷一百七十三・評《精華錄》、卷一百九十五・評《詩品》等，皆與趙論相近。頁十八、頁十，藝文。

註　九二：轉引自《國朝耆獻類徵初編》卷百十七，頁三十一，臺灣華文。

註　九三：卷一《顧夢游小傳》載：「其詩清眞絕俗，出于郊島。」，頁三九。鼎文，民六十。

註　九四：卷一《朱㭿小傳》載：「他作多如俊明所稱爲西崑溫麗協律幽奇者。」，頁五二。

註　九五：卷一《吳銘道小傳》載：「詩學韓愈、盧仝，幽深險怪。」，頁一五三。

註　九六：卷二《宗誼小傳》載：「生平萃其力於斯，……（周）斯盛以郊、島擬之。」，頁二五〇。

註　九七：卷三《徐昂發小傳》載：「考證頗有心得，詩學晚唐。」，頁三九一。

註　九八：卷四《錢二白小傳》載：「詩學晚唐，狀物寫情，不爲泛語。」，頁四六四。

註　九九：卷四《楊士凝小傳》載：「詩未成家，頗學溫李。」，頁四六八。

註一〇〇：卷六《岳端小傳》載：「瓣香溫、李，《無題》尤得義山神韻。」，頁六五四。

註一〇一：卷七《陳殿桂小傳》載：「自謂兄金荃而弟丁卯。」，頁七九八。

註一〇二：卷七《丁澎小傳》載：「詩學晚唐，獨無擬古樂府，不盡依雲間矩矱。」，頁八一四。

註一〇三：卷七《沈季友小傳》載：「其詩清麗，近于晚唐。」，頁八四三。

註一〇四：卷七《宋起鳳小傳》載：「其詩逼近晚唐，才豐詞沛，隨物賦情。」，頁八六二。

註一〇五：卷七《游恢小傳》載：「（李來泰）謂其詩具體儲、王，初或間近長吉，晚乃浸入郊、島，不免過譽。」，頁八八七。

註一〇六：卷八《劉友光小傳》載：「詩學晚唐，雖篇章不富，而有極蘊藉纏綿者。」頁九四六。

註一〇七：見所著《薑齋詩話》卷下，頁十一，收入丁福保輯《清詩話》，藝文。王氏論詩、評詩之作有《詩繹》一卷、《夕堂永日緒論內編》一卷、《古詩評選》六卷、《唐詩評選》四卷、《明詩評選》八卷、《詩廣傳》五卷等書，《薑齋詩話》乃合《詩繹》與《夕堂永日緒論內編》二作爲一書。

註一〇八：見所著《古典文藝美學論稿》之《王夫之詩歌理論的歷史評價》，頁四一四，淑馨，一九八九。

註一〇九：見《安雅堂稿》卷二，頁二十三，偉文，民六十。

註一一〇：見《圍爐詩話》卷六，頁六六三，收入《清詩話續編》，藝文。

註一一一：見《四庫全書總目提要》卷一百九十七・評《詩辨坻》之語，頁四十四，藝文。

註一一二：其《秋星閣詩話》作於辛酉年，辛酉即康熙二十年。

註一一三：如鄭方坤即以朱、王二氏「屹然爲南北兩大宗師，比於唐之李、杜，宋之蘇、黃，更千百年而勿之有改也。嗚呼盛矣！」，轉引自《國朝耆獻類徵初編》卷百十八，頁十一，臺灣華文。

註一一四：可參考楊松年先生《中國文學評論史編寫問題論析——晚明至盛清詩論之考察》第二章第二節《詩選詩彙詩論價値之進一步考察》，文中比較《列朝詩集》與《明詩綜》部份，頁三一～五八，文史哲，民七十七。

註一一五：見《四庫全書總目提要》卷一百七十二・評《古懽堂集》之語，頁三十九，藝文。

註一一六：所著《詩義固說》卷下載：「詩有興、比、賦。賦者，意之所託，主也。意有觸而起曰興，借喻而明曰比，賓也。……故余謂詩以賦爲主。」，頁七三八，收入《清詩話續編》，藝文。

註一一七：所著《圍爐詩話・自序》云：「一生困厄，息交絕游，惟常熟馮定遠班、金壇賀黃公裳所見多合。……黃公《載酒園詩話》，深得三唐作者之意，明破兩宋膏肓，讀之則宋詩可不讀。」，頁四六九～四七〇，收入《清詩續編》，藝文。

註一一八：必須指出的是，賀氏之所以如此，並非以中、晚唐優於初、盛唐，而是鑑於古今詩話之偏重初、盛唐，故雖份量輕重有別，卻不能以此代表其論詩立場。

註一一九：賀氏詆斥「宋詩」之語極多，如「宋人口法大家，實競小巧。」、「作詩宜有氣格，不宜有氣質。宋人誤以氣質爲氣格，遂以生硬爲高，鄙俚爲僕。」、「宋人力貶綺靡，意欲澹雅，不覺竟入酸陋。」如斯之類，稍加檢閱《載酒園詩話》即隨手可得。

註一二〇：見所著《載酒園詩話》之《唐宋詩話緣起》一文，頁三九九，收入《清詩話續編》，藝文。

註一二一：見所著《載酒園詩話又編》載：「（溫庭筠）七言古詩，句雕字琢，當其沾沾自喜之作，雖竭其技倆，止於音響卓越，鋪敘藻豔，態度生新，未免美悉浮於外，有腴而實枯，紆而實近、中乾外强之病。」、又載：「義山好作豔詞，多入褻昵之態。」，頁三七二、三七四，收入《清詩話續編》，藝文。

註一二二：《而庵詩話》載：「嚴滄浪以禪論唐初、盛、中、晚之詩，虞山錢先生駁之甚當。」，頁五，收入丁福保輯《清詩話》，藝文。

註一二三：所著《方南堂先生輟鍛錄序》云：「……況篇中諸論以唐人爲歸，吾曹安此不移，即難方駕古人，亦應高出流輩。」可知其宗旨所在。收於《清詩話續編》，頁一九三四，藝文，民七十四。

註一二四：所著《方南堂先生輟鍛錄序》云：「竊謂詩莫盛於三唐，而格律亦莫嚴於老杜，漢、魏、六朝而下，得風人溫厚和平之旨者，舍唐其誰與歸？」可知其宗旨所在。收入之書同註一二三，頁一九三五。

註一二五：見所著《輟鍛錄》，收入之書同註一二三。

註一二六：見所著《小清華園詩談》，收入之書同註一二三。

註一二七：見所著《問花樓詩話》，收入之書同註一二三。

註一二八：見所著《石園詩話》，收入之書同註一二三。

註一二九：見所著《野鴻詩的》，收入丁福保輯《清詩話》，藝文。

註一三〇：見所著《履園譚詩》，收入之書同註一二九。

註一三一：見王昶《湖海詩傳》卷八《沈德潛小傳》之所載，頁一五七，商務，國學基本叢書四百種。

註一三二：除此原因外，該書之編尙有糾正七子末流之弊的用意，觀其《古詩源》之序文卽可知悉。

註一三三：所撰《重訂唐詩別裁集序》卽以《唐賢三昧集》未及杜、韓，故云：「余因取杜、韓語意定《唐詩別裁》，而新城所取，亦兼及焉。」，見《唐詩別裁》之卷首，頁一，商務，國學基本叢書四百種。

註一三四：觀其《說詩晬語》卷下，第三條～八條所載可知，收入丁福保所輯《清詩話》，頁一～二，藝文。

註一三五：書與卷數同註一三四，觀第廿一、廿二、廿五、廿六、廿七、廿八諸條所載可知，頁三～四。

註一三六：讀者可參考簡有儀《袁枚研究》第四章第一節《性靈說》，及司仲敖《隨園及其性靈詩說之研究》第五章～九章，二書皆羅列不少時人解釋之文。文史哲，民七十七。

註一三七：袁宏道主「性靈」之詩觀，讀者可參看前文之介紹。另可參考司仲敖《隨園及其性靈詩說之研究》第五章第二節《性靈詩說之淵源》之所述，頁一〇二～一〇八，文史哲，民七十七。

註一三八：《隨園詩話補遺》卷一載云：「近日有巨公教人作詩，必須窮經讀注疏，詩乃可傳。余聞之，笑曰：且勿論建安、大歷、開府、參軍，其經學何如？只問『關關雎鳩』、『采采卷耳』是窮何經、何注疏？得此不朽之作？陶詩獨絕千古，而『讀書不求甚解』。何不讀此疏以解之？梁昭明太子《與湘東王書》云：『夫六典、三禮，所施有地，所用有宜。未聞吟咏情性，反擬《內則》之篇；操筆寫志，更摹《酒誥》之作。「遲遲春日」，翻學《歸藏》；「湛湛江水」，竟同《大誥》。』此數言，振聾發聵；想當時必有迂儒曲士，以經學談詩者，故爲此語以曉之。」，卽批評翁方綱之以學問代性靈而言，頁五六七，漢京，民七十三。

註一三九：《續古文辭類纂》卷十七《碑誌類》，姚鼐之《袁隨園君墓誌銘》載：「四方之士至江南，必造隨園投詩文，幾無虛日。」又云：「隨園詩文集，上自朝廷公卿，下至市井負販，皆知貴重之。」，皆可見其影響力之大。頁十一～十二，臺灣中華，民五十九臺二版。

註一四〇：見《四庫全書總目提要》卷一《經部總敍》，頁二，藝文。

註一四一：見所著《說文解注序》，收於段玉裁《說文解字注》一書之卷首，頁一，藝文。

註一四二：此處可參考郭紹虞《中國文學批評史》下卷第五篇《清代》之所言，頁六二五～六三二，明倫，民六十三。

註一四三：日人青木正兒因此而認爲翁氏所論「乃幾近於强辯」，實不知翁氏如是之思考模式而有以致之。所言見《清代文學評論史》第七章，頁一三九，陳淑女譯，開明，民五十八。

註一四四：見《復初齋文集》卷四《言志集序》，頁二十七，國立中央圖書館舊鈔本。

註一四五：書與卷數同註一四四，《蛾術篇序》，頁七。

註一四六：書與卷數同註一四二，頁六三三。

註一四七：如袁枚已對之加以譏詆，此點可參看註一三八。

註一四八：見所著《石洲詩話》卷四，收入《清詩話續編》，頁一四二八～一四二九，藝文，民七十四。

註一四九：如《復初齋文集》卷四《貴溪畢生時文序》即云：「吾嘗寶山谷二言，曰：『以古人爲師，以質厚爲本。』三十年來，與天下賢喆論文，不出此語。」，頁十六，國立中央圖書館舊鈔本。

註一五〇：見所著《南雷文定》前集卷一《後葦碧軒詩序》，頁五，商務，國學基本叢書四百種。

註一五一：如《淵鑑類函》、《駢字類編》、《分類字錦》、《子史精華》、《佩文韻府》、《韻府拾遺》及有名的《古今圖書集成》、《四庫全書》等，均屬當時編纂之大型的類書、叢書。

註一五二：據《清稗類鈔》之《獄訟類》所載，可知文字獄之繁多與慘酷，如《莊廷鑨史案》，廷鑨雖已死，尙戮其尸，且誅及其弟廷鉞。舊禮部侍郎李令晳嘗作序，亦伏法，並及其四子。此外，牽連而死者七十餘人，婦女並給邊。類此之例尙多，不待詳舉。臺灣印書館，民五十五臺一版。

註一五三：見所著《國史大綱》第八編第四十三章《狹義的部族之再建（下）》，頁六三三，臺灣商務，民七十四，十二版。

註一五四：此據王建生先生《趙甌北研究》所言，頁三七五，學生，民七十七。

註一五五：此據錢穆《國史大綱》所言，頁六三三，臺灣商務，民七十四，十二版。

註一五六：見《四庫全書總目提要》卷首之《職名》，頁一～二十二，藝文。

註一五七：見《四庫全書總目提要》卷首之《聖諭》，頁三～四，藝文。

註一五八：此據日人青木正兒之考證，見所著《清代文學評論史》，頁九六，開明，民五十八。

註一五九：見所著《忠雅堂文集》卷一《鍾叔梧秀才詩序》，原書未見，轉引自《清代詩學初探》，頁三四三，牧童，民六十六。

註一六〇：見所著《忠雅堂詩集》之《文字四首》詩之四，原書未見，轉引自《清代詩學初探》，頁二四三，牧童，民六十六。

註一六一：書同註一六〇，卷十三《辯詩》，原書未見，轉引自《清代詩學初探》，頁二四三，牧童，民六十六。

註一六二：同註一六一。

註一六三：同註一六一。

註一六四：洪亮吉《更生齋詩集》卷四有《趙兵備翼以所撰唐宋金七家詩話見示率跋三首之詩》，由此可知趙書本無評騭、清三家之作。

註一六五：見所著《趙甌北研究》第二章《趙甌北的時代環境》，頁三七六，學生，民七十七。

註一六六：見所著《國史大綱》第八編第四十五章《狹義的部族政治下之民變》，頁六六一～六六五，臺灣商務，民七十四年，十二版。

註一六七：諸人之詩風，可參考尤信雄《清代同光詩派研究》第三章第二節《道咸之詩家》之所述，師大碩士論文。

註一六八：見所著《東洲草堂文鈔》卷三《使黔艸自序》，國立中央圖書館手稿本。

註一六九：同註一六八。

註一七〇：尤信雄《清代同光詩派研究》載云：「其淹通經學，則有鄭子尹，魏默深；精研許書，則有祁春圃、何子貞、巢經巢；擅長史地，則有程春海、古微堂；通達治理，則有曾湘鄉、祁文端；殫精簿錄，則有莫子偲、何子貞。」足知諸家學術之精湛也。頁五一，師大碩士論文，民五十九。

註一七一：見所著《獨山莫氏遺稿》所收《巢經巢詩鈔》之卷首，國立中央圖書館莫氏手稿本。

註一七二：見所著《清代同光詩派研究》，頁九五，師大碩士論文。

註一七三：尤信雄先生云：「前云同光詩派，有逕稱爲閩贛派，或江西派者。蓋以此派領袖人物，不出於閩則產於贛。如閩縣陳寶琛、鄭孝胥、陳衍，義寧陳三立，皆爲此派之冠冕。而林紓、葉大莊、沈瑜慶、嚴復、張元奇、江翰、林旭、夏敬觀、李宣龔、胡思敬、楊增犖、桂念祖、梁鴻志、胡朝梁等足以羽翼之。沈增植、袁昶、梁鼎芬、范當世、趙熙、羅惇曧、陳增壽諸子，則以他籍作桴鼓之應。沈子培浙江嘉興人，袁爽秋浙江桐廬人，梁節庵廣東番禺人，范伯子江蘇南通人，趙堯生四川榮縣人，羅掞東廣東順德人，陳仁先湖北蘄水人。此數子者，多荊揚嶺南之產，而不著籍閩贛，惟其詩則確與閩贛派沆瀣一氣，實大聲宏，並垂天壤。」，可知同光詩人及乎應者極多。尤氏之言見其《清代同光詩派研究》，頁一一五，師大碩士論文。

註一七四：如《侯官陳石遺年譜》光緒廿五年一條，即指出沈增植論詩多本於衎，頁十二，廣文，民六十。
註一七五：見所著《石遺室文集》卷九《何心與詩序》，轉引自《中國近代文論選》，頁三八七，木鐸，民七十一。
註一七六：轉引自《清代同光詩派研究》，頁一一二，師大碩士論文，民五十九。
註一七七：見所著《詩學概論》，轉引自《清代同光詩派研究》，頁一一一，師大碩士論文，民五十九。
註一七八：見所著《石遺室詩話》卷一，頁四，商務，民五十臺一版。
註一七九：轉引自《清代同光詩派研究》，頁四八，師大碩士論文，民五十九。
註一八〇：可參考《清代同光詩派研究》，頁一六〇，師大碩士論文，民五十九。
註一八一：見該書上編《古文學》，頁一七八，文學出版社，臺灣來來書局翻印。
註一八二：如王闓運《爲陳完夫論七言歌行》即云：「……韓愈入議論矣。若無才思，不足運動，又往往湊韻，取　鈎奇，其品益卑，駸駸乎蘇、黃矣。」，譏詆之意甚明。錄自《國粹學報》第二十二期，頁八，文海。
註一八三：見所著《弢園文錄》外編卷七《蘅花館詩錄自序》，原書未見，轉引自《中國近代文論選》，頁十六，木鐸，民七十一。
註一八四：見所著《朱九江先生集》卷三《答談太學子粲見詒四十五韻》，原書未見，轉引自《中國近代文論選》，頁一三七，木鐸，民七十一。

小　結

本章所述，簡要地歸結如下：

㈠「唐詩」、「宋詩」之爭的發展史，從唐初以迄清末，自然地形成基礎與蘊釀期、江西詩派主導期、盛唐詩主導期、及百家爭鳴期此四個時間段落。

㈡從唐初以迄北宋末，約五百多年時間，「唐詩」與「宋詩」此二典範陸續地形成，且唐人已有不少選輯唐代的詩作而具體表現了對「唐詩」此一概念的思考，成爲「唐詩」、「宋詩」之爭的重要基礎。尤其在「宋詩」的形成過程中，與「唐詩」有著辯證的關係，又反映了「唐詩」、「宋詩」之爭的端倪。再加上論者直接表述的言論，北宋人學古與創新聯貫並進，以及「技進於道」的詩學意識等等，都蘊釀了日後的「唐詩」、「宋詩」之爭。

㈢從南宋初以迄元初，約一百多年，詩壇以崇尚「宋詩」爲主，尤其是江西詩派，始終居於主導的地位。該派排斥晚唐極峻，有時亦對盛唐不滿。慶元、嘉定之前，詩家與論者雖有種種修正的思想，然與之的淵源皆不淺。慶元、嘉定時，學習晚唐之姚合、賈島的永嘉四靈興起，江西與四靈之爭遂爲此一時期「唐詩」、「宋詩」之爭的主要型態。之後，又有江湖詩人盛行，有些淵源於四靈，有些則批評四靈或江西詩派。此外，又有嚴羽與方回，一合「興趣」與「妙悟」而標舉盛唐；一合「格」與

「一祖三宗」之說而維護江西，二氏皆立論謹嚴周密，允稱詩論界之大家，尤其値得重視。金源詩風則以受蘇軾的影響最大，黃庭堅與江西詩派次之，論者甚且於蘇、黃優劣有所爭執。元好問總結了金源之詩風與詩論，於唐、宋二代之詩皆有所抑揚，不偏主一端。

㈣從元初以迄明末清初，約三百多年，開始時元人兼重盛唐與晚唐，之後，明初純然標舉盛唐，進至前後七子主「詩必盛唐」，極端排斥「宋詩」。前後七子又標榜「摹擬」，方便初學，影響籠罩詩壇最盛且最久。此時，肯定「宋詩」爲一微弱的呼聲。萬曆中期，公安派興起，袁宏道以「性靈」與「時變」激烈地爲「宋詩」辯護、批判七子。其後竟陵派矯公安之弊而起，形成明末與七子爭雄的局面。竟陵亦主「唐詩」與「古詩」，惟其不重「摹擬」而重「幽深孤峭」的「精神」。

㈤從清初以迄清末民初，將近三百年，論者紛繁，諍辯極熾。順治、康熙時，前有錢謙益帶動「宋詩」興盛，後有王士禛《唐賢三昧集》之選，促進「神韻」之「唐詩」流播。錢、王之外，有兼肯定「唐詩」、「宋詩」，進而爲「宋詩」辯護者；又有標舉「宋詩」，編纂「宋詩鈔」者，直接影響了「宋詩」之盛。此外，又有推尊晚唐、承續或排斥七子之推尊盛唐、及推尊有唐一代者諸人。乾隆、嘉慶時，詩家與論者大多批判狹義的「唐詩」、「宋詩」之爭，成刻意與之劃清界限，或進而主折衷、調停之說。尤其以沈德潛、袁枚、翁方綱、及四庫館人最具代表性，其中袁枚與四庫館人之主張影響當時甚鉅，翁方綱則有啓後來的「同光詩派」。道光、咸豐以迄民初，清代國勢日漸衰頹，內亂外患相繼不斷。回應時代之變局，總結「唐詩」、「宋詩」之爭者，以「同光詩派」最爲代表。該派隱與於道光、咸豐之時，大盛於同治、光緒年間，詩風與「宋詩」爲近，詩論則一方面特重作詩與學問，爲人二而一之，文與詩二而一之；另一方面則標舉「三元」之說，以開元、元祐爲詩之極盛，力破「唐」、「宋」之分界。彼時雖亦有蘄向與之相左者，要之，皆不足以與之鼎立相抗。

㈥「唐詩」、「宋詩」之爭每一時間段落間的銜接，自微觀的立場而言，乃因於少數人之自覺地承襲或批判前代之詩歌思想，進而逐漸地開創了一嶄新的局面。自宏觀的立場而言，「唐詩」與「宋詩」此二典範之形成與被推崇各有著自身的發展的軌迹，此二軌迹同時並進於中國的詩史與詩歌批評史，成爲一連續不斷之歷程；劃分時間段落，只是凸顯時代橫斷面的特色，並不意味其前後斬絕。「唐詩」與「宋詩」之爭正是在這種隱、顯，虛、實交互的辯證關係中往前進展。

第四章 「唐詩」、「宋詩」之爭的檢討

小 引

本章擬從文學理論的角度，對「唐詩」、「宋詩」之爭加以檢討。在前章的歷史概述裏，我們著重於描寫歷史的實然現象，逐代逐家地介紹重要之論者的主張與理論。由於行文採述而未評的方式，難免予人有百家雜陳，莫見共同面對之詩學問題的印象。此所以在前章的歷史概述之後，亟有待於進一步檢討的必要。

綜觀「唐詩」、「宋詩」之爭複雜的歷史，可知其所涉及的層面極爲廣泛。自然地，檢討的進路有諸多不同的選擇。不管是從心理學、社會學，或文化學任何一個角度來探索此一問題，我們都可以十分肯定其價值與意義。惟我們目前所欲處理者，爲其文學理論上的問題。事實上，數百年來，我國的詩史與詩歌批評史幾乎就是圍繞此一爭辯而逐漸地往前發展。諸家遞爭軌轍，分派詩歌，亦莫不與其文學理論有著或多或少的關係。

爲使本文之檢討集中在文學理論的領域裏，我們將先排除與此一爭論關係不大者，如下列三項即

是：

1. 純爲文學的外部層面因素者。如李東陽、李夢陽的氣節問題，趙執信對王士禎所作的人身攻擊等等。

2. 詩家之具體創作實踐所反映出來的思想，並無異於論者所提出來的主張，如衆多追隨風氣而師「唐詩」，或法「宋詩」者都是。

3. 論者強爲爭辯，並無太大的理論意義者。如雷淵與王若虛之爭黃庭堅「猩猩毛筆」詩的優劣，毛奇齡與汪懋麟之爭蘇軾「鴨先知」、「鵝先知」詩的優劣等等。

凡此，固然都是「唐詩」、「宋詩」之爭中的歷史事實，有其實際的影響和意義，而爲敍述歷史時所不得忽略的部份。然就文學理論的角度而言，卻不具有太大的意義。以故下文在進行檢討時，將略此不論。

此外，歷史發展的過程中，有些思想往往重複而不變地出現，如「唐詩主於性情，宋詩主於議論」之類，我們將舉其一以概其餘，不再逐一介紹，以避免冗贅。同時，在遇到前章介紹過之理論時，我們也將儘量精簡地表述，或直接評其得失，以減少行文的重複。

純就文學理論的領域而言，諸家思想雖複雜多端，莫衷一是，卻大抵不離「品鑑論」、「詩史論」和「學習創作論」此三範疇。其中「品鑑論」指論者持著某種判準，進而爲「唐詩」與「宋詩」的優劣而爭。此中涉及到如何理解「唐詩」與「宋詩」的眞實全貌，同時合理地加以評價之問題。「詩史論」指其抱持某種（或顯或晦）史觀，進而為描述與評價唐、宋二代的詩史而爭。此中牽涉到如何公允地看待及評價唐、宋二代的詩史？及諸家史觀的優劣如何？「學習創作論」則有糾正時弊，指導與規範當時創作方向的企圖。主要針對「如何作好詩？」此一問題而發，究竟學「唐詩」或學「宋詩」或二者皆學？具體的入手途徑何在？妙悟或讀書、窮理？規模前人格調或隨個人性靈流露？此中論者於「品鑑論」和「詩史論」二範疇裏的主張，往往就是其「學習創作論」的理論根據。

「品鑑論」、「詩史論」與「學習創作論」，是文學理論裏的三個不同範疇，彼此間的關係固然極為密切，所欲探究與解決的課題卻畢竟有別。我們認為諸家思想，惟有先立於同一範疇的基礎上，始有進一步加以比較與檢討的可能。這也就是為什麼我們要先釐清此三範疇的原因。當然，如此一來，同一人所論也就可能在不同範疇裏重複出現，而其所論之得失，也可能在不同範疇裏有著相異的評價。

底下即依「品鑑論」、「詩史論」、「學習創作論」之次第，進行我們對「唐詩」、「宋詩」之爭此一問題的檢討。

第一節　品鑑論

在「品鑑論」的範疇裏，諸家爭執的焦點是：「唐詩」與「宋詩」相較，孰優孰劣？

本文所謂的「品鑑」，是指品評與鑑賞合一的批評活動，亦即強調論者兼合讀者與批評者的身份。

之所以要特別使用這個名詞，乃因讀者之鑑賞活動，往往可以是「內行看門道，外行看熱鬧」，不管內行、外行，皆可以各抒己見，漫無定準；而批評者的品評活動，亦往往可以是持一套抽象的詩學理論，進而第其甲乙、評其工拙，不顧作品存在的客觀事實。歷代諸家之看待「唐詩」與「宋詩」，實兼合此二項活動，不偏一端。亦即其鑑賞時，不徒抒己之見而已，必進而比較優劣、品評得失；而品評時，其判準的來源則在於平日之鑑賞實際作品，進而對之加以反省、歸納的結果。所以我們進行檢討時，除須注意其理論外，尚須檢覈實際作品。此二者合，故名曰「品鑑」。

論者品鑑「唐詩」與「宋詩」有兩種不同的立場：即「一般工拙論」與「辨體論」。「一般工拙論」指其純以工拙抑揚作品，好詩就是好詩，壞詩就是壞詩，判然分明。「辨體論」則爲承於漢、魏、六朝的「文體論」（註一），指論者後驗反省前代的作品，歸納諸多個別作家、作品的特色，以形成一具概括性、可爲原則的「體式」。此體式超越於個別作家與作品之上，具有理想的審美特質和藝術形相，而爲詩歌的美學典範和品鑑的判準。此一判準超越於一般工拙之上，成爲論者優劣「唐詩」與「宋詩」的根據。例如嚴羽所說的「興趣」，一方面是他所標舉爲典範的盛唐詩歌的藝術特質，另一方面也是品鑑詩歌之優劣的判準。「以文字爲詩，以議論爲詩，以才學爲詩」的「宋詩」雖工，然不具「興趣」的藝術特質，故較之盛唐，其評價遂有天壤之別。要之，論者有見於時代詩風之弊，往往立於辨體論的立場提倡體式、標舉典範，以疏導當時的詩學意識。也由於其立場，論者優劣「唐詩」與「宋詩」明顯地呈現出強烈的排斥性，是丹而非素，論甘而忌辛，作爲懲羹吹齏之論，遂招來許多反駁的意見。反駁者有時喜歡立於一般工拙論的立場，作爲折衷、調停之說。然其說深淺不一，有時乃至毫不相干，都有待於我們對之作進一步的檢討。

不管立於何種立場，論者優劣「唐詩」與「宋詩」，往往有個人主觀的一面，或隨性情之所近，或因風會之所趨，論者以爲好詩、以爲典範者，永遠可以是「唐詩」、或「宋詩」、或二者皆是，或其它，也永遠可以各是其所是、各非其所非，並立而無礙。不惟如此，即使是以「唐詩」（或「宋詩」）爲好詩、爲典範者，亦可因各人主觀的偏好，而有各式各樣不同的表現。以「唐詩」選集爲例，令狐楚尚富贍，《御覽詩》所錄皆富贍之作；元好問尚高華，《唐詩鼓吹》所錄即多高華之篇；七子尚香色流動，《古今詩刪》所錄即多香色流動之製；竟陵尚幽深孤峭，《詩歸》所錄即多幽深孤峭之作；王士禎晚年尚神韻，《唐賢三昧集》所錄即多神韻之詩。形形色色，不勝枚舉。豈惟「唐詩」選集而已，「宋詩」選集，及諸家之標舉「唐詩」、標舉「宋詩」，莫不如此。

然而諸人之所以優劣「唐詩」與「宋詩」，乃至於有所爭議，本來就是一求是求非之公論的表現。優「唐」者（或優「宋」者），每以自己所選、所論始代表了眞正的「唐詩」（或「宋詩」），進而以此爲準則，指責他人所選、所論之「唐詩」（或「宋詩」）爲謬，指責「宋詩」（或「唐詩」）爲非。斯皆顯示了在主觀意義之外，尚有一眞實的全貌，足爲諸人蘄向之所依，同時也是針砭他人長短得失的準據。此外，唐、宋二代（乃至更早以前）的作品，至今仍可得而見，文獻俱在的客觀事實，亦令人不能加以否認或抹殺。正由於諸家優劣「唐詩」與「宋詩」不徒主觀之意義而已，所以我們始有對之作進一步檢討的可能。

底下我們將先整理諸家優劣「唐詩」與「宋詩」的各種意見，以期能指出爭論的焦點問題，然後再作進一步檢討的工作。

甲、問題的整理

南宋以降，「唐詩」、「宋詩」作品皆已形成，論者品鑑二者，進而有所優劣，亦未曾斷過。然而就整個詩史與詩歌批評史看來，「唐詩」被推尊與接受的程度，遠較「宋詩」來得普遍而深入。即使將「宋詩」歸屬第一義的江西詩派，亦往往以已派承於盛唐之李、杜（如呂本中）、或「唐詩」之冠的杜甫（如方回），足以和其前後輝映爲榮。明、清之標舉「宋詩」者，也不過是想將之提高到與「唐詩」同等的地位罷了。反觀標舉「唐詩」者，有時只一味地賞讚「唐詩」，對「宋詩」則三緘其口；而更常的是強烈地加以排擊，目爲「詩道之一厄」、「有韻之文耳」，以其爲風雅罪人，或根本不以之爲詩。「唐」、「宋」優劣的爭端，大牛由斯而起。

歷代明顯地優「唐」劣「宋」者，至少有下列六路思想：

1. 四靈、部份江湖詩人一路。其品鑑判準爲「以浮聲切響單字隻句計巧拙」，所尊爲晚唐的姚合、賈島、許渾之律詩一體。此路可以趙師秀《衆妙集》、《二妙集》爲具體的代表。

2. 嚴羽一路。其強調吟咏情性爲詩歌的本質，品鑑判準爲「興趣」，所尊爲漢、魏、晉、盛唐之詩，尤以李、杜爲最高典範。此路可以《滄浪詩話》爲代表。

3.李東陽之茶陵派一路。其品鑑判準爲「天眞興致」和「法度音調」，所尊爲漢、魏、盛唐諸家。此路可以《麓堂詩話》爲代表。

4.前後七子一路。其品鑑判準爲「比興錯雜」、「香色流動」的「調」，尤以「詩必盛唐」的口號著稱。此路可以李攀龍《古今詩删》爲具體的代表。

5.王士禎晚年一路。其品鑑判準爲性情、興會與詩境融爲一體的「神韻」，所尊偏於王、孟平淡之類的作品，傾向於絕句一體。此路可以王士禎《唐賢三昧集》、《唐人萬首絕句選》爲具體的代表。

6.馮舒、馮班、吳喬一路。其品鑑判準爲「比興」，尤重其中興諷寄託之意。所尊以李商隱爲主，特別是他的《無題》諸詩。此路可以吳喬《西崑發微》爲具體的代表。

此六路外，矯公安、七子之弊而起的竟陵派，品鑑之判準爲「幽深孤峭」的「精神」，所尊爲古詩與「唐詩」，《詩歸》一書爲其具體的代表。公安爲「宋詩」辯護，竟陵則爲古詩與「唐詩」辯護。就歷史事實而言，似有優「唐」劣「宋」之意。就理論而言，卻罕見其排擊「宋詩」之言，譚元春甚至極爲推崇蘇軾的詩。又沈德潛雖譏「宋詩近腐」，卻又自言「未嘗斥宋」。而他標舉「唐詩」的判準，大抵不離所舉六路之思想。至若有元一代，明初的林鴻、高棅、三楊臺閣，清代主有唐一代之詩者，皆只見其標舉「唐詩」，罕有反對「宋詩」之論。凡此，皆未列入。

此六路思想，雖皆共同詆斥「宋詩」，然而卻對於彼此所選、所論的「唐詩」有所反省、修正與批判。嚴羽批判四靈云「一時自謂之唐宗，不知止入聲聞辟支果，豈盛唐諸公大乘正法眼哉！」李東陽推尊「唐詩」，較之嚴羽明顯地多了形式技巧的「法度音調」部份。前後七子亦較嚴羽多了「香色流動」部份。王士禛批判前後七子「自命高華、自矜壯麗，按之其中，毫無生氣」。所以才有《唐賢三昧集》的編選，目的是要「剔除盛唐眞面目與世人看」。到了馮舒、馮班、吳喬諸人，則對前述諸家，指責殆盡。指嚴羽「漫漶顚倒」，詆七子「牛㖃驢鳴」，譏王士禛「清季李于鱗」。諸家遞爭軌轍，分辨是非，有時更比優劣「唐詩」與「宋詩」爲激烈。

明、清之標舉「宋詩」者，亦往往藉此批判諸家所選、所論非眞正的「唐詩」，進而提出「宋詩」與所謂眞正的「唐詩」之間的淵源、變化的關係，以此認爲「宋詩」足以與眞正的「唐詩」並立，優於此六路所謂的「唐詩」。如黃宗羲即有四靈的「唐詩」、嚴羽的「唐詩」、七子的「唐詩」之分，而認爲俱不如「宋詩」近於眞正的「唐詩」。吳之振則以嘉隆後的「唐詩」非唐宋人的「唐詩」，只有唐宋人的「唐詩」才是眞正的「唐詩」。進而認爲「宋詩」神奇地變化眞正的「唐詩」，優於嘉隆後的「唐詩」。同光詩人亦以嚴羽、七子所論未得「唐詩」的精神結構，而大力加以批判。凡此，皆指向如何理解「唐詩」之眞實全貌的問題。這不但是此六路優「唐」劣「宋」之思想的前提而已，也是「唐詩」、「宋詩」之爭中明顯的焦點之一。

姑不論「唐詩」客觀意義的問題，此六路思想，除四靈，部份江湖詩人一路乃立方一般工拙論的立場外，其餘五路均立於辨體論的立場，懸各自認為的「唐詩」爲典範，標舉其體式。六路思想皆以「唐詩」爲評價的準據，進而大力批判「宋詩」。諸家的批判詳略不侔，大抵針對兩個部份：㈠詩歌的本質問題。㈡詩歌藝術的特質及其形相問題。

就詩歌的本質問題而言，除四靈、部份江湖詩人一路未有明顯的言論外，嚴羽、李東陽、前後七子，王士禛晚年四路皆以有所興致、吟咏情性界定詩歌的本質，亦即所謂「主於性情」的說法。二馮、吳喬一路，雖以言志傳統之道德實用功能界定詩歌的本質，然此一傳統本不廢詩歌主於性情的一面，所謂「發乎情，止乎禮義」者也，亦重視詩歌吟咏性情的特性。因此，諸路思想幾乎同聲撻伐「宋詩」違背了詩歌主於性情的本質。嚴羽說：「且其多務使事，不問興致，用字必有來歷，押韻必有出處，讀之反覆終篇，不知著到何處。其末流甚者，叫噪怒張，殊乖忠厚之風，殆以罵詈爲詩。詩而至此，可謂一厄也。」（《滄浪詩話．詩辯》）、李東陽也說：「唐人不言詩法，詩法多出宋，而宋人於詩無所得。所謂法者，不過一字一句對偶雕琢之工，而天眞興致，則未可與道。」（《麓堂詩話》）二氏皆指出了「宋詩」過份重視使事、用字、押韻等類語言形式技巧。嚴羽痛責「宋詩」的末流作品只是叫噪罵詈的情緒衝動而已。李夢陽則謂：「宋人主理作理語，於是薄風雲月露，一切剷去不爲；又作詩話教人，人不復知詩矣。詩何嘗無理，若專作理語，何不作文而爲詩邪？」（《空同集》卷五十一《缶音序》）以宋人主理作理語，正與主於性情的詩歌本質對揚，故譏其近於文而不似詩。由是李夢陽《方山精舍記》更云：「宋無詩。」（《空同集》卷四十八）皆由於他認爲「宋詩」違背了詩歌主於性情的本質，以故有此激切的話語。

就詩歌的藝術特質及其形相問題而言，諸家批判「宋詩」大抵有三點：㈠忽略了聲、律、字、句運用精妥的藝術特性。此以四靈、部份江湖詩人一路爲主，主要是針對「宋詩」賣弄才學、飽掉書袋之弊而發。㈡缺乏含蓄、蘊藉之藝術特質。諸家所責，大多集矢於此。嚴羽說：「近代諸公乃作奇特解會，遂以文字爲詩，以才學爲詩，以議論爲詩，夫豈不工，終非古人之詩也，蓋於一唱三歎之音，有所歉焉。」（《滄浪詩話・詩辯》）雖承認「宋詩」做得工、做得好，奈何不符「一唱三歎」之含蓄、蘊藉的藝術特性，故非詩之「本色」，非詩之「當行」，而有遺憾。又如吳喬批評「宋詩」：「惟賦而少比興，其徑以直，如人而赤體。」（《圍爐詩話》卷一）、王士禎亦批評云：「宋詩主氣，故多徑露，此其所以不及（唐詩）。」（《師友詩傳續錄》）亦皆疵議「宋詩」缺乏含蓄、蘊藉之藝術特性。㈢不具豐腴、暢茂之藝術形相。此以前後七子一路爲主，李夢陽論詩既重「香色流動」的藝術形相，附和者自亦不例外。胡應麟云：「宋人專用意而廢詞，若枯枿槁梧，雖根幹屈盤，而絕無暢茂之象。……大抵宋諸君子，以險瘦生硬爲杜，此一代認題差處。」（《詩藪》外篇五），清初吳之振形容當時宗奉七子者云：「群奉『腐』之一字以廢全宋之詩。」（《宋詩鈔序》）不管是「枯枿槁梧」、「險瘦生硬」或「腐」，皆指其不具豐腴、暢茂之藝術形相而言。

諸家批判「宋詩」，明顯地造成下列二項事實：㈠一些詩學之重要觀念的對立，如詩與文，情與理，性情與學問、議論或詩法，比興與賦，含蓄蘊藉與徑直發露等等之類。諸家立論，往往就是憑藉著如斯的對立，以爲優劣「唐詩」與「宋詩」的依據。㈡由於有些論者排擊「宋詩」極爲激烈，幾欲將之趕出詩國的領域外，加之其有影響風會之力，遂惹起歷代許多詩家與論者的反彈。此中尤以嚴羽「詩有別材，非關書也；詩有別趣，非關理也」、與李夢陽「宋無詩」二語，最爲聚訟的淵藪。爲「宋詩」辯護之諸家，即有不少人針對此二語而發，且更及於「詩史論」與「學習創作論」二範疇內。

爲「宋詩」辯護，或理論、主張異於優「唐」劣「宋」者極多，其思想亦頗爲紛雜。我們根據其肯定「宋詩」的程度，大略排次如下：

1. 仍推尊「唐詩」，但不全盤否定「宋詩」。

1.1 宋代有些詩近於「唐詩」，值得加以肯定，主此說者，如潘德輿。

1.2 宋代有些佳篇好詩，足以與「唐詩」匹體，主此說者，如楊愼、謝榛。

2. 主「唐詩」工者什六七、「宋詩」工者什三四，意欲加以折衷，如李重華。

3. 主「宋詩」與「唐詩」無別，進而反對對二者的優劣。

3.1 主一代之中與一人身上往往同時兼有「唐詩」與「宋詩」之作，進而反對其區分與優劣，如吳雷發。

3.2 主人人有性靈（或性情）之說，認爲詩只論工拙、不論唐宋，如袁枚、蔣士佺。

3.3 主宋代諸大家皆淵源於唐之杜甫、韓愈，進而反對「分唐、宋而二之」，如田雯。

4. 主「宋詩」與「唐詩」既有淵源關係，復又有所變化，自成面目，而較之優「唐」劣「宋」者所謂的「唐詩」，更近於眞正的「唐詩」，如黃宗羲、吳之振、同光詩派。

5.主「宋詩」有其藝術特性，足以與「唐詩」鼎立抗衡。

5.1肯定「宋詩」有頗造前人未嘗道處之妙，尤指黃庭堅之詩，如陳巖肖。

5.2肯定「宋詩」格法大備的特色，如方熏。

5.3肯定宋人讀書學問之博富、研理論事之精審，以其俱現於詩而加以肯定，如翁方綱，尤尊黃庭堅與江西詩派。

5.4肯定宋人主體才性所涵括之才力、識解、學問、胸襟等等之類，以其能卓然自立而於詩中充份流露出來，自具面目，自有「本色」，如袁宏道、賀貽孫、葉燮、四庫館人，所尊以蘇軾爲主。

6.主優「宋」劣「唐」之說者

6.1以江西諸子足以與李白、杜甫鼎立爭雄，而高過其他唐人之作，如呂本中。

6.2奉杜甫爲至尊，認爲「宋詩」承之而優於其他唐人之作，如陳與義、許尹、方回等人。

除此之外，大多數有名的詩家，其具體之創作實踐往往出「唐」入「宋」，不偏一端，亦反映了與優「唐」劣「宋」迥異的思想。我們基於其理論意義不大的因素，未加以列入。

今日看來，1.1、1.2之說，除具有糾正李夢陽所云「宋無詩」之類過激之語的弊病外，對於反駁其他優「唐」劣「宋」之思想，並無任何效用。如嚴羽亦承認宋代有些近於「唐詩」之作，値得肯定，値得採取。亦知道「宋詩」有做得工者，然不符其興趣之旨，仍加以貶抑。故若持1.1、1.2之意見來反駁類乎嚴羽之論，就顯得不大相干了。3.1之吳雷發所言，一代或一人之中往往兼有「唐詩」與「宋詩」二者之作，固然是事實，卻無法因此而否定二者有區別及優劣的另一事實。3.2之袁枚、蔣士銓所論，本文第二章第二節《「唐詩」、「宋詩」之爭的前提》裏，即曾批判此等說法僅就詩歌的必要條件——即每人所具的性靈（或性情）立論，並未考慮到「唐詩」之所以爲「唐詩」、「宋詩」之所以爲「宋詩」的其它條件。3.3田雯指出的淵源固然不誣，但有淵源關係，亦可能有所變化（4.裏之諸人即指出此一事實），淵源並不能泯合本質的區分與優劣。

此中2.提示了立於一般工拙論之立場，其品鑑結果與辨體論之立場者殊異。由此二立場之品鑑「唐詩」與「宋詩」的優劣，孰得孰失，是一個值得深入思考的問題。惟李重華並未具體說明其工拙的標準何在？及「唐詩」與「宋詩」那些爲工？而那些爲拙？不免過份簡略，令人難以掌握其意。

4.5.6.諸家皆大力肯定「宋詩」，處處與優「唐」劣「宋」者所論呈現一對反的思想，尤其值得加以注意。優「唐」劣「宋」諸家往往強調詩與文、情與理、性情與學問等等之類的對立，由此撻伐「宋詩」，4.之同光詩派則力陳人品、學問、詩歌、文章合一之論，極力打破對立之說，進而爲「宋詩」辯護。優「唐」劣「宋」者疵議「宋詩」之作奇特解會、言法而不知興致、以才學爲詩、主理作理語之類，5.1 5.2 5.3則正由其前人未嘗道處、格法大備、學問研理之博富而精審加以肯定。彼所卑者正此所推尊，評價之懸殊若是，不能令人無惑。優「唐」劣「宋」者又多集矢於「宋詩」之缺乏含蓄、蘊藉之理想的藝術特性，5.4之袁宏道則盛稱其「于物無所不收，于法無所不有，於情無所不暢，於境無所不取，滔滔莽莽，有若江河。」之特色。可知二者所認定之理想的藝術特性，幾乎完全相反。對於理想的藝術形相之認定亦然，6.2的方回以「格高」論詩，標舉「瘦硬枯勁、一幹萬鈞」之風格爲典範，正是要超越於語言文字的工麗之上，優「唐」劣「宋」者卻由此病其缺乏豐腴、暢茂之藝術形相。凡此，雙方明顯的對立，孰是孰非乎？其或是也？其或非也？其俱是也？其俱非也？

犅略言之，此諸家所論大抵指向一共同問題：即如何理解「宋詩」的眞實全貌，同時合理地加以評價？這也是「唐詩」、「宋詩」之爭中明顯的焦點之一，甚至可以說是最亮的焦點、最爭執不休的問題。

綜上所述，可知諸家於品鑑論的爭執中所指向的問題有二：㈠如何理解「唐詩」的眞實全貌？㈡如何理解「宋詩」的眞實全貌，同時合理地加以評價？

底下即針對此二問題進行我們的檢討工作。

乙、問題的檢討

一、如何理解「唐詩」的眞實全貌

㈠

歷代標舉「唐詩」以爲典範者，理論與偏重點，各不相同。就其指涉之對象而分，大抵有「盛唐」

與晚唐二類。言「盛唐」者，有些上含漢魏而立論，有些以李、杜爲最高典範，有些則偏於王、孟一派。言晚唐者，主要有尊奉姚合、賈島、許渾之律詩一體，與李商隱似有興諷寄託之詩二路。今日看來，言及「唐詩」的客觀意義，標舉晚唐者之論並不能勝任此義。此中，至少有三點可述：

1. 誠如本文第三章《「唐詩」、「宋詩」之爭的歷史概述》之第一節《基礎與蘊釀期》裏所述，安史之亂前後，批判盛唐而有「宋詩」傾向的思想已逐漸地蘊釀，晚唐承之而爲所謂的「坎陷」時期。此時之作者大多兼具有「宋詩」傾向的作品，不復純然「唐詩」之作而已。是故舉晚唐以代表「唐詩」，並不能特別顯示其特色所在。

2. 即使是標舉晚唐以代表「唐詩」者，亦多承認盛唐作品高度成就的事實，惟或限於才力、或緣於歷史因素，遂轉而宗奉晚唐。四靈雖以姚、賈爲師，據趙汝回所載，可知他們一開始未嘗不是以「開元、元和自期」；葉適爲徐璣寫墓誌銘也說：「惜其不尚以年，不及臻乎開元、元和之盛。」可見四靈雖以晚唐爲師，對於盛唐，仍是有所蘄向的。吳喬自云「見盛唐體被明人作壞」，遂轉而宗奉晚唐。據其《圍爐詩話》、《逃禪詩話》等著述，仍可見其置盛唐於晚唐之上，承認盛唐作品高度成就的事實。

3. 標舉晚唐者，若不論其救弊補偏的用心，純就其理據加以考察，亦往往有疵可議。四靈論詩「以浮聲切響單字隻句計巧拙」，偏於字句鍛鍊的技巧層面，而不及詩歌之感情內容、全篇意境與整體風格，明顯地有其偏頗所在。其奉以爲師的姚合、賈島，往往只見佳句而罕有佳篇，於後世的評價不高，亦坐由此弊。二馮、吳喬之標舉李商隱，喜歡牽合李商隱與令狐綯的關係，動輒在詩裏找興諷寄託的比興義，卻沒有反省到合乎興諷寄託之比興的根據問題。是故所言往往犯了穿鑿附會的弊病。《四庫全書總目提要》卷一百七十四，即曾批評吳喬之《西崑發微》云：「凡《無題》之詩，又無一不歸於令狐綯。……如《少年》一首明言『外戚平羌第一功』，《富平少侯》一首明言『十三身襲富平侯』，《可嘆》一首明言『趙后樓中赤鳳來』，與綯何與？皆鍛鍊入之。然則《柳枝》五首，非商隱明作一序，亦必謂爲綯作矣。」

是故言及「唐詩」，仍不得不以「盛唐」爲歸。

盛唐，本是頌讚唐代強盛之語。李百藥《贊道賦》云：「赫矣盛唐，大哉靈慶。」（《全唐文》卷一百四十三）沈佺期《紅樓院應制詩》云：「紅樓疑見白毫光，寺逼宸居福盛唐。」（《全唐詩》第二函第五册）皆指此而言。在文學研究的使用上，嚴羽《滄浪詩話．詩體》裏，以時而論有「盛唐體」一詞，指「景雲以後，開元、天寶諸公之詩」。《滄浪詩話》更以「興趣」說明其藝術特質，以「氣象」描述其藝術形相。由是，此詞彙之意涵遂從一般泛論唐代的強盛，進而成爲文學研究上指稱唐代詩歌最盛的一個時期，及其所具有之藝術特性、藝術形相。沿用至今，幾乎就是一個代表唐代詩歌的文學名詞。

盛唐時期之詩歌之所以最能代表唐詩的眞實面貌，在我國詩歌發展的脈絡裏，可以略窺端倪。自魏晉以降，我國的文學思想已漸從儒家重道德實用的言志傳統轉向一承認文學獨立、及重視個人抒情之文學傳統。六朝則更進一步，極爲重視文學的藝術特徵，並加以探索與追求。詩歌藝術亦大抵如是，表現爲體製是日趨格律化、創作是日重語言的雕鏤藻飾。然而，也就在同一時期裏，抒情的內容卻從慷慨悲涼的建安風骨，逐漸演成纖弱細巧的齊梁綺調。唐代基本上就是承續著這一抒情傳統的業績而往前發展。初唐之論者雖反對纖弱細巧的齊梁綺調，而嚮慕漢魏風骨之抒情內容，創作實踐卻又無形中受著齊梁的影響。一直要到開元、天寶時期，衆多的詩家始在具體的創作實踐上成功地融合了漢、魏、六朝之長，去蕪存精，匯爲一新的詩歌典範。林鴻說：「漢魏骨氣雖雄，而菁華不足；晉祖元虛，宋尚條暢，齊梁以下務春華、少秋實。惟唐作者可謂大成。然貞觀尚習故陋，神龍漸變常調，開元、天寶間聲律大備，學者當以是爲楷式。」（《明史》卷二百八十六《文苑．林鴻傳》）大抵道出了此中消息。然而安史之亂前後，象徵著唐代國勢由盛轉衰的開始，詩歌創作亦開始有著面貌迥異的「宋詩」逐漸地蘊釀，如本文第三章《「唐詩」、「宋詩」之爭的歷史概述》第一節《基礎與蘊釀期》之所介紹即是。中唐與晚唐，雖偶有類似盛唐某類特色的作品，卻顯得極爲稀少，尤其盛唐濃烈、昂揚、明朗、壯闊之抒情內容的作品，更是成了絕響。是故言及唐詩的客觀意義，自不得不以盛唐時期之詩歌始足以代表。

然而，盛唐詩歌高度成就的客觀事實應如何加以理解呢？關於此點，學者研究的著作極爲繁夥。一般說來，今人撰寫的《文學史》，多以西方浪漫文學加以概括，再細分爲田園派、邊塞派、及浪漫派的代表——李白（註二）。此等說法比附西方的浪漫主義文學，完全忽略了唐代嚮慕漢魏、提倡復古的事實。況且其區分盛唐乃根據題材而立論，亦只是得其形貌而不得其精神，皆早為有識之士加以譏彈（註三）。近年有學者羅宗強先生撰《隋唐五代文學思想史》一書，指出盛唐詩歌的三個趨向：崇尚風骨、追求興象玲瓏的詩境、追求自然的美。所述極為精闢，最為筆者所加以接受。本其言，我們所理解的「唐詩」即：任隨情感流露的創作型態，出之以眞摯的感情、自然的語言，表現為風骨與興象之風格典範。羅先生長文不便迻錄，茲參酌其意、間引其言、出以己語介紹如後。

風骨，偏指承續建安濃烈而梗慨悲涼的抒情內容而言，盛唐則去其梗慨轉為明朗，易其悲涼而為昂揚，與彼時繁榮的經濟、富裕的社會、強盛的國勢結合，成為一代精神的表徵。此所以羅先生云：「初唐『四傑』和陳子昂所嚮往的『氣凌雲漢，字挾風霜』、『骨氣端翔，音情頓挫，光英朗練』的理想詩歌，在盛唐人手裏實現了。他們追求風骨，而且得到了風骨。……他們的風骨追求的具體表現，就是在作品表現高昂明朗的感情基調，雄渾壯大的氣勢力量。……在盛唐詩人那裡，很少有纏綿悱惻，淺斟低唱。他們也寫離愁別緒，也寫失意悲慨，也寫山水田園，也寫縱酒挾妓，而不論寫什麼，總有一種昂揚情思，明朗基調流注其中，不低沉，不纖弱，不頹廢，但是他們寫得更多的，是理想與抱負。中管晏之談，謀帝王之術，或決策于朝廷，或立功于邊塞，建不朽功業，擢取榮華富貴，最足以抒發他的襟抱，最足以表現他們的氣概。差不多每一位重要的盛唐詩人，都在詩歌中表現了他們的這種襟抱與氣概，特別是他們的早年更是如此。」（註四）

今日我們尤其容易在李白、岑參、高適的樂府、古詩裏，讀到這種富於感染力、鼓動力的「風骨」

之作。

興象，指作者感情因外界物象而興發，進而由興發之感情以觀攝外界物象。由是，本有主容分別的內心感情與外界物象，於此則構成一完整的詩境：興在象中，情景交融，寫景就是言懷，抒情亦在寫景裏。作品流露出來的是一種意境，也是一種氛圍。在當下興發的經驗裏，所有的色彩、聲響、景物、感覺、情思，俱綰合在此一意境、氛圍裏。而表現出一種整體的詩境美，不可句摘，無工可見，無迹可求。當然，要達到此一境界並非易事，一切無關的情思、景物，都得刪汰捨棄。這就是羅先生說的「詩歌意境的淨化與提純」、「藝術上已經成熟，已經爐火純青的表現」（註五）。不僅於此，興象之作，往往同時創作了多重意境，使得詩歌「言有盡而意無窮」，令人一唱三歎，馳騁遐思。

今日我們尤其容易在王維、孟浩然歌詠山水田園，表現為平淡、清遠風格的作品裏（特別是絕句、五律、五古），讀到這種極美的「興象」作品。

盛唐詩歌不管是風骨或興象之作，皆具眞摯的感情與自然的語言。這樣的作品，不做作，不塗飾，不用怪字和冷僻的典故，不是「鋪錦列繡，雕繪滿眼」。然而就在質樸無華的語言中，詩歌的形象栩栩如生，情思眞摯感人，有如「初發芙蓉，自然可愛」。這樣的作品，雖似若脫口而出，率然而成，仍然有著藝術提煉的功夫存焉。不過卻如羅先生所說的：「這種藝術提煉之工，更多的屬于藝術構思過程中的，更少煉字煉句的工夫；更多的屬于才氣縱橫與藝術素養的深厚、藝術技巧的高度成熟的產物，而不是苦吟的結果。因此，雖為藝術提煉，而仍表現為一揮而就，表現出毫無人工痕迹。」（註六）。

以上是我們透過羅宗強先生的《隋唐五代文學思想史》一書的內容，所理解的盛唐的藝術特性，同時也是我們認爲「唐詩」的眞實面貌所在。惟必須指出的是，歷代之標舉盛唐，多偏主李白與王、孟，罕及岑參、高適。之所以如此，殆因於李白同兼風骨與興象之藝術特性，岑、高則純偏於風骨之作，故舉李白以概括之。

㈡

歷代之主「唐」者，曾有所謂「古」與「唐」的爭議。有些論者認爲「漢魏之高于唐代，此何待言論。」（《靜居緒言》）、甚至有極端崇古者如費錫璜云：「一切唐宋皆屬雲礽。覺語近而味薄，體卑而格俚。」（《漢詩總說》）相反地，也有些論者認爲漢魏乃「質厚於文」、「氣骨雖雄，而菁華不足」，不若盛唐之「文質相合」、「聲律大備」，如林鴻、解縉即主是說。不過，較爲普遍的情形是，漢魏、盛唐不加優劣，標舉「盛唐」，亦即漢魏、盛唐合論。

漢魏、盛唐相提並論，並非完全沒有根據，此中至少有三點可述：

1.初唐嚮慕漢魏風骨，盛唐承之而於作品裏具體地加以實踐。故漢魏風骨本是唐人的理想所在，盛唐詩歌與之有一定的淵源關係。

2.漢魏與盛唐都是任隨感情自然流露，亦即主於性情的創作型態。而使用的語言，二者皆傾向於樸實無華者。有其相同的一面。

3.漢魏風骨與盛唐風骨相較，雖有梗概悲涼與明朗昂揚之別，然而就濃烈、壯潤的抒情內容言，彼此又極爲近似。

是故我們認爲漢魏與盛唐不必有所優劣。不過，盛唐不管是在體製、題材或內容上，都遠較漢魏來得廣泛得多。何況盛唐除了風骨之篇外，尚有興象一類高度成就的作品，而爲漢魏所無。所以雖是漢魏、盛唐合論，舉以代表者，仍不得不以「盛唐」爲主，而非漢魏。

㈢

言及「唐詩」，仍不得不面對杜甫的問題。主「唐」者對杜甫的評價不一：有些並提李白、杜甫爲詩歌的最高典範（如嚴羽），有些刻意對杜甫與盛唐加以區別（如王世懋），有些則視杜甫爲「調失流轉」，貶爲「變體」（如何景明）。主「宋」者大多奉杜甫爲至尊、正宗，以之爲「唐詩」之冠（如方回）、爲眞正的「唐詩」，進而認爲宋人承之而爲詩歌的正統。或由此以爲「宋詩」凌駕「唐詩」的根據（如陳與義、許尹），或由此排擊主「唐」者所謂的「唐詩」非眞正的「唐詩」，進而將「宋詩」提高到與「唐詩」同等的地位（如黃宗羲、吳之振）。由是，遂顯爲「唐詩」、「宋詩」之爭的一個焦點所在。

盛唐詩人們或高歌富貴功業、理想抱負，或恬詠山水田園、風雲月露，而杜甫則以抒寫生民疾苦、反映社會現實的「詩史」著稱（註七）。如《兵車行》詩云：

車轔轔，馬蕭蕭，行人弓箭各在腰。耶孃妻子走相送，塵埃不見咸陽橋。牽衣頓足攔道哭，哭聲直上干雲霄。道旁過者問行人，行人但云點行頻。或從十五北防河，便至四十西營田。去時里正與裹頭，歸來頭白還戍邊。邊庭流血成海水，武皇開邊意未已。君不聞漢家山東二百州，千村萬落生荊杞。縱有健婦把鋤犁，禾生隴畝無東西。況復秦兵耐苦戰，被驅不異犬與鷄。長者雖有問，役夫敢生恨？且如今年冬，未休關西卒。縣官急索租，租稅從何出？信知生男惡，反是生女好。生女猶得嫁比鄰，生男埋沒隨百草。君不見青海頭，古來白骨無人收。新鬼煩冤舊鬼哭，天陰雨濕聲啾啾。（《杜詩詳注》卷二）

全詩就彷彿一首戰亂時代的悲歌。荒蕪的田園、如海水般的鮮血、白骨冤魂、車馬淩亂，頻頻點召的事件，動地驚天的哭聲，間雜不敢申恨的指控。確實詳細地抒寫出戰亂帶來的斑斑血淚，反映了民衆深層的痛苦，無愧「詩史」之名。然而在詩人的敍事之中，處處寓有深濃的關懷之情，隨民衆之悲慟而悲慟，隨時代之戰亂而哀悽，雖未言出，讀來卻使人動容。間雜役夫指控之論、以及自己託諷之議，「邊庭流血成海水，武皇開邊意未已」，有所譏責君主好大喜功、窮兵黷武而帶給人民的災害。就這樣敍事、抒情、議論、託諷融爲一體而成千古不朽的名篇。類似之作，杜詩集裏不勝枚舉，如《北征》、《三吏》、《三別》、《自京赴奉先縣詠懷五百字》、《悲陳陶》等等皆是。

此等作品，不僅題材、內容與盛唐不同，而且無論是創作的手法、藝術的特性、藝術的形相，亦徹底地與之相異。

又盛唐作品往往表現爲才氣縱橫、一揮而就的藝術成果，杜甫則更多的是苦學與鍛鍊的作品。例如典故之使用臻於化境，使人有「無一字無來處」之感（註八）、有「不讀萬卷書，不可以看老杜詩也」之歎（註九）。又如煉字的功力達到一字之下，無法移易的地步等等。本文第三章第一節《基礎與蘊釀期》裏，已有述及，此無庸贅言。事實上，杜甫自身是頗爲自覺地提倡苦學與鍛鍊。他有詩云：「讀破萬卷書，下筆如有神。」（《奉贈韋左丞丈二十二韻》）、「新詩改罷長自吟」、「頗學陰、何苦用心」（《解悶十二首》之七）、「覓句知新律，攤書解滿床。」（《又示宗武》）等等，都是很好的例證。無疑地，此種詩歌特色與詩學意識，都與盛唐迥異，而影響宋人甚深。

平情而論，杜甫雖與盛唐諸家面貌迥異，然其詩歌有著高度的成就，是有目共睹的事實。故二者雖異，卻不必有所優劣，而可如日月並懸於天地之間。

標舉「盛唐」者之所以並提杜甫，我們推測應是緣於下列三項因素：

1.杜甫生於睿宗太極元年，卒於大曆五年，以時而論，謂之爲盛唐人亦無不可。

2.杜甫詩中往往表現有「沉鬱」的風格特色，就其濃烈、廣大的抒情內容而言，有似於漢魏、盛唐的「風骨」。

3.杜甫具有「集大成」的特性，往往能兼備盛唐諸家的風格特色。

此中1.固然是時間事實，卻不能因此而將杜甫與盛唐諸家在詩歌的藝術特性明顯有別的事實，加以抹殺。況且衆所公認，最足以代表杜甫的詩作，仍以安史之亂前後，抒寫生民疾苦、反映社會現實之篇爲主。所以純就詩歌的領域看來，與其說他是盛唐詩人，倒不如說他是盛唐進至中唐間之轉折時期的作家，來得比較恰當。

又2.所指的「沉鬱」，乃杜甫在《進雕賦表》裏對自己的作品所做的描述與評價（註一〇），意指深沉、鬱積的感情內容。張師夢機云：「沉鬱之情的外現，應該先經過多種情感的糾結，相當時間的蘊釀。」（註一一）故其情因糾結而深沉、濃烈，因蘊釀而鬱積、廣厚。就濃烈、廣大的抒情內容而言，確實近於漢魏、盛唐的「風骨」，無怪乎常被相提並論。然而必須指出的是，言及杜甫的「沉鬱」，必及其憂憤國事、悲憫黍離的詩歌內容，亦必及其苦學與鍛鍊的詩風、詩學意識。因為這對於杜甫而言，是自然地融為一體，而不可偏廢的事實，與盛唐明顯有別。主「唐」者於此，往往只見其一而不知其二，有其偏頗的一面。

就3.而言，杜甫「集大成」的特性，的確是不容否認的事實，論者也可以很容易地在杜詩裏發現近似盛唐諸家之作。然而杜甫「集大成」的特性，尚有消化、融匯前人的創作經驗，開啓後代之詩家、詩派的另一面事實。清葉燮說：「杜甫詩，包源源、綜正變。自甫以前，如漢魏之渾樸古雅，六朝之藻麗穠纖、澹遠韶秀，甫詩無一不備。然出于甫，皆甫之詩，無一字句為前人之詩也。自甫以後，在唐如韓愈、李賀之奇奡，劉禹錫、杜牧之雄傑，劉長卿之流利，溫庭筠、李商隱之輕艷，以至宋、金、元、明之詩家，稱巨擘者，無慮數十百人，各自炫奇翻異，而甫無一不為之開先。」（《原詩》內編）此中尤以杜甫開啓「宋詩」而導致「唐詩」、「宋詩」之爭的事實，最值得加以注意。又杜甫的「集大成」，雖博取衆長，以豐富自己的詩歌藝術，卻仍萬流歸宗，統合在他抒寫生民疾病、反映社會現實的創作傾向上。其有詩云：「別裁僞體親風雅，轉益多師是汝師。」（《戲爲六絕句》之六）可知《風》、《雅》是他歸趨、嚮慕之所在，也是杜甫之所以爲杜甫之所在。是故杜甫雖具有「集大成」的特性，仍不得與盛唐一概而論。

由上可知主「唐」者立於盛唐詩歌的立場，意欲將杜甫包括在內，所見往往有所偏頗，並未認識到杜詩的全部面貌。至若刻意地將杜甫與盛唐加以區分，或視之爲「變體」，就描述義而言，確是事實；就貶責的評價義而言，則不免有失公允。

主「宋」者往往從杜甫的人格、胸襟、苦學、鍛鍊等等來肯定其「詩史」的價值，無疑地，遠較主「唐」者更能全面地概括杜詩的特色。但是，當其進一步認爲杜甫優于盛唐諸家，以之爲「唐詩」之冠，或以之始足以代表眞正的「唐詩」時，就顯得不符實情了。如前所述，杜甫與盛唐諸家各自表現了不同的詩歌風貌，皆爲高度成就的作品，並無法加以優劣。同時言及眞正的「唐詩」，仍以盛唐諸家始足以代表之。相較之下，杜甫是「變體」。

主「宋」者非薄主「唐」者所謂的「唐詩」非眞正的「唐詩」，可從兩個面向加以思考：

1. 主「唐」者所謂的「唐詩」，與杜詩不類。

2. 主「唐」者所謂的「唐詩」，非眞正的唐詩。

就主「宋」者而言，這兩點乃同一個意思。今既以辨明杜詩與「唐詩」迥異，則這兩點所代表的意義並不相同。1. 是實情，主「唐」者所謂的「唐詩」大多不是針對杜甫而言。即使是意欲包括杜甫，所見亦往往有所偏頗。就這層而言，主「宋」者的批評，未可厚非。然主「唐」者所謂的「唐詩」與杜詩不類，並不足以成爲疵病。就這層而言，主「宋」者的批評，就不免是丹非素，論甘忌辛了。2.之所述是否符實，主「宋」者拿杜詩作判斷的準據，所得的結論缺乏說服力。意欲檢討此點之是非，仍需回歸前述代表「唐詩」的盛唐詩歌始可。底下即據此繼續我們的檢討工作。

㈣

諸家之標舉「唐詩」爲典範，大抵皆以有所興致、吟咏情性界定詩歌的本質，這一點確實掌握到了「唐詩」任隨感情自然流露（亦即主於性情）的創作型態。至若言及「唐詩」的藝術特性、藝術形相，則言人人殊，得失互見。

就中我們認爲嚴羽所論，最爲符合盛唐詩的藝術特質。其以「興趣」立論，由「羚羊挂角，無迹可求」、「透徹玲瓏，不可湊泊」、「如空中之音，相中之色，水中之月，鏡中之象，言有盡而意無窮」等等辭語闡釋盛唐的特色，頗能說明盛唐興象之作的藝術特性。此外，嚴羽也在具體的品評裏，倡言「盛唐氣象」——亦即「筆力雄壯，又氣象渾厚」（《答出繼叔臨安吳景仙書》）。一般說來，氣象是指作者主體生命涵攝客觀景物而呈現出來的狀貌（註一二）。嚴羽用「雄壯」、「渾厚」加以描述，頗能概括盛唐風骨之作的藝術形相。然而嚴羽之論，似較偏向藝術形相而言，不及臻乎盛唐作者主體生命輻射出來的濃烈、昂揚、明朗、壯潤的感情內容。然不必以一眚而掩大德也。

明人言及「唐詩」，多承於嚴羽，其中亦有異於嚴羽之處。李東陽嘗由節奏、起結、轉語、虛字實字、音節等偏於形式技巧的層面，肯定「唐詩」。斯皆只說出了構成「唐詩」佳妙的必要條件，而不及其充份條件。若欲純由此以明「唐詩」的眞實全貌，並不能達成目的。同樣地，李夢陽所云的先天、先驗的「法」亦然。此外，李夢陽尚注意到盛唐詩歌詞語之「香色流動」部份，影響所及，七子往往以爲盛唐具有豐腴、暢茂的藝術形相。嚴格說來，這不過是有見盛唐詩歌描寫景象、運用詞藻成功的一面事實罷了，並未見盛唐的眞貌。這也是爲什麼清初的王士禛極不滿意於此，而有心要「剔出盛唐眞面目與世人看」。

王士禛承於嚴羽的「興趣」之說，更進一步由性情、興會與意境之融爲一體而言「神韻」，以爲「唐詩」的三昧所在。不容否認，其說闡釋盛唐興象之作的特色，確實是深造有得之見，非常値得加以參考。然而其極罕提及盛唐風骨之作，明顯地有其偏頗所在，並無法概括盛唐「全部」的眞面目。

以上諸家尚且有得於盛唐詩歌之一端，若四靈之標舉鍛字鍊句的姚、賈，二馮、吳喬之標舉有所諷諭的「崑體」，竟陵之標舉「幽深孤峭」之「精神」的「唐詩」，則與盛唐全不相類，與「唐詩」之眞實面貌了不相涉。

最後必須指出的是，我們雖對諸家之標舉「唐詩」有所評騭。其得其失，固有如前面所述。然而這並不意味著其批評「宋詩」，就必然與其標舉「唐詩」同等得失。因爲這是不同層面的問題，雖有關係，卻不可一概而論。

二、如何理解「宋詩」的眞實全貌，同時合理地加以評價

相對於盛唐主於性情的創作型態，「宋詩」則表現爲以意爲主（或名意在筆先）的創作型態，而與盛唐有著明顯的差別。

㈠

以意爲主或意在筆先的創作型態，早在書法藝術裏頭已有之。東晉王羲之《書衞夫人「筆陣圖」後》云：「夫欲書者，先乾研墨，凝神靜思，預想字形大小、偃仰、平直、振動，令筋脈相連，意在筆前，然後作字。若平直相似，狀如算子，上下方整，前後齊平，但得其點畫耳。」（註一三）已側重創作前「靜思」、「預想」字的結構，由此形成寫字之「意」，進而以「意」爲中心與主導，完成書寫的活動，同時此「意」亦成爲其評價書法高下的準據。晚唐張彥遠認爲「書畫用筆同法」，所以在《歷代名畫記敍論》裏稱讚顧愷之的畫亦云：「意存筆先，畫盡意在，所全神氣也。」（註一四）可知此一創作型態，在繪畫藝術裏，亦受到重視。

在詩歌藝術裏，此一創作型態指作者綜攝平日的生活經驗（如讀書、研理等等都是），對之有所反省、歸納，進而形成主觀而特定的意念、想法，亦即所謂的「意」。在具體的創作實踐裏，此「意」居於中心與主導的地位，使得全詩成爲作者有「意」、刻「意」安排的結構，這就是以意爲主或意在筆先的創作型態。一般說來，書法、繪畫藝術較爲普遍地肯定此一創作型態（註一五），而在詩歌藝術裏，則與主於性情之創作型態相對，以致呈顯著毀譽參半的情形，如下列四例即是：

一、詩以意爲主，文詞次之，或意深義高，雖文詞平易，自是奇作。世效古人平易句，而不得其

意義，翻成鄙野可笑。（宋劉攽《中山詩話》）

二、（杜甫）《劍閣》云：「吾將罪眞宰，意欲鏟疊嶂。」與太白「搥碎黃鶴樓」、「剗卻君山好」，語亦何異。然《劍閣》意在削平僭竊，尊崇王室凜凜有忠義氣，「搥碎」、「剗卻」之語，但覺一味麄豪耳。故昔人論文字，以意爲上。（宋黃徹《䂬溪詩話》卷一）

三、少陵五古，材力作用，本之漢魏居多。第出手稍鈍，苦雕細琢，降爲唐音。夫一往而至者，情也。苦摹而出者，意也。若有若無者，情也。必然必不然者，意也。意死而情活，意迹而情神，意近而情遠，意僞而情眞。情、意之分，古今所由判矣。少陵精矣、刻矣、高矣、卓矣。然而未齊於古人者，以意勝也。假令以《古詩十九首》與少陵作，便是首首皆意。假令以《石壕》諸什與古人作，便是首首皆情。此皆有神往神來，不知而自至之妙，太白則幾及之矣。（明陸時雍《詩鏡總論》卷九）

四、宋人必先命意，涉於理語，殊無致。……詩有不立意造句，以興爲主，漫然成篇，此詩之入化也。（明謝榛《四溟詩話》卷一）

一、與二、皆宋人，均強調「意」在詩歌裏的優越性，可由此知彼時詩學意識之一端。三、與四、皆明人，均將情與意加以對揚，推尊主於性情而貶抑以意爲主的創作型態。彼所卑者，正此所尊之。彼所尊者，則爲此所卑。尊卑之間，確實顯現出在詩歌藝術裏，論者對以意爲主的創作型態抱持著相反的態度。二、與三、均認爲杜詩有意、寄意以意勝，然其一由此而視爲高於李白，其一則由此而視爲低於李白，同樣的評價對象，卻得出完全相反的評語，更是以意爲主之創作型態毀譽參半的實際例子。不惟杜甫，「宋詩」更是如此。

大抵「宋詩」的特色，皆可在以意爲主的創作型態裏獲得適當的解釋。

首先，如前引陸時雍云：「夫一往而至者，情也。苦摹而出者，意也。若有若無者，情也。必然必不然者，意也。」可謂是大略道出了主於性情與以意爲主此二創作型態間的差異。細而論之，主於性情的創作型態乃就當下偶發的經驗而任隨感情自然流露（此即一往而至），如其所如地將融作者的感情與外界的物象爲一體的意境、氛圍表現出來（故其若有若無）。傾向於「既是即目」、「亦惟所見」、「皆由直尋」。與之相較，以意爲主的創作型態明顯地多了思考、計慮、蘊釀與經營的活動。同時在表現上，並不以當下偶發之經驗、感情、物象爲主，反而是以意來安排、剪裁所有的主、客觀材料，使之形成爲以意爲中心的結構。所以更傾向於「苦摹而出」、「必然必不然」。一般說來，文章較之詩歌，無疑地更傾向於以意爲主的創作型態。優「唐」劣「宋」者之所以集矢於「宋詩」違悖了詩歌抒情的本質，譏詆爲「有韻之文耳」、「以文爲詩」等等之類，與此一創作型態實有莫大的關係。

其次，性情、感情既是「神往神來，不知而自至」，爲主體生命所自然流露者。是故主於性情的創作型態，往往不強調讀書、學問或修身、窮理，乃至如一般所說的「詩有別材，非關書也。詩有別趣，非關理也。」表現爲互相對揚的關係。相反地，意的來源則正在讀萬卷書（即從歷史文化裏）、行萬里路（即從社會現實裏）之中尋覓、累積、修正、證成。是故以意為主的創作型態不得不強調讀書、學問與修身、窮理的重要性。主「宋」者，如方回的「格高」之論，不離於人品與學問；同光詩派更倡言人品、學問、詩歌、文章合一之說。抨擊「宋詩」者亦屢以「以才學為詩」、「連篇累牘，汗漫而無禁」為口實。斯皆緣此而發。

再其次，主於性情的創作型態，所重所長在於抒情寓景，而非敍事、議論。故其偏於使用興象的手法，達到情景交融的表現。而在以意為主的創作型態裏，其意既為歸納、反省平日的生活經驗而得，免不了要對生活事件、歷史事件有所觀察、思慮，乃至有所詮釋與批判。故較之主於性情的創作型態，更擅長於敍事和議論。敍事重在精約確實，議論貴在曉暢通達，為了精約往往用典（註一六），為了曉暢往往直陳其意。這又與主於性情之創作型態，明顯地有所不同，而為「宋詩」之一特色。

最後，宋人之以意為主的創作型態，又常希冀其主觀而特定的意念、想法之「意」，能上合超越一般經驗的形上之「道」或「理」，與其「技進於道」的詩學意識相合。因為有著如斯的嚮向，有時則直接在詩歌裏論「理」、講「道」，形成所謂主於理而作理語的特色。《四庫全書總目提要》卷一百五十・評《擊壤集》云：「自班固作《詠史詩》，始兆論宗。東方朔作《誡子詩》，始涉理路。沿及北宋，鄙唐人之不知道，於是以論理為本，以修詞為末，而詩格於是乎大變。此集其尤著者也。」大略提示了此一面事實。

然而，當「意」進至於「理」的層級時，往往就與「情」形成排斥而對立的關係。古書訓「情」

多取劣義，《說文解字》第十篇下載云：「情，人之陰氣，有欲者，从心青聲。」，《漢書》卷五十六《董仲舒傳》載云：「情者，人之欲也。」、「人欲之謂情。」，卷八十《東平思王宇傳》載云：「情亂其性。」，斯皆以之爲「欲」、爲「亂其性」者，而與「理」、「道」相互排斥。宋人即有由是而譏詆唐人者，如蘇轍云：「唐人工於爲詩，陋於聞道。」（《欒城三集》卷八《詩病五事》）、葉適云：「爭妍鬬巧，極外物之變態，唐人所長也；反求於內，不足以定其志之所止。」（《水心集》卷十二《王木叔詩序》）等等皆是。相對地，主於理作理語的特色，往往也成了主「唐」者攻擊「宋詩」的靶的。李夢陽即由是而譏云：「何不作文而爲詩邪？」，其激切地云「宋無詩」，恐怕也和這一點有著極大的關係。

綜上所述，可知要理解「宋詩」的客觀意義，同時合理地加以評價，不能忽略其以意爲主的創作型態。

㈡

「宋詩」在以意爲主的創作型態底下，大略呈現著兩種不同的藝術特性，如劉克莊所云：「元祐后詩人迭起，一種則波瀾富而句律疏，一種則鍛鍊精而情性遠，要之，不出蘇、黃二體而已。」（《后村詩話》）其中又以黃庭堅（及江西諸子）最常被推爲「宋詩」的代表，處處呈現著與「唐詩」對峙的風貌。蘇軾則在明末以迄清代中葉，被舉爲折衷、調停「唐詩」、「宋詩」之爭的代表。茲先述前者，再及於後者。

言及代表「宋詩」的眞實面貌，自非黃庭堅與江西詩派莫屬了。從前文第三章《「唐詩」、「宋詩」之爭的歷史概述》裏，不難知悉宋人與「唐詩」的辯證關係，要到蘇軾、黃庭堅始完全形成迴異「唐詩」的「宋詩」風貌。而黃庭堅下開江西詩派，更主導了南宋以迄元初的詩壇，形成「宋詩」的主流。凡此，皆前文已述，於此無庸贅言。

然而，黃庭堅與江西詩派其詩之藝術特性爲何？如何合理地加以評價呢？

龔師鵬程嘗以「知性反省的精神」闡述「宋詩」的特性，同時將之與「唐詩」並舉，而爲兩種最高的「風格典型」、「精神型式」。依其意，知性反省並非指演繹邏輯、逐步推證的抽象的理智活動，而是指創作活動中的「用思」、「命意」、「煉意」，往往與情相互對照，進而對治、改善情之流弊如浮情泛感、艷詞彩句、敷衍景物、俗調空腔等等之類。本身又趨向於將一般似若對立的情與理、感性與知性辯證地加以綜合，以上合形上眞實的「道」。有著「主意主理的創作型態」、「由意鍊象，由象見道」、「即物究理」（亦即概念化知識的展現）、「語言形式的覺知」等種種特色（註一七）。

純就詩歌作品的藝術成就加以考察，我們認爲「宋詩」在以意爲主的創作型態下，確實顯現爲「知性反省的精神」之藝術特性，在黃庭堅與江西詩派的作品裏尤其明顯。不過，與龔師相異的是，我們認爲此一藝術特性有勝、劣二義。就其勝義而言，確實如龔師所云，與「唐詩」並爲最高的「風格典型」。然就其劣義而言，則不免爲「鍛鍊精而情性遠」、或徒然表現客觀之概念知識，連好詩都稱不上。

前人推尊「宋詩」，如方回云「剝落」、「格高」，吳之振云「皮毛落盡、精神獨存」，同光詩派云「詩人之性情、學人之根抵」，皆指其能在性情、學問上講求、涵養，表現於詩歌裏，則是剝去艷詞彩句，澄汰浮情泛感，不敷衍景物，不涉俗調空腔，而出之以數萬卷之胸襟、氣力的「意」，這些都是「知性反省的精神」之勝義。今日看來，黃庭堅、陳師道、陳與義的作品裏，皆不乏此等佳作。茲各舉一篇爲例：

△我居北海君南海，寄鴈傳書謝不能。桃李春風一杯酒，江湖夜雨十年燈。持家但有四立壁，治病不蘄三折肱。想得讀書頭已白，隔溪猿哭瘴溪藤。（黃庭堅《寄黃幾復乙丑年德平鎭作》，《山谷詩集注》內集・卷二）

△主家十二樓，一身當三千。古來妾薄命，事主不盡年。起舞爲主壽，相送南陽阡。忍著主衣裳，爲人作春妍？有聲當徹天！有淚當徹泉！死者恐無知，妾身長自憐。葉落風不起，山空花自紅。捐世不待老，惠妾無其終。一死尚可忍，百歲何當窮？天地豈不寬，妾身長不容。死者如有知，殺身以相從！向來歌舞地，夜雨鳴寒蛩。（陳師道《妾薄命二首爲曾南豐作》，《後山詩注》卷一）

△十月風高客子悲，故人書到暫開眉，也知廊廟當推轂，無奈江山好賦詩。萬事莫論兵動後，一杯當及菊殘時。喜心翻倒相迎地，不怕荒林十里陂。（陳與義《得席大光書因以詩迓之》，《增廣箋註簡齋詩集》卷第十七）

此三篇皆緣意造境、以意鍊象，且在語言技巧的使用，有著慘澹經營的苦心。精確而深刻地表達了胸中之意，而與作者的個性、詩歌的代表風格若合符節，可爲「知性反省的精神」之勝義的代表作品。茲逐一詳細解析如後，以明其所以然。

首篇黃庭堅之作，用典繁多，幾乎到了「無一字無來處」的地步。還好因爲作者驅使得高妙，並不顯得晦澀。反而因爲用典，而使全詩顯得更有意味。首聯第一句化用《左傳・僖公四年》楚子問齊桓公：「君處北海，寡人處南海，惟是風馬牛不相及也。」作者持此散文之語入詩，有著出奇突兀的效果。而「南」與「北」，代表作者與朋友（即黃幾復）相隔的遙遠。重複的「海」字，更加深了遙遠的意思。同時，任淵也註云：「山谷嘗有跋云：『幾復在廣州四會，予在德州德平鎮，皆海濱也。』」可知此一典故，又與現實的處境極其貼合。第二句「寄雁傳書」乃《漢書・蘇武傳》的事，是詩歌中常用的意象，作者爲了避熟，刻意地加以反用——故云「謝不能」，由此一方面達到生新的目的，同時也說出連雁都辭謝而道不能了，則其相隔之遠可知，隱隱回應、加深前句之意，同時流露出與友不見的思念之情。而連「謝不能」這三個字，任淵都指出了其詞出於《楚辭・招魂》、《漢書・項籍傳》之語。頷聯，「桃李」、「春風」予人春光旖旎、少年快意的美感，「江湖」、「夜雨」則予人飄盪貶抑、孤獨憶念的情愫，皆古典詩歌中極其陳熟的辭彙。然而，當前二詞綰以常見的「一杯酒」，後二語繫之作者自創的「十年燈」時，整聯詩就成了擺脫常境的「奇語」了（註一八）。第一句追憶少時聚會、煮酒論文的情景，一幅歡樂得意的圖畫遂栩栩如生。第二句則抒寫彼此漂泊、分離之時間的長久，徒然寂寞對燈，苦思故友，與前句強烈地加以對照，蕭索之意，愈加深刻。而「一杯酒」又是出自《晉書・張翰傳》：「使我有身後名，不如即時一杯酒。」頸聯，第一句化用《史記・司馬相如傳》：「家居徒四壁立」，亦是使用散文之語入詩，比喩朋友的廉潔、清高。第二句反用《左傳・定公十三年》高彊云：「三折肱，知爲良醫。」既含有任淵說的：「言其（幾復）諳練世故，不待困而後知也。」稱讚黃幾復的才幹。同時也指其善於從政必能有功於國，即《國語・晉語》云：「上醫醫國，其次救人。」之意。與前句相互對照，暗喩不得意的情緒油然而起。末聯第一句的「想見」，回應了首聯的思聚之情、頷聯的緬懷之意。全句上承頸聯，加深了不得志的感慨——讀書孜孜不倦，終只落得蒼蒼白髮。任淵指出蘇軾有詩云：「讀書頭欲白，相對眼終青。」殆其辭之所出。第二句脫化李賀《南園十三首》之六：「不見年年遼海上，文章何處哭秋風。」將自己一生詩歌創作「不踐前人舊行迹」而曲高和寡之悲，無合於現實之悲，藉猿之哀鳴以出之。任淵也指出其「猿哭」出自杜甫「殊方日落玄猿哭，故國霜前白雁來。」之詩。

如是，全詩處處以意用典，緣意造境，刻意安排，卻同時能將對朋友的思憶，自己落落寡合、不得志的心意，成功地表達出來。

霍松林先生評此詩云：「黃庭堅好用典故，此詩雖『無一字無來處』，但不覺晦澀；有的地方還由於活用典故而豐富了詩句的內涵；而取《左傳》、《史記》中的散文語言入詩，又給近體詩帶來蒼勁古樸的風味。……黃庭堅又主張『寧律不諧而不使句弱』。他的不諧律是有講究的，方東樹就說他

『于音節尤別創一種兀傲奇崛之響，其神氣即隨此以見』。此詩『持家』句兩平五仄，『治病』句也順中帶拗，其兀傲的句法與奇峭的音響，有助于表現黃幾復廉潔幹練，剛正不阿的性格。……總之，此詩善用典實，內藉豐富，以故爲新，運古于律，拗折波峭，很能表現出黃詩的特色。」（註一九）

霍先生之評頗爲精審。黃庭堅其它作品如《送范德孺知慶州》、《雙井茶送子瞻》、《戲呈孔毅甫》等等，莫不有著如此勁峭生新的風格特色。

次篇是陳師道的名作，冒廣生《後山詩注補箋》載：「《年譜》：『後山學於南豐曾鞏子固。』今以壓卷，亦推本其淵源所自。《詩林廣記》：謝疊山云：『元豐間，曾鞏修史，薦後山有道德，有史才，乞自布衣召入史館，命未下而曾去，後山感其知己，不願出他人門下，故作《妾薄命》。』由這段話可知此篇被認爲是壓卷之作，故在詩集裏收之爲首，同時也道出了詩題所注『爲曾南豐作』的緣由。故此篇表面上似若寫侍妾的哀鳴，實際上則爲抒發自己的悲慟，爲典型的比體詩，即全詩採用「言在此而意在彼」的表現方式。第一首，藉受寵的侍妾遭遇主人逝世之痛，比擬自己逢於師門遽爾逝世的心情。同時表明自己不違背師門的堅貞之志。首四句由樂言及哀，既寫出侍妾受寵的情形，復點出主人早逝的憾恨。指向自己與師門間的實際情形，表明自己的憾恨。五、六句則由舞壽與送葬此二鮮明而強烈的對照，將情境加以轉折突接，表達出任淵說的：「樂未畢而哀繼之也。」也正由於如此，愈顯得其哀的深刻。七、八句自言堅貞師門之志。《宋史·陳師道傳》載：「師道官潁時，蘇軾知州事，待之絕厚，欲參諸門弟子間，而師道賦詩『嚮來一瓣香，敬爲曾南豐』之語，其自守如是。」

可合此參看，以見作者的志節。又當時元祐、紹述之黨爭方熾，人們率皆諱言師門以自保，則此二句似有批判時風之意。九、十句噴湧悲情，傾洩慟感，而至呼天搶地。末二句生與死、無知與哀憐加以對照，而爲哀悼逝者哽咽的餘響。

第二首承第一首之情與意，既深化其悲，復堅貞其志。一、二句可以看成任淵說的：「曲盡邱原悽慘意象」，也可以看成作者痛失知遇的寓意：死者如落葉，好風再吹，終不可復起；生者如紅花，終將徒留空山自紅自褪。三、四句陳述師門早逝，自身頓失依靠。次六句一氣流行，以己之苦更甚於死，以己之悲無容於天地之間，乃至絕望至極，諍諍誓言殺身以從。眞情使人爲之動容，此所以任淵注云：「師死而遂背之，讀此詩亦少知愧矣。」末二句與全篇之起首回應、對照，由今到昔、由樂到哀，由歌舞到螀鳴，餘音嫋嫋，哽咽有聲。

通篇觀之，詞語似平易，卻蘊涵著慘澹經營的苦心。就形式技巧而言，至少具備了下列二項特色：

1.色淡。所用之語，皆淨洗鉛華，不敷衍景物，不用艷詞彩藻，句句有如侍妾悲慟的口吻。雖用象，亦以意鍊之。

2.詞鍊。如「一身當三千」，乃用白居易《長恨歌》：「後宮佳麗三千人，三千寵愛在一身。」作者將之凝鍊成五個字，確實如任淵說的「語簡而意盡」。

此外，通篇即用了不少典故，卻令人讀來渾然不覺。無怪任淵注釋之餘而云：「世或苦後山之詩，非一過可了。」事實上，不惟此篇而已，其詩大多如是。任淵之所以撰《後山詩注》亦直云讀後山詩「

非冥搜旁引，莫窺其用意深處」。然而最重要的是，陳師道的詩，往往瀰漫著眞情摯意，同時鮮明地流露他狷介生命的特色，而爲蒼堅瘦硬的風格特色。此篇之外，如《送內》、《寄外舅郭大夫》、《元日》等詩皆是。

末篇陳與義之詩，據《年譜》所載，可知作於建炎元年十月，靖康之難的後五個月。汴京板蕩，湖南流落之餘，有朋自遠方來，既有感時撫事之悲，復有友人見迎之喜，此一交雜的心情，即爲全詩的主題。首聯既寫己優國之悲，復抒接獲故人書信之喜，「暫」字道出詩人悲多喜少的心情，極爲傳神。頷聯承前得書之喜，首句祝賀朋友得官，胡穉注云：「馮唐云：上古遺將，跪而推轂。」殆其用典之淵源。次句期盼與友人游山玩水、賦詩吟咏。而在個人小小的喜悅裏，又雜以對家國的感慨。「也知」、「無奈」二語，前有所議論國事，後暗寓「國破家亡」之感。頷聯抒寫兵戈戰亂，感時撫事，難以言說的心情，惟冀殘菊尚未凋零，與友痛飲一杯。末聯表達出迎接朋友的熱烈願望，即使走十里荒林的路，也不在乎。

家國之悲與迎客之喜兩條線索交纏全詩，而爲感人的佳作。孟慶文先生評此詩說：「陳與義是學杜的，此詩感情誠篤，忠厚之情可比老杜。此外，虛字運用巧妙，『也知』、『無奈』、『莫論』、『當及』四語，使全詩前後呼應，轉運靈便，氣韻生動。可見詩人很能吸收江西詩派的長處。而且此詩語句明暢，音節瀏亮，又能避免江西詩派末流槎枒枯澀之病。所以劉克莊評論陳與義的詩說：『以簡嚴掃繁縟，以雄渾代尖巧，第其品格，當在諸家之上。』（《后村詩話》前集卷二）簡嚴雄渾，此詩當之無愧。」（註二〇）其說大抵符實。陳與義其它作品如《和張規臣水墨梅五絕》、《感事》、《登岳陽樓二首》等詩，莫不有簡嚴雄渾的風格特色。

總之，此等作品從內容以至形式，無一不是充滿著「用思」、「命意」、「煉意」等「知性反省的精神」，絕非稍加過目即可掌握的詩篇。讀者須用心思索，參酌注釋，始能稍稍有得。此中，黃庭堅的勁峭生新，陳師道的蒼堅瘦硬，陳與義的簡嚴雄渾，皆江西詩派有名的風格特色，無一不與「唐詩」面貌迥異，卻又確實是佳作名篇。與「唐詩」對峙而爲最高的「風格典型」，應從此類勝義的「知性反省的精神」着眼。

然而勝義的「知性反省的精神」是宋人作詩的理想，是很難達到的藝術境界，即使是黃庭堅、陳師道、陳與義等大家，其詩集裏已不免醇疵互見，雜有敗筆之作（註二一）。何況等之自鄶的宗奉者呢？如底下諸人所指出者即是：

△山谷之詩，清新奇峻，頗造前人未嘗道處，自爲一家，此其妙也。……然而近時學其詩者，或未得其妙處，每有所作，必使聲韻拗捩，詞語艱澀，曰『江西格』也，此何爲哉？（宋陳巖肖《庚溪詩話》卷下）

△此詩中四句不言景，皆止乎言情，后山得其法，故多瘦健者此也。（元方回《瀛奎律髓》卷十・評杜甫《曲江陪鄭八丈南史飲》）

晚唐詩但知點綴景物，故宋人嬌之，以本色爲工，然此非有眞氣力，則才薄者淺弱，才大者粗野，

初學者易成滑調，老手亦致頹唐，不可不愼也。（淸紀昀《律髓刊誤》，同上）

△宋參政簡齋陳公於詩，超然悟入，……。近世往往尊其詩，得其門者或寡矣。（元吳澄《吳文正公全集》卷九《董震翁詩序》）

這些都顯示了「知性反省的精神」之劣義的一面，在宋元人詩集裏佔有一定程度的份量，不容忽略。一般說來，唐人並不自覺地以詩人、文人自居，所寫率皆因於抒情之必要，不得不作，故較之宋人而言，詩作少而品質的水平較爲整齊。宋人則已自覺地刻意於詩，以詩人、文人自居，所謂「一生精力盡於詩」者即是。是故所作率皆有意爲之，甚或緣意造文，作品數量極爲繁多，遂不免醇疵互見。同時又多談詩論藝之作，指出詩歌之理想所在（如「技進於道」的詩學意識即是），然而理想與具體實踐並不必然一致。此所其具「知性反省的精神」，不免勝、劣二義之作摻雜不等。

「宋詩」的客觀意義既有「知性反省的精神」的勝、劣二義，則評價亦須兼顧此二者而始全。優「唐」劣「宋」者針對「宋詩」的劣義，責其缺乏情性、無所興致，違背了詩歌抒情的本質。此點無可厚非。然而其立於辨體論的立場，只由「唐詩」含蓄、蘊藉的藝術特性，豐腴暢茂的藝術形相着眼，雖承認「宋詩」有工者，仍加以貶抑、排斥，完全無視「宋詩」的勝義所具之藝術特性、藝術形相的價值，不免有失公允。就這點而言，優「宋」劣「唐」者或爲「宋詩」辯護者，如方回、吳之振、同光詩派等人，提示「宋詩」的勝義而加以反駁，可謂堅強有力。然其又不免忽略了「宋詩」劣義的一面。

(三)

北宋時，政治上有所謂的元祐、紹聖的黨爭，蘇軾和黃庭堅皆爲元祐黨人，反對王安石的新法，以致有一度時期，二人的詩集禁止刊板。然而在學術的價値蘄向上，元祐諸人內部尚有程頤、蘇軾的差異（此即洛、蜀黨爭）（註二二）。影響所及，蘇軾的詩歌與詩論則爲道學家有意地加以排擠。呂本中的《童蒙訓》書裏，本多引蘇軾論詩文之語，在現在版本裏已看不到了，四庫館人推測緣由於此，大抵可信（註二三）。在詩壇上，北宋末南宋初已明顯地有著蘇、黃優劣之爭，陳與義說：「學蘇者乃指黃爲強，附黃者亦謂蘇爲肆。」（《簡齋詩集引》），殆爲當時實情。江西詩派主導期裏，「文首東坡、詩右山谷」乃普遍流行的口號，雖有王十朋及金人周昂、王若虛等人爲之辯護，仍不得與黃庭堅、江西詩派並主詩壇。然當時優「唐」劣「宋」者，則蘇、黃一並加詆斥，如張戒、嚴羽等人皆是。晚明文人極度抗拒道學，率皆奉蘇軾爲典範。袁宏道爲「宋詩」辯護，他所說的「宋詩」即主要是針對蘇軾而言（有時加上歐陽修），罕及黃庭堅、江西詩派。袁氏甚至認爲蘇詩高於李白、杜甫（見其《答梅客生開府》）。百家爭鳴期裏，葉燮、四庫館人皆主蘇而輕黃，更由是以折衷、調和「唐詩」、「宋詩」之爭。降及晚清，則又以黃庭堅與江西詩派爲主，兼取蘇軾。

以上是蘇軾在「唐詩」、「宋詩」之爭裏的大概情形。就蘇、黃優劣而言，本是此爭中的次級問題，亦即主「宋」者內部的爭議而已。然而從袁宏道以迄清代中葉，論者則將風格典型對立的問題，轉成對作者主體的思考。他們將宋人辨體論上詩歌風格的「本色」（註二四），轉成主體才性充份流露的「本色」，由此肯定「宋詩」，由此折衷、調和「唐詩」、「宋詩」之爭。由是又轉成「唐詩」、「宋詩」之爭裏的主要問題。

蘇詩無疑地仍是宋人以意爲主之創作型態的產物。而此一創作型態所具備的以文爲詩，以才學爲詩，敍事、議論、用典、直賦，乃至主於理而作理語等種種特色，蘇詩也無一不有（註二五）。就此而言，他和「唐詩」畢竟有著很大的差異。《說詩晬語》卷下載云：「蘇子瞻胸有洪爐，金銀鉛錫，皆歸鎔鑄。其筆之超曠，等於天馬脫羈，飛僊遊戲，窮極變幻，而適如意中所欲出。韓文公後，又開闢一境界也。元遺山云：『只知詩到蘇黃盡，滄海橫流卻是誰』。嫌其有破壞唐體之意，然正不必以唐人律之。」除指出蘇詩和「唐詩」的差異外，也肯定蘇詩的價值。本此，不難明瞭爲何在江西詩派主導期裏，優「唐」劣「宋」者會將之與黃庭堅一倂加以詆抑，爲何袁宏道以迄清代中葉之論者會以之爲「宋詩」的代表，進而爲之辯護，以折衷、調和「唐詩」、「宋詩」之爭。

然而相對於黃庭堅和江西詩派的「知性反省的精神」，蘇軾則更重視「信手拈得」、「渾然天成」、味外味、象外象等藝術型態，而竭力反對雕刻鏤瞖、過份經營語言文字（註二五）。這反映在他的詩歌裏，有不少近於「唐詩」之作。《甌北詩話》卷五載：「坡詩有云『清詩要鍛鍊，方得鉛中銀』。然坡詩實不以鍛鍊爲工，其妙處在乎心地空明，自然流出，一似全不著力而自然沁人心脾，此其獨絕也。今第就七言律詩論之，如『天外黑風吹海立，浙東飛雨過江來』〈有美堂暴雨〉、『人未放歸江北路，天教看盡浙西山』〈游杭州詩〉，……此數聯固坡集中最雄偉之作，然非其至也。『人似秋鴻來有信，事如春夢了無痕』〈與潘郭二生同遊憶去歲舊跡〉、『官事無窮何日了，菊花有信不吾欺』〈次張十七贈子由詩〉、『倦容再遊今老矣，高僧一笑故依然』〈書普菴長老壁〉……。此數十聯乃是稱心而出，不假雕飾，自然意味悠長。即使事處，亦隨其意之所欲出而無牽合之迹。此不可以聲調、格律求之也。」這是為什麼在主「宋」者的內部，有所謂蘇、黃優劣之爭，為什麼有些論者甚至認為「宋詩」與「唐詩」沒有區別。

綜上所述，我們認為蘇詩乃介於主於性情的「唐詩」與知性反省的「宋詩」對峙之間，而有高度成就的另一類「宋詩」作品。合前所述，蘇軾與黃庭堅皆有其高明之處，不必有所優劣。「品鑑論」裡蘇、黃優劣之爭，明顯地乃是丹非素之論。優「唐」劣「宋」者之詆排蘇詩，正如其詆排黃庭堅、江西詩派一樣，有失公允。袁宏道以迄清代中葉，論者闡釋、肯定蘇詩的特色，極具卓識。而其認為「宋詩」足以與「唐詩」鼎立抗衡，並立壇坫，所論亦頗弘通。然而言及「宋詩」的客觀意義，仍主要以黃庭堅、江西詩派所代表的「知性反省的精神」始足以當之。是故諸家所謂的「宋詩」，並不足全面代表「宋詩」的客觀意義，則其折衷、調和之說，亦無法眞正總結聚訟紛紜的「唐詩」、「宋詩」之爭。而且順其理論加以思考，不免蘊涵著抹煞「唐詩」與「宋詩」風格典型之異的事實之可能。袁枚說過：「詩者，人之性情；唐、宋者，帝王之國號。人之性情，豈因國號而轉移哉！」（《隨園詩話》卷六）只要將「性情」改成「主體才性之充份流露」，即可說明論者所論蘊涵無分「唐」、「宋」的可能。只是如此一來，其謬誤也就與袁枚無異了。

本節所述，可簡要地歸結爲底下九點：

1. 諸家於「品鑑論」裏爭執的焦點是：「唐詩」與「宋詩」相較，孰優孰劣？而其共同指向的問題有二：即「如何理解『唐詩』的眞實全貌？」與「如何理解『宋詩』的眞實全貌，同時合理地加以評價？」

2. 言及「唐詩」，盛唐始足以代表，晚唐並不能勝任此義。盛唐爲一主於性情的創作型態，出之以眞摯的感情、自然的語言，表現爲風骨（李白爲代表）與興象（王維、孟浩然爲代表）之風格典範。

3. 盛唐與漢魏有著淵源與一些相似的特點，二者不必有所優劣。然盛唐含括之範圍遠大於漢魏，故論者雖漢魏、盛唐合論，仍不得不舉「盛唐」爲口號。這是我們對於「古」、「唐」之爭的看法。

4. 杜甫相對於盛唐諸家，從創作型態以致藝術的特性，皆表現爲一迥然不同的詩歌典範，二者可如日月並懸天地之間。標舉盛唐者，有些雖意欲概括杜甫，所論卻多有偏頗；有些雖知杜甫與盛唐之別，卻加以貶抑，有失公允。標舉「宋詩」者，肯定、概括杜甫的詩歌特色，遠較主「唐」者爲全面。然其以杜甫爲「唐詩」之冠，爲眞正的「唐詩」，則不免門戶之見。至若其以主「唐」者所謂的「唐詩」非眞正的「唐詩」，乃以杜甫爲評價準據，所論缺乏說服力。

5. 諸家標舉「唐詩」，由有所興致、吟咏情性界定詩歌的本質，大抵皆掌握到了「唐詩」主於性情之創作型態的眞貌。至若言及對「唐詩」之藝術特性、藝術形相的理解，我們認爲嚴羽所論最爲深造有得。王士禛所論，則只及於興象而自然之作，不及風骨之篇，有所偏頗而不夠全面。明人所論，多及盛唐佳妙的必要條件：「法」，然僅此卻不足以完全概括盛唐。七子雖強調豐腴、暢茂的藝術形相，卻是得貌不得神，不免爲人所譏。至若四靈、二馮、吳喬、竟陵等所倡之「唐詩」，則與「唐詩」之眞實面貌了不相涉。

6. 相對於「唐詩」主於性情的創作型態，「宋詩」則表現爲以意爲主（或名意在筆先）的創作型態，有著以文爲詩，以才學爲詩，敍事、議論、用事、徑直發露，乃至主於理而作理語等種種特色，明顯地與「唐詩」有別。

7. 最足以代表「宋詩」者，爲黃庭堅、江西詩派所表現的「知性反省的精神」之藝術特質。然「知性反省的精神」有勝、劣二義，勝義之作，足以與「唐詩」對峙，而呈現出另一種優秀的風格典範。此等爲宋人的理想所在，亦其成功之作所具備者。黃庭堅、陳師道、陳與義等大家，多不乏此類作品。劣義之作，則爲宋人失敗的作品，不值一哂。宋人詩集裏，勝、劣二義之篇，摻雜不等，二者合爲「宋詩」的代表，評價亦須兼顧二者而始全。

8. 優「唐」劣「宋」者批判劣義的「宋詩」無所興致、缺乏性情，違背了詩歌主於性情的本質，未可厚非。然其立於辨體論的立場，雖承認勝義的「宋詩」爲工，卻仍抹煞其意義與價值，則不免門戶之見。優「宋」劣「唐」或爲此類的「宋詩」辯護者，多能指出勝義的「宋詩」之精蘊，如「剝落」、「格高」等等之論即是。然其論往往又避開了劣義的「宋詩」，所見之「宋詩」亦往往不夠全面。

9. 蘇軾之詩乃介於主於性情的「唐詩」與知性反省的「宋詩」二者對峙的中間，另一類高度成就的「宋詩」作品。雖非最足以代表「宋詩」，然其詩與前述之「唐詩」、「宋詩」並立壇坫，有可毫無愧色。是故此三者亦不必有所優劣也。蘇、黃優劣之爭，論者多涉於是丹非素之見，有所偏頗。優「唐」劣「宋」者之詆排蘇詩，亦犯辨體論之失，不免門戶之見。袁宏道以迄清代中葉之以蘇詩而爲「宋詩」辯護，其肯定、闡釋蘇詩的藝術特質，有其卓識。其不以狹義的「唐詩」、「宋詩」之爭爲然，所見亦頗爲弘通。然其忽略或貶抑黃庭堅、江西詩派此類之「宋詩」，則所見之「宋詩」不夠全面且不具代表性，故雖欲折衷、調和「唐詩」、「宋詩」之爭，並未能眞正地達到目的。而其論轉化宋人辨體論上風格之「本色」爲主體才性之「本色」，實蘊涵著無分「唐詩」與「宋詩」之別的謬誤的可能。

第二節　詩史論

「唐詩」、「宋詩」之爭，除「品鑑論」的範疇外，論者優劣「唐詩」與「宋詩」，往往也喜歡持著或顯或隱的詩史觀，在描述與評價唐、宋二代的詩史中加以進行。

「唐詩」與「宋詩」雖不等於「唐代的詩」、「宋代的詩」，然而不可否認地，最足以代表「唐詩」與「宋詩」之作，仍以唐、宋二代爲主。是故論者品鑑「唐詩」與「宋詩」，往往就等同於其評價唐、宋二代的詩史。同樣地，論者評價唐、宋二代的詩史，往往也代表了他品鑑「唐詩」與「宋詩」的結果。

然而，「品鑑論」與「詩史論」畢竟是兩個不同的範疇，檢討諸家之論，在不同範疇裏自有不同的根據，不可一概而論。基本上，我們認爲看待詩史的發展，必得兼具價值判斷與事實判斷二者，始得其全（註二七）。唐、宋二代的詩史事實，並非一堆資料、古董而已，其必有詩歌的意義與價值，二者相較，亦必可施予價值上的判斷。可是作價值判斷並不意味著可以帶上任何「價值的」眼鏡看待詩史，而無視其辯證而複雜的客觀事實。同樣地，重視、承認詩史的客觀事實，亦不意味著「凡存在皆合理」，亦必有所價值判斷始可。這是我們在詩史論的範疇裏，評騭諸家思想之得失的基本原則。此外，論者詩史觀之理論的圓滿程度，與其具體說明、評價詩史的實際行爲，並非必然完全一致，或同等得失，有時亦當分別觀之，而爲我們所必須加以注意者。

在江西詩派主導期時，論者大多憑著「品鑑論」裏的價值判斷直接抑揚唐、宋二代的詩史。如底下所列即是：

1. 陳與義認爲蘇軾、黃庭堅二人承續杜甫，而爲詩之正統。
2. 張戒認爲自漢魏以來，詩妙于子建，成于李白、杜甫，壞于蘇軾、黃庭堅。

3. 呂本中認爲黃庭堅與江西諸子，繼李白、杜甫而振興了詩道。

4. 嚴羽認爲詩歌的發展到了盛唐已臻頂峰，宋代的詩史發展並不善。

5. 方回認爲詩之正派在杜甫、黃庭堅、陳師道、陳與義（此所謂的一祖三宗）等人。

他們並未對自己的詩史觀加以理論的說明，直視之爲理所當然。故所論有若其於「品鑑論」裏的意見的翻版。極度肯定「宋詩」者，視蘇軾、黃庭堅（及江西諸人）爲詩之正統、正派，宋代振興了詩道。而貶抑「宋詩」者，則視蘇軾、黃庭堅爲風雅罪人，宋代敗壞詩道。今日看來，此諸家都不免只具價值判斷而乏事實判斷，故其所言詩史的發展過程，都嫌過份簡陋而直線化，並不足以說明詩史辯證而複雜的客觀事實。

諸人之外，劉因論詩云：「魏晉而降，詩學日盛，曹、劉、陶、謝其至焉者也。隋、唐而降，詩學日變，變而得正，李、杜、韓其至者也。周、宋而降，詩學日弱，弱而後強，歐、蘇、黃其至者也。」（《靜脩續集》卷三《敍學》）已知從盛衰、正變、強弱等辭語描述並評價詩歌發展的歷史，較之諸人，明顯地更能兼顧到事實判斷的一面。然而劉氏並未對其所使用的辭語做一充份的說明，其說不免只停留於主觀之判斷而已，未及臻乎理論說明的層級。

在盛唐詩主導期裏，有二詩史觀已自覺地提出而呈現著對立的狀態，即七子復古與袁宏道時變之論。七子之復古認爲詩歌的發展，盛唐以前（即「古」也）詩歌爲源頭、爲正聲、爲大盛，自後即成爲支流、爲變調、爲衰蔽而不足觀。如胡應麟云：「聲詩之道，始於周、盛於漢、極於唐，宋、元繼唐之後，啓明之先，宇宙一終乎！盛極而衰，理勢必至，雖屈、宋、李、杜挺生，其運未易爲力也。」（《詩藪》外編五）即以盛唐之前乃由始到盛到極至的發展，盛唐以後則由衰而至於終，更認爲這是歷史的必然，人力莫可挽回。類似之論，如「格以代降」、「詩盛于唐，壞于宋」，乃至提出違反一般常識的「宋無詩」之語，皆源出此一史觀，而證成其「品鑑論」裏「詩必盛唐，非是者弗道」之旨。

復古論之失，袁宏道已於萬曆中葉提出了時變的史觀加以糾正。依其意，人各有性靈，個個不同，代代有別。所以他認爲詩史發展的規律，乃隨時變化，各代自然會有各代的面貌，並不能由時代的先後而優劣詩歌的價值。由是他激烈地批判七子「詩必盛唐」，極端復古的看法，同時也極力地爲「宋詩」辯護。袁氏確實掌握了詩史變化的一面事實，而這正是七子復古之論的盲點所在。袁氏云：「（宋）不能爲唐，殆是氣運使然。猶唐之不能爲《選》，《選》之不能爲漢魏耳。今之君子乃欲概天下而唐之，又且以不唐病宋，夫既以不唐病宋矣，何不以不《選》病唐？不漢魏病《選》？不《三百篇》病漢魏？不結繩鳥跡病《三百篇》耶？」（《袁中郎全集》卷二十一《與丘長孺書》）層層逼問，批判可謂甚爲有力。

然而詩史的發展固有時變的一面事實，並不意味著就與古人完全沒有關係。如「宋詩」相對於「唐詩」而言，其有所變化固是事實，卻也何嘗無對「唐詩」加以推崇、擬效、與學習的另一面事實呢？此間辯證而複雜的關係，遠非時變之義即能合理地加以解釋。此外，詩史的發展固有時變的事實存焉，亦不意味著各代之詩即必然無高下可判。若然，順袁氏批判七子之語，豈非結繩鳥跡、《三百篇》、……皆同等價値呢？推到最後，將成爲「凡存在皆合理」矣。是故我們認爲袁氏批判七子復古之說，爲「宋詩」辯護，都是値得加以肯定的。然而因其過份強調時變之義而不及其餘，遂又淪爲一偏。

在百家爭鳴期裏，論者之論後出轉精，多能對自己的史觀做一理論性的說明，並依其史觀描述與評價唐、宋二代詩史發展的規律。其中，吳喬的「變復」之論，葉燮的「源流、本末、正變、盛衰互爲循環」之論，四庫館人的「盛極或伏其衰、變極或失其正」之論，同光詩派的「三元說」之論，凡此皆異乎前人之說，有其値得稱述者。諸家所論的詳細內容，可參考本文第三章《「唐詩」、「宋詩」的歷史概述》第四節《百家爭鳴期》所介紹者。茲述其得失如後：

甲、吳喬的「變復」之論

吳氏「變復」的史觀，乃以「變古人之狀貌、復古人之神理」立論，由此以說明、評價歷代的詩歌事實。依其意，盛唐能變又能復漢魏、六朝，故爲大盛。中、晚唐已「變多于復，不免于流，而猶不違于復，故多名篇」。宋代則能變唐代之貌，卻無法復其神理，故流於一偏，不足爲訓。其論由每一代與前一代的關係是否變復而立說，較之七子的復古、袁宏道的時變各偏一端之論，更能兼顧詩史的全貌。而其提示既要變古人之狀貌、又要復其神理，亦無疑地具有正面而積極的意義。

然而吳氏之論，有三點可議：

㈠所論偏重於前後代間的關係，如宋代所指之古人爲唐代，而唐代所指之古人，則爲漢魏、六朝。如是，我們可問，除一代外，變復前二代、前三代、……以至於《楚辭》、《三百篇》等等，是否可以呢？事實上，就詩歌發展的歷史看來，每一代有所資取之古人，本不限於前一代而已。以宋代爲例，其與唐代的關係極爲密切，固是不爭的事實，卻也廣泛地推崇、擬效與學習《三百篇》、《楚辭》以至漢魏、六朝諸家之作，並非純限於唐代而已。

㈡所論之復，指復古人神理。依其文，《三百篇》指其淳正，漢魏指其高雅，六朝指其挺秀，各代皆不相同，未具百代不變的永恆意義。如是，復前一代之神理，是否就必然有自己的神理呢？此中實大有可疑。

㈢所論以宋代惟變而不復唐人，仍嫌不足以全面概括唐、宋二代間辯證而複雜的關係。其貶抑「宋詩」的評價，乃至以其不如中、晚唐之作，並不足取。

綜合述之，吳氏「變復」之論，理論架構不錯，內部所論，則不夠謹嚴，仍有疵可議。

乙、葉燮的「源流、本末、正變、盛衰互爲循環」之論

葉氏之論，謹嚴而有系統，其得有三：

㈠所論已能自覺地認識到詩史獨立的意義，故其強調「以詩言詩」，純從詩歌內部的層面如體格、聲調、命意、措辭等等因素，看待詩史發展的規律，刻意與「以時言詩」，即從文學的外部層面如政治、社會等等，以論詩史區分開來。

㈡所論以「源流、本末、正變、盛衰互爲循環」來說明詩歌發過程中辯證而複雜的事實，頗符合詩史的眞相。如云「非在前者之必居於盛，後者之必居於衰」、「正有漸衰」、「變能啓盛」等等，確實是唐、宋二代的詩史事實。

㈢所論排擊七子片面而過份簡化的復古之詩史觀，進而肯定「宋詩」的詩史地位，頗能切中七子論詩之弊。

然葉氏之論，亦有其失：

㈠所論刻意強調詩史的獨立意義，不免因此而傾向於忽略了詩歌與時代間的關係。詩歌的發展固有其獨立的意義，卻也並非和文學的外部層面毫無關係。就唐、宋二代的詩歌發展而言，若不考慮安史之亂的影響，恐怕就難有全面而合理的認識了。

㈡所論雖深切地認識到詩歌發展過程中辯證而複雜的事實，然整體而言，卻傾向於一進化的詩史觀。如所云：「前者啓之，而後者承之而益之；前者創之，而後者因之而廣之」、「踵事增華，以漸而進」等等都是。我們對這整體而傾向於進化的詩史觀，則有所保留。因爲我們認詩史的發展，不管局部或全體，皆爲正反迭蕩波動而隨時間往前進行，不定然進化或退化。

㈢由其肯定的唐、宋二代詩家看來，他所特別標舉者爲杜甫、韓愈、蘇軾三人，和當時宗「宋」的風氣極爲相合。針對這一點，張少康先生云：「（葉燮）他雖然表面上不標榜門戶，實質上是屬於清初的宋詩派的。他對宋人學杜宗韓的偏向，對蘇、黃詩風存在的問題是缺乏認識的，甚至是維護和支持這種傾向的。」（註二八）可謂是深中癥結之語。

綜合述之，葉氏所論得之所在，往往也就是其失之所在。

丙、四庫館人的「盛極或伏其衰，變極或失其正」之論四庫館人所論爲「盛極或伏其衰，變極或失其正」——亦即盛衰互伏、正變相涵的辯證史觀，最爲我們所加以接受。其以「唐詩」爲極盛、「宋詩」爲極變，而俱加以肯定。且闡明唐、宋、元、明、以迄清初的詩史發展，詩家詩派之興，皆爲乘乎風會，矯正時弊，而又轉動風會，使天下翕然宗之於一時。然其盛或伏其衰，其變或失其正，承襲久之，遂又相沿積弊，於是又有革其弊之詩家詩派興矣。如是描述詩史，確實合乎其發展的規律，可謂是極具慧眼。

四庫館人之失有二：

㈠選取唐、宋二代之代表詩家，有其偏頗所在。所選以李白、杜甫、韓愈、白居易、蘇軾、陸游六家爲主，不及盛唐之王維、孟浩然一派，亦不及宋代的黃庭堅、江西諸子一派。由此代表「唐詩」與「宋詩」，明顯地有其偏頗所在。

㈡因政治因素而燒燬犯禁書籍，詆斥公安、錢謙益、明末遺老等人之論，與其標榜「一準至公」、縱論中國詩史發展的主張，明顯地有所牴牾。

綜合述之，四庫館人之史觀在理論上較爲圓滿，而其具體的選取、評價，則有微疵可議。

丁、同光詩派的「三元說」之論

同光詩派特別指出元和時期之詩歌爲「唐詩」（開元）與「宋詩」（元祐）發展過程中的樞幹，藉以說明詩史乃連續而非截然對立的情形。無疑地，確實道出了「唐詩」、「宋詩」在唐、宋二代間發展變化的一面事實。

然而同光詩派意欲由「三元說」以打破「唐詩」與「宋詩」的疆界，意欲由「宋詩」與「唐詩」的淵源，類乎祖父與子孫間的關係，泯合「唐」、「宋」之分。我們則認爲是混漶了淵源與本質區分的問題。

綜合述之，同光詩派強調元和時期之詩歌，有其卓識。而其意欲打破「唐」、「宋」的疆界，並不可取。

本節所述，可簡要地歸結爲底下四點：

1. 在江西詩派主導期裏，論者對於自己所持的詩史觀並未自覺地加以說明。其看待詩史，多只具價值判斷而乏事實判斷，並不足以了解詩史辯證而複雜的客觀事實。
2. 在盛唐詩主導期裏，論者已能自覺地提出詩史觀以說明詩歌的發展。其中主要有七子復古與袁宏道時變之論相互對立，復古者偏主價值判斷而優「唐」劣「宋」，時變者則偏主事實判斷而爲「宋詩」辯護，二論皆有所偏，而未得其全。
3. 在百家爭鳴期裏，論者所論日趨謹嚴。其中尤以吳喬、葉燮、四庫館人、同光詩派諸人，其說明與評價唐、宋二代的詩史發展，皆有值得稱述者，其失則如本文所指出者。
4. 筆者乃秉持辯證的詩史觀，兼合價值判斷與事實判斷二者，進而評騭諸家思想之得失。就價值判斷言，唐代爲盛，殆無疑義，宋代相對於唐代固是變，卻仍有其價值與意義。就事實判斷言，唐、宋二代間乃一辯證而複雜的客觀事實，可參看本文第三章《「唐詩」、「宋詩」之爭的歷史概述》第一節《基礎與蘊釀期》之所述。

第三節　學習創作論

不管是「品鑑論」或「詩史論」之優劣「唐詩」與「宋詩」，往往都帶有學習創作論上的目的，亦即指導與規範當時的創作方向，進而糾正時代詩風之弊。論者於此往往針對「如何作好詩？」此一問題發言，提示具體的入手門徑。

學習創作論所面對的問題是，要作好詩究竟是學「唐詩」抑或學「宋詩」呢？抑或其它？大抵標舉「唐詩」爲典範者，其答案傾向於前者；標舉「宋詩」爲典範者，則傾向於後者；採折衷、調和之說者，往往兼容並包，不主一端，有時更及於《詩經》、《楚辭》以至漢魏、六朝諸家之作。論者於「品鑑論」與「詩史論」裏之所言，都可以是此一答案的理論根據。

然而，「品鑑論」裏有優劣可言，「詩史論」裏有對錯可說，「學習創作論」裏是否有必然性呢？一般說來，在「品鑑論」之範疇裏立於辨體論的立場者，在「詩史論」之範疇裏自居正宗、正統的看法者，大多持著肯定的態度。如江西詩派之學黃、學杜，嚴羽之「不作開元、天寶以下人物」，李夢陽之「詩必盛唐，非是者弗道」等等皆是。這種看法，卻非我們所能贊同。因爲若強調必然性，無疑地就是接受了辨體論裏的排斥性，「詩史論」裏的只是具價值判斷而乏事實判斷的觀念。而這些正是前文《品鑑論》與《詩史論》

裏，我們所極力加以反對者。此外，若學「唐詩」、學「宋詩」有必然性的話，那麼「唐詩」、「宋詩」這些好詩，又是學習何人何作呢？若其有學習的對象，何以我們必然要學習「唐詩」、「宋詩」而不能取法乎上呢？若其無有學習的對象，何以我們之學習不能無有對象，而得具「必然性」呢？

儘管我們否定了「學習創作論」裏的必然性，卻不意味著全盤否定持此看法者所有的論調之價値與意義。因爲學「唐詩」或學「宋詩」雖不備必然性，卻有所謂適合不適合的問題。

以時而言，「宋詩」衍生流弊之餘，論者自然會標舉「唐詩」以爲學習的標的。而當學「唐詩」衍生流弊之餘，論者自然又會轉而標舉「宋詩」以爲創作的楷模。一波興起而一波復生，遂蔚爲南宋以後中國詩歌發展的面貌。諸家爲救弊補偏而強調學習創作上的必然性，抽去歷史而純就理論考察，雖不免貽人武斷之譏，若還諸歷史而論，其說卻又極適合彼時之詩風。以明中葉至清初的詩壇爲例，《四庫全書總目提要》卷一百九十・評《唐賢三昧集》云：「詩自太倉、歷下，以雄渾博麗爲主，其失也膚。（案：此指七子「詩必盛唐」之論而言。）公安、竟陵以清新幽渺爲宗，其失也詭。（案：此時所學已兼「唐詩」與「宋詩」矣。）學者兩途並窮，不得不折而入宋，其弊也滯而不靈，直而好盡，語錄、史論皆可成篇。（案：此指清初宗「宋」之風。）於是（王）士禛等重申嚴羽之說，獨主神韻以矯之。（案：此指王士禛標舉盛唐王、孟一派而言。）蓋亦救弊補偏，各明一義。」即道出了主張學「唐詩」或學「宋詩」之論，在詩歌發展上的意義與價值。

以人而言，錢鍾書先生嘗云：「夫人稟性，各有偏至。發爲聲詩，高明者近唐，沈潛者近宋，有不期而然者。」此言尚論其大概耳。夫人自其異者觀之，面面崢嶸，無人相同。道德操守不一、主體才性有別、思想傾向有異、藝術趣味有偏，……細而察之，可至無窮。故大者於學「唐」、學「宋」有所偏至，小者即同爲學「唐」，亦有學李、杜抑或王、孟抑或溫、李之殊，同爲學「宋」，亦有學蘇抑或學黃（含江西詩派）抑或學范學陸之別。適合其人，舉世宗奉「宋詩」，無礙孫莘老之歎：「近世作詩，無復有唐人風。」（《孫公談圃》卷中），亦無礙張戒詈罵云：「蘇黃習氣淨盡，始可以論唐人詩。」（《歲寒堂詩話》）同樣地，適合其人，舉世宗奉「唐詩」，無礙方孝孺歌吟：「前宋文章配兩周，盛時詩律亦無儔。今人未識崑崙派，卻笑黃河是濁流。」（《遜志齋集》卷二十四《談詩五首》），亦無礙瞿佑詠詩云：「吟窻玩味韋編絕，舉世宗唐恐未公。」（《歸田詩話》卷上）。

此外，有時同一個人，往往隨其人生際遇的變化、詩歌成就的發展，而於學「唐」、學「宋」之間有所擺盪，亦由於適合彼時之彼人也。張英《聰訓齋語》卷一云：「唐詩如緞如錦，質重而體重，文麗而絲密，溫醇爾雅，朝堂之所服也。宋詩如紗如葛，輕疏纖朗，便娟適體，田野之所服也。中年作詩，斷當宗唐律；若老年吟咏，適意闌入於宋，勢所必至。」（註二九）錢鍾書先生亦云：「一集之內，一生之中，少年才氣發揚，遂爲唐體，晚節思慮深沈，乃染宋調。若木之明，崦嵫之景，心光既異，心聲亦以先後不侔。……要可徵祖祧唐宋，有關年事氣稟矣。」（註三〇）這些都是從「唐詩」、「宋詩」的藝術特性和藝術形相對照人生不同時期的生命情調而有的說法。然其論言其大概可矣，必曰定然，仍不免涉於武斷。衡諸詩史，折「唐」而入「宋」者，固不乏其人。然由「宋」以返乎「唐」

者，又豈少哉？楊萬里不也曾說過：「半山便遣能參透，猶有唐人是一間」（《讀唐人及半山詩》）、「受業初參且半山，終須投換晚唐間」（《答徐子材談絕句》）自供由「宋」以進乎「唐」的學詩歷程。王士禛何嘗不是中年「越三唐而事兩宋」，晚年乃歸趨《唐賢三昧集》之詩。斯皆與張、錢二氏所論完全相反，然不害其卓然自立，而爲詩壇之大家。是故即使是同一個人之學「唐」、學「宋」，亦因人生際遇的變化、詩歌成就的發展而有適合不適合的問題存焉，絕非必然。

順著學「唐詩」、學「宋詩」的問題，論者又往往提示具體的入手門徑，以爲學者創作之所依。諸家於此的意見紛然有別，甚至有同室操戈的情形發生（如李夢陽與何景明之爭辯即是）。舉其大者，主張學習「唐詩」有嚴羽的「妙悟」之說、李夢陽的「摹擬」之說，主張學習「宋詩」有江西詩派之強調讀書研理與鍛鍊的功力，主張兼學「唐詩」與「宋詩」有袁宏道的「性靈」之說、葉燮的「獨創」之說。

今日看來，諸家之說，未必全對，亦未必全非。就主張學習「唐詩」者而言，紀昀對王維《終南別業》詩的一段批語可加以參考：

此種皆鎔煉之至，渣滓俱融，涵養之熟，矜燥俱化，而後天機所到，自在流出，非可以摹擬而得者。無其鎔煉涵養之功，而以貌襲之，即爲窠臼之陳言，敷衍之空調，矯語盛唐者，多犯是病。此亦如禪家者流，有眞空、頑空之別，論詩者不可不辨。（《瀛奎律髓刊誤》卷二十三）

案此言雖針對王維之詩而發，實則盛唐諸作皆可如是觀之。是故不管是嚴羽「妙悟」之說的主張熟讀

「唐詩」，或李夢陽「摹擬」之說的主張尺尺寸寸地法效「唐詩」，皆不必然保證就能臻乎所欲達到的標的。因爲「天機所到，自在流出」，本就非刻意學習所能獲得者。衡諸詩史，不少學習「唐詩」者，確實有著紀昀所指出的弊病——窠臼之陳言，敷衍之空調，以致招惹「瞎盛唐」、「假唐詩」之譏。本文第三章《「唐詩」、「宋詩」之爭的歷史概述》裏，多有述及於此，可加以參看。

然而嚴羽、李夢陽之說亦未必全非。嚴羽所說的熟讀「唐詩」以蘊釀胸中，對創作者而言，永遠是一劑良藥。個人的「悟」性雖深淺有別，然而正如俗語所說：「熟讀唐詩三百首，不會作詩也會吟。」對初學者仍具有一定正面的意義。李夢陽的「摹擬」是針對得「法」而說，其所謂的「法」近於普遍的美學形式規範，如疏密、細潤、虛實、景意等等之類的對稱、平衡而言。無疑地，這是所有優秀的作品不可或缺的必要條件。是故主張「摹擬」，並未可厚非。只不過得了「法」並不保證所作的就定然爲佳篇。平情而論，此一主張對於初學者而言，確實能提供一最實際而方便的練習方法。學者在此一過程裏，可以從形式技巧以至內容意境上加以揣摩，而有所助益。然而，創作不可能永遠停留於初學階段。初學之後，若仍駐止於斯，優點即不免轉成弊病，有如紀昀所指出者。

主張學「唐詩」者如是，主張學「宋詩」之強調讀書研理與鍛鍊的功力，主張兼學「唐詩」、「宋詩」之主「性靈」或「獨創」，亦不例外。如強調讀書研理，固有助於以意爲主之創作型態裏對「意」的獲取，然作品之佳否，仍有待於主體生命成功地加以涵融。否則賣弄才學、說理講教，流於客觀概念的陳述，絕非詩之正道。鍛鍊的功力可防止作品流入陳腔俗調之弊。然過份偏重於斯，不免有

「鍛鍊精而情性遠」之譏。同樣地，強調「性靈」可免去摹擬而來的優孟衣冠之疵，然而藝術涵養若無一定的水平之上，將不免流爲淺滑率易。重視「獨創」以成自家面貌固善，然往往使得初學者不知從何入手。是故諸家所提示之具體的入手門徑，就像學「唐詩」、學「宋詩」一樣，並沒有必然性，而重點尤在於適不適用的問題身上。

綜上所述，本節簡要地歸結爲底下三點：

1. 由「品鑑論」之辨體立場，由「詩史論」之正宗、正統觀念，往往會在「學習創作論」裏強調學「唐詩」或學「宋詩」的必然性。這一點，我們並不表贊同。
2. 學「唐詩」或學「宋詩」，重點在於適不適合的問題。此中，可有詩歌發展因素的考慮，可有個人稟性、才德、趣味等種種偏重的考慮，同時亦可有個人人生際遇的變化、詩歌成就的發展等種種事實的考慮。
3. 論者所指出學「唐詩」或學「宋詩」的具體入手門徑，各有適用的階段，不必過毀、過譽。

小　結

本章依「品鑑論」、「詩史論」和「學習創作論」的次第進行檢討，亦可依此次第而有如下的結論：

㈠在「品鑑論」的範疇裏，我們認爲最足以代表「唐詩」者，爲盛唐詩家之作。其乃一主於性情的創作型態，出以眞摯的感情、自然的語言，表現爲風骨與興象的風格典範。「宋詩」則爲一以意爲主的創作型態，表現爲黃庭堅、江西詩派之「知性反省的精神」與蘇軾之「行於所當行，止於所不得不止」的藝術特質。二者又以黃庭堅、江西詩派之「知性反省的精神」最足以代表「宋詩」，而與「唐詩」呈現著對峙的風貌。不過必須注意的是，「知性反省的精神」兼有勝、劣義二面的事實，其勝義足以與盛唐並立而爲優秀的風格典範，不必有所優劣。其劣義則不值一哂，未及「唐詩」乃不爭的事實。若蘇軾之詩，雖非最足以代表「宋詩」，卻是介於盛唐與黃庭堅、江西詩派之間的另一類「宋詩」。其詩足以與盛唐、黃庭堅、江西詩派鼎立抗衡，並立壇坫，而毫無愧色。

㈡在「詩史論」的範疇裏，我們認爲唐、宋二代詩歌發展的歷史皆値得加以肯定，不容純憑主觀的價値判斷而抹殺其中之一。唐、宋二代間，詩歌的發展實有著辯證而複雜的事實存焉，並非單一的線性軌迹。惟有正視此一特性而下的事實判斷，始能全面而合理地認識到詩史的眞相。

㈢在「學習創作論」的範疇裏，我們認爲學「唐詩」或學「宋詩」並沒有絕對的必然性，重點則在於適合不適合的問題身上。同樣地，論者所指出學「唐詩」或學「宋詩」的具體入手門徑，亦有各其適用階段，不必過毀、過譽。

此外，必須指出的是，論者往往結合「品鑑論」、「詩史論」與「學習創作論」此三範疇而立說，自成系統。一般說來，在「品鑑論」裏優「唐」劣「宋」（或優「宋」劣「唐」），往往在「詩史論」

裏強調「唐詩」（或「宋詩」）為正宗、正統，同時也在「學習創作論」裏標舉學「唐詩」（或學「宋詩」）為必然，而以其所指出之具體的入手門徑具有規範意義。不過這並非沒有例外，如李東陽在「品鑑論」裏主優「唐」劣「宋」之說，在「學習創作論」裏則反對學「唐詩」或學「宋詩」的必然性，反而是出「唐」入「宋」，以達到獨創的目的。類此的現象，也值得我們加以留意。

【附註】

註一：此中自以《文心雕龍》的文體論建構得最具系統與代表性，可參考之處甚多。近代學者研究最力者有徐復觀《「文心雕龍」的文體論》一文，收於《中國文學論集》頁一～八三，學生，民七十四年六版。然此文偏失之處亦不少，龔師鵬程曾撰有《錯誤的啓蒙者：徐復觀——「文心雕龍」的文體論》一文，激烈地加以批駁，見中央日報副刊七十六年十二月十一、十二、十三日所登。厥後顏師崑陽又撰《論文心雕龍「辯證性的文體觀念架構」——兼辯徐復觀、龔鵬程「文心雕龍的文體論」》，可謂是後出轉精，極具見地之篇，本文所言，率皆歸宗於斯。顏師之文收於《文心雕龍綜論》，頁七三～一二四，學生，民七十七。

註二：如劉大杰先生的《中國文學發展史》即是，華正，民六十九。

註三：如龔師鵬程即云：「劉大杰《中國文學史》說魏晉時期文學是神祕玄虛的浪漫文學、陳子昂王孟岑高李白等唐詩也是浪漫詩的全盛，晚明又是浪漫文學的思潮。但陳子昂、李白等人分明是意在復古，揭言『文從建安來，綺麗不足珍』的，何以竟與魏晉南北朝同屬一類？」，見《詩史本色與妙悟》第一章《導論》，頁二，學生，民七十五。又龔師撰有專文批判劉大杰此書者可參看，見《文學散步》附錄二《試論文學史之研究——以劉大杰「中國文學發展史」爲例》，頁二三四～二六六，漢光，民七十四。又如劉中和先生云：「今世更有著眼於詩的題材而分類的，於是有所謂『邊塞派詩人』、『田園派詩人』等等的分類。這種以題材而分類的方法，並沒有多大意義：詩人的生活，有許多不同的遭遇，有許多不同的接觸；所接觸的是什麽，詩的題材就是什麽。岑參被稱爲『邊塞派詩人』，但他的《奉和賈至舍人早朝大明宮》之作，全詩一片早朝的氣象，那裏有邊塞氣氛？他的《漢川山行呈少尹》中有句云：『山店雲迎客，江村犬吠船』，宛然田園派詩的風味。又如王維被稱爲『田園派詩人』，王維晚年得輞川別墅之後，才多作田園詩，壯年在西河節度使幕中，所作則多屬於邊塞風味，焉能執一而論？」，見所著《唐代文學全集》，頁五五，世界文物出版社，民六十八。

註四：見所著《隋唐五代文學思想史》第三章《盛唐（睿宗景雲中至玄宗天寶初）文學思想》，頁九〇～九一，上海古籍出版社，一九八六。

註五：書同註四，頁一〇二。

註六：書同註四，頁一一四。

註七：唐孟棨《本事詩》載云：「杜逢祿山之難，流離隴蜀，畢陳於詩，推見至隱，殆無遺事，故當時號爲『詩史』。」此爲杜甫「詩史」之名首見的資料，即指其抒寫生民疾苦、反映社會現實的詩歌特色而言。頁八，丁福保輯《續歷代詩話》，藝文。降及於宋，杜甫「詩史」之名更擴大及於其詩歌中的各種特色，如用典未嘗失誤、鍊字下句的超詣等等之類。此點楊松年先生《杜詩爲詩史說析評》一文，述之甚詳，可加以參看，其文見《古典文學》第七集上册，三七一～三九九，學生，民七十四。

註　八：引見黃庭堅《答洪駒父書》第二首，見《豫章黃先生文集》卷十九，頁二〇四，上海商務，四部叢刊初編縮本。

註　九：引見《王直方詩話》之五四條《都梁香與迷迭》，見郭紹虞輯《宋詩話輯佚》，頁二三，華正，民七十。

註一〇：《進鵰賦表》云：「明主儻使執先祖之故事，拔泥塗之久辱，則臣之述作，雖不足以鼓吹六經，先鳴數子，至於沉鬱頓挫，隨時敏捷，而楊雄、枚臯之流，庶可跂及也。有臣如此，陛下其舍諸？」，見《杜詩詳註》卷之二十四，里仁，民六十九。

註一一：引見所著《鷗波詩話》之《沉鬱頓挫——析杜甫「哀江頭」》一文，頁九，漢光，民七十三。

註一二：闡釋「氣象」一辭，可參考《文訊月刊》二十一期，顏師崑陽專文之論，頁三五五～三五六，民七十四年十二月。另可參看張師夢機《讀杜新箋——律髓批杜詮評》，頁五五，漢光，民七十六年二版。

註一三：引見《歷代書法論文選》，頁二四～二五，華正，民七十三。

註一四：引見俞崑編《中國畫論類編》，頁三五，華正，民七十三。

註一五：如蔡希綜《法書論》即多衍伸王羲之意在筆前之言，又如徐度《卻掃編》卷中亦載：「杜岐公，……論草書曰：草書之法，當使意在筆先，筆絕意在爲佳耳。」又如屠隆之《論畫》亦云：「意趣具於筆前，故畫成神足。」、又如郭思之《論畫》亦云：「意存筆先，筆周意內，畫盡意在，像應神全。」，如斯之例，不勝枚舉，斯皆顯示了此一創作型態在書法、繪畫藝術裏普遍地受到肯定。

註一六：此本徐復觀先生之言，徐氏云：「（宋詩）因主意，便多議論。因要求議論的精約故多使事。」，見《中國文學論集續編》之《宋詩特徵試論》一文，頁二三～六八，學生，民七十三年再版。

註一七：見所著《知性的反省——宋詩的基本風貌》一文，收於《意象的流變》，頁二六三～三一六，聯經，民七十六。又可參考所著《詩史本色與妙悟》第四章《論妙悟》，頁一三七～二五六，學生，民七十五。

註一八：《王直方詩話》之一六六條《桃李春風江湖夜雨》載：「張文潛謂余曰，黃九（案指庭堅）云『桃李春風一盃酒，江湖夜雨十年燈。』，眞奇語。」，可知此一聯詩當時早已視之為「奇語」了。見郭紹虞輯《宋詩話輯佚》，頁六二，華正，民七十。

註一九：引見《宋詩鑑賞辭典》，頁五〇五～五〇六，上海圖書出版社，一九八七。

註二〇：書同註一九，頁八二六。

註二一：此三詩家，劣義之作的篇幅上，大抵黃庭堅多於陳與義，陳與義又多於陳師道。這也是為什麼「宋詩」毀譽參半的重要因素之一，而表現在歷代對黃庭堅正、反的評價上，尤其明顯。陳永正先生說：「要自闢蹊徑，戛戛獨造，敢於探索，勇於革新。向著更高目標前進的人們，在艱苦的途程中，往往會有成功或失敗的兩方面的經驗，也許失敗的經驗會更多些，受到的壓力會更大些。山谷大概也是屬於這一類的探索者吧！」，非常適切地說明了這一面的事實。見所著《黃庭堅詩歌的藝術成就》一文，收於《宋詩論文選輯（三）》，頁四六二，復文，民七十七。

註二二：洛、蜀之爭，一般以為出自蘇軾的玩侮戲謔，實則程、蘇二人學術價值之嶄向的差異亦是不可忽略的重要因素。可參考黃明理《「晚明文人」型態之研究》第三章第一節《宋代學術內部之分歧》之所言，頁五三～七六，民七十八年師大碩士論文。

註二三：《四庫全書總目提要》卷九十二．評《童蒙訓》云：「考朱子《答呂祖謙書》有『舍人丈所著《童蒙訓》，極論詩文必以蘇、黃爲法』之語，此本無之。其他書所引論詩諸說，亦皆不見於書內。故何焯跋疑其但節錄要語而成，已非原本。然刪削舊文，不過簡其精華，除其枝蔓，何以近語錄者全存，近詩話者全汰？以意推求，殆洛、蜀之黨既分，傳是書者輕詞章而重道學，不欲以眉山之論錯雜其間，遂刊除其論文之語，定爲此本歟？」，頁十五，藝文。

註二四：宋人所云之「本色」，可參考龔師鵬程《詩史本色與妙悟》第三章《論本色》，頁九三～一三六，學生，民七十五。

註二五：此等特色，如《甌北詩話》卷五載：「蘇東坡詩：以文爲詩，自昌黎始，至東坡益大放詞。別開生面，成一代之大觀。……坡詩不尚雄傑一派，其絕人處在乎議論英爽，筆鋒精銳，舉重若輕，……坡公熟於莊、列、諸子及漢、魏、晉、唐諸史，故隨所遇輒有典故，以供援引，此非臨時檢書者所能辦也。……東坡旁通佛老，詩中有仿黃庭經者。如辨道歌、眞一酒歌等作，自成一則。至於摹倣佛經，掉弄禪語以之入詩，殊覺可厭，不得以其出自東坡，遂曲爲之說也。」此段話裏，引證了不少詩句，不詳引，可自行加以參看。頁一一九五～一二〇三，藝文。

註二六：如《東坡全集》卷十三《次韻孔毅甫集古人句見贈五首》之三云：「天下幾人學杜甫，誰得其皮與其骨？劃如太華當我前，跛牂欲上驚崷崒。名章俊語紛交衡，無人巧會當時情。前生子美只君是，信手拈得俱天成。」、之四云：「詩人雕刻閒草木，搜抉肝腎神應哭。不如默誦千萬首，左抽右取談笑足。」、卷七十五《與謝民師推官書》云：「所示書教及詩、賦、雜文觀之熟矣，大略如行雲流水，初無定質，但常行於所當行，常止於所不可不止，文理自然，姿態橫生。」、卷九十三云：「李、杜之後，詩人繼作，……唐末司空圖崎嶇兵亂之間，而詩文高雅，猶有承平之遺風。其論詩曰：『梅止於酸，鹽止於鹹，飲食不可無鹽梅，而其美常在鹹酸之外。』蓋自列其詩之有得於文字之表者二十四韻，恨當時不識其妙，予三復其言而悲之！……信乎表聖之言，美在鹹酸之外可以一唱而三歎也。」，可見蘇軾詩學之宗旨異乎黃庭堅、江西詩派也。臺灣商務，景印文淵閣四庫全書本。

註二七：不惟詩史，看待任何「史」，皆須具備此二者始可。這方面的論述，以牟宗三先生所言最為精闢。見其書《政道與治道》第十章《道德判斷與歷史判斷》，頁二二三～二六九，學生，民六十九。及《歷史哲學》之《三版自序》一文，頁一～九，學生，民七十三年臺六版。及《生命的學問》之《論「凡存在即合理」》一文，頁一八一～一九四，三民，民六十七年三版。

註二八：見所著《古典文藝美學論稿》之《葉燮文藝思想的評價問題》一文，頁四四〇～四四一，淑馨，一九八九。

註二九：見《百部叢書集成》之《藝海珠塵》，頁三。

註三〇：見所著《新編談藝錄》之《一、詩分唐宋》，頁三～四。

第五章 結 論

本文所述，可有如下的結論。

首先，「唐詩」與「宋詩」此二名詞的意涵，往往因人因時而異，只以「唐代的詩」、「宋代的詩」加以解釋，不無模糊籠統之弊。一般說來，歷代詩家與論者多以盛唐代表「唐詩」，以江西詩派代表「宋詩」（有時則以蘇軾爲代表）。而當進至「唐詩」、「宋詩」之爭時，其必有著「唐詩」與「宋詩」有區別，或曾有過狹義的「唐詩」、「宋詩」之爭的事實爲其前提。此外，一些似是而非的觀念與事實，如選集中收有非詩的事實，論者批評唐代（或宋代）的詩、比較唐宋二代之詩（家）非針對此爭而發，今人輕忽、漠視宋、元、明、清之詩等等之類，皆須仔細地加以檢覈。此即第二章《研究「唐詩」、「宋詩」之爭的基礎》闡釋的重點所在。

其次，「唐詩」、「宋詩」之爭從唐初以迄清末民初共一千多年的時間裏，約略有四個時間段落：其一，從唐初到北宋末，約五百多年，「唐詩」與「宋詩」逐漸地蘊釀以致形成，而爲此爭之所以可能的歷史基礎；又此爭的端倪於此一時期亦可得而尋，是故我們名之爲「基礎與蘊釀期」。其二，從南宋初到元初，約一百多年，「唐詩」、「宋詩」之爭已正式揭幕；此一時期聲勢最大，且引發爭論內的各種觀念者爲江西詩派，是故我們名之爲「江西詩派主導期」。其三，從元初到明末清初，約三百年，詩壇自元人之兼重盛唐與晚唐進至明初之標舉盛唐，再進至前後七子之主「詩必盛唐」，極度排斥「宋詩」，都是在盛唐詩主導下而發展的軌迹；厥後雖有公安、竟陵興起，仍不能完全奪幟易壘，是故我們名之爲「盛唐詩主導期」。其四，從清初到清末明初，將近三百年，論者紛繁，諍辯極熾，各種主張形形色色，五花八門，極詩壇之奇觀，是故我們名之爲「百家爭鳴期」。此即第三章《「唐詩」、「宋詩」之爭的歷史概述》闡釋的重點所在。

最後，從文學理論的角度來檢討「唐詩」、「宋詩」之爭，我們認爲諸家所論大抵不離「品鑑論」、「詩史論」和「學習創作論」此三範疇。就「品鑑論」而言，盛唐最足以代表「唐詩」，黃庭堅與江西詩派最足以代表「宋詩」。盛唐乃一主於性情的創作型態，表現出風骨與興象的風格典範。黃庭堅與江西詩派則爲一以意爲主的創作型態，表現爲「知性反省的精神」的藝術特質。然其有勝、劣二義，勝義之詩足以與盛唐對峙，並立而爲優秀的風格典範，不必有所優劣；劣義之作，則不值一哂，遑論與盛唐一爭勝負。蘇軾之詩雖非最足以代表「宋詩」，然其成就則不讓前述勝義之「宋詩」。就「詩史論」而言，唐、宋二代的詩歌發展皆有其意義與價值，不能因論者主觀的價值判斷而抹殺其中之一。二代之間的辯證而複雜的事實，則須論者具備卓越的史觀始足以識之。就「學習創作論」而言，學「唐詩」或學「宋詩」，乃至具體的入手門徑，並沒有絕對的必然性可說。其重點在於適不適合、適不適用，不必過份貶抑，亦不必過份褒揚。此即第四章《「唐詩」、「宋詩」之爭的檢討》闡釋的重點所在。

參考書目舉要

甲、古人著作

一、詩文集之屬

王子安集	唐王勃撰	商務四部叢刊
楊盈川集	唐楊烱撰	商務四部叢刊
駱賓王文集	唐駱賓王撰	商務四部叢刊
陳伯玉文集	唐陳子昂撰	商務四部叢刊
曲江張先生文集	唐張九齡撰	商務四部叢刊
李太白全集	唐李白撰、清王琦註	中華四部備要
錢牧齋注杜詩	唐杜甫撰、清錢謙益註	臺灣中華書局
杜詩詳注	唐杜甫撰、清仇兆鰲註	里仁書局
杜詩鏡注	唐杜甫撰、清楊倫註	里仁書局

王右丞集注　唐王維撰、清趙殿成註　中華四部備要
高常侍集　唐高適撰　商務四部叢刊
孟浩然集　唐孟浩然撰　商務四部叢刊
元次山文集　唐元結撰　商務四部叢刊
岑嘉州詩　唐岑參撰　商務四部叢刊
劉隨州詩集　唐劉長卿撰　商務四部叢刊
韋江州集　唐韋應物撰　商務四部叢刊
錢考功集　唐錢起撰　商務四部叢刊
朱文公校昌黎先生文集　唐韓愈撰、宋朱熹校　商務四部叢刊
張司業詩集　唐張籍撰　商務四部叢刊
孟東野詩集　唐孟郊撰　商務四部叢刊
賈浪仙長江集　唐賈島撰　商務四部叢刊
元氏長慶集　唐元稹撰　商務四部叢刊
白氏長慶集　唐白居易撰　商務四部叢刊
樊川文集　唐杜牧撰　商務四部叢刊
姚少監詩集　唐姚合撰　商務四部叢刊

玉谿生詩集箋注	唐李商隱撰、清馮浩註	里仁書局
西崑發微	唐李商隱撰、清吳喬註	廣文書局
溫庭筠詩集	唐溫庭筠撰	商務四部叢刊
丁卯集	唐許渾撰	商務四部叢刊
皮子文藪	唐皮日休撰	商務景印文淵閣四庫全書
笠澤叢書	唐陸龜蒙撰	商務景印文淵閣四庫全書
司空表聖文集	唐司空圖撰	商務景印文淵閣四庫全書
唐風集	唐杜荀鶴撰	商務景印文淵閣四庫全書
羅昭諫集	唐羅隱撰	商務景印文淵閣四庫全書
禪月集	唐釋貫休撰	商務景印文淵閣四庫全書
寇忠愍公詩集	宋寇準撰	商務景印文淵閣四庫全書
南陽集	宋趙湘撰	商務景印文淵閣四庫全書
武夷新集	宋楊億撰	商務景印文淵閣四庫全書
宋景文集	宋宋祁撰	商務景印文淵閣四庫全書
范文正集	宋范仲淹撰	商務景印文淵閣四庫全書
蘇學士集	宋蘇舜欽撰	商務景印文淵閣四庫全書

傳家集　宋司馬光撰　商務景印文淵閣四庫全書
公是集　宋劉敞撰　商務景印文淵閣四庫全書
彭城集　宋劉攽撰　商務景印文淵閣四庫全書
丹淵集　宋文同撰　商務景印文淵閣四庫全書
馮安岳集　宋馮山撰　商務景印文淵閣四庫全書
宛陵集　宋梅堯臣撰　商務景印文淵閣四庫全書
文潞公集　宋文彥博撰　商務景印文淵閣四庫全書
南陽集　宋韓維撰　商務景印文淵閣四庫全書
節孝集　宋徐積撰　商務景印文淵閣四庫全書
文忠集　宋歐陽修撰　商務景印文淵閣四庫全書
臨川集　宋王安石撰　商務景印文淵閣四庫全書
東坡全集　宋蘇軾撰　商務景印文淵閣四庫全書
欒城集　宋蘇轍撰　商務景印文淵閣四庫全書
山谷內集、外集、別集　宋黃庭堅撰、宋洪炎、李彤編　商務景印文淵閣四庫全書
山谷內集註、外集註、別集註　宋黃庭堅撰、宋任淵、史容、史季溫註　商務景印文淵閣四庫全書
豫章黃先生文集　宋黃庭堅撰　商務四部叢刊

後山集　宋陳師道撰　商務景印文淵閣四庫全書

後山詩箋注　宋陳師道撰、宋任淵註、清冒廣生箋註　學海出版社

柯山集　宋張耒撰　商務景印文淵閣四庫全書

淮海集　宋秦觀撰　商務景印文淵閣四庫全書

石門文字禪　宋釋惠洪撰　商務景印文淵閣四庫全書

青山集　宋郭祥正撰　商務景印文淵閣四庫全書

景迂生集　宋晁說之撰　商務景印文淵閣四庫全書

鷄肋集　宋晁補之撰　商務景印文淵閣四庫全書

姑溪居士集　宋李之儀撰　商務景印文淵閣四庫全書

竹友集　宋謝薖撰　商務景印文淵閣四庫全書

灌園集　宋呂南公撰　商務景印文淵閣四庫全書

慶湖遺老集　宋賀鑄撰　商務景印文淵閣四庫全書

眉山詩集　宋唐庚撰　商務景印文淵閣四庫全書

丹陽集　宋葛勝仲撰　商務景印文淵閣四庫全書

簡齋集　宋陳與義撰　商務景印文淵閣四庫全書

增廣箋註簡齋詩集　宋陳與義撰、宋胡穉箋註　商務四部叢刊

簡齋詩外集　宋陳與義撰　商務四部叢刊

韋齋集　宋朱松撰　商務景印文淵閣四庫全書

梅溪集　宋王十朋撰　商務景印文淵閣四庫全書

尊白堂集　宋虞儔撰　商務景印文淵閣四庫全書

蠹齋鉛刀編　宋周孚撰　商務景印文淵閣四庫全書

象山先生全集　宋陸九淵撰　商務四部叢刊

石湖詩集　宋范成大撰　商務景印文淵閣四庫全書

誠齋集　宋楊萬里撰　商務四部叢刊

劍南詩稿　宋陸游撰　商務景印文淵閣四庫全書

渭南文集　宋陸游撰　商務景印文淵閣四庫全書

水心集　宋葉適撰　商務景印文淵閣四庫全書

石屏詩集　宋戴復古撰　商務景印文淵閣四庫全書

梅山續集　宋姜特立撰　商務景印文淵閣四庫全書

芳蘭軒集　宋徐照撰　商務景印文淵閣四庫全書

二薇亭詩集　宋徐璣撰　商務景印文淵閣四庫全書

西巖集　宋翁卷撰　商務景印文淵閣四庫全書

清苑齋詩集　宋趙師秀撰　商務景印文淵閣四庫全書
白石詩集、詩說　宋姜夔撰　商務景印文淵閣四庫全書
東野農歌集　宋戴昺撰　商務景印文淵閣四庫全書
後村先生大全集　宋劉克莊撰　商務四部叢刊
文信國集杜詩　宋文天祥撰　商務景印文淵閣四庫全書
閑閑老人滏水文集　金趙秉文撰　商務四部叢刊
滹南集　金王若虛撰　商務四部叢刊
遺山集　金元好問撰　商務景印文淵閣四庫全書
遺山先生文集　金元好問撰　商務四部叢刊
陵川集　元郝經撰　商務景印文淵閣四庫全書
稼村類藁　元王義方撰　商務景印文淵閣四庫全書
桐江集　元方回撰　國立中央圖書館明刊本
桐江續集　元方回撰　商務景印文淵閣四庫全書
剡源戴先生文集　元戴表元撰　商務四部叢刊
水雲村藁　元劉壎撰　商務景印文淵閣四庫全書
松雪齋集　元趙孟頫撰　商務景印文淵閣四庫全書

靜脩集	元劉因撰	商務景印文淵閣四庫全書
清容居士集	元袁桷撰	商務景印文淵閣四庫全書
西巖集	元張之翰撰	商務景印文淵閣四庫全書
道園學古錄	元虞集撰	商務景印文淵閣四庫全書
楊仲宏集	元楊載撰	商務景印文淵閣四庫全書
范德機詩	元范梈撰	商務景印文淵閣四庫全書
文安集	元揭傒斯撰	商務景印文淵閣四庫全書
圭齋集	元歐陽玄撰	商務景印文淵閣四庫全書
傅與礪詩文集	元傅若金撰	商務景印文淵閣四庫全書
東維子集	元楊維楨撰	商務景印文淵閣四庫全書
鐵崖古樂府	元楊維楨撰	商務景印文淵閣四庫全書
宋學士文集	明宋濂撰	商務景印文淵閣四庫全書
大全集	明高啓撰	商務景印文淵閣四庫全書
鳴盛集	明林鴻撰	商務景印文淵閣四庫全書
海叟集	明袁凱撰	商務景印文淵閣四庫全書
遜志齋集	明方孝孺撰	商務景印文淵閣四庫全書

東里文集	明楊士奇撰	商務景印文淵閣四庫全書
楊文敏集	明楊榮撰	商務景印文淵閣四庫全書
懷麓堂集	明李東陽撰	商務景印文淵閣四庫全書
空同集	明李夢陽撰	商務景印文淵閣四庫全書
大復集	明何景明撰	商務景印文淵閣四庫全書
考功集	明薛蕙撰	商務景印文淵閣四庫全書
滄溟集	明李攀龍撰	商務景印文淵閣四庫全書
弇州山人四部稿、續稿	明王世貞撰	商務景印文淵閣四庫全書
讀書後	明王世貞撰	商務景印文淵閣四庫全書
震川文集	明歸有光撰	商務景印文淵閣四庫全書
焚書	明李贄撰	河洛書局
袁宏道全集	明袁宏道撰	偉文圖書公司
珂雪齋集	明袁中道撰	偉文圖書公司
隱秀軒文	明鍾惺撰	偉文圖書公司
安雅堂稿	明陳子龍撰	偉文圖書公司
牧齋初學集	清錢謙益撰	商務四部叢刊

牧齋有學集　清錢謙益撰　商務四部叢刊
南雷文定　清黃宗羲撰　商務國學基本叢書
西河文集　清毛奇齡撰　商務國學基本叢書
己畦詩、文集　清葉燮撰　烏石山房文庫本
曝書亭集　清朱彝尊撰　商務國學基本叢書
精華錄　清王士禎撰　商務國學基本叢書
憺園文集　清徐乾學撰　國立中央圖書館國朝文會
沈歸愚詩文全集　清沈德潛撰　乾隆間刊本
小倉山房文集　清袁枚撰　廣文書局
復初齋文集　清翁方綱撰　國立中央圖書館清刊本
東洲草堂文鈔　清何紹基撰　國立中央圖書館手稿本
獨山莫氏遺稿　清莫友芝撰　國立中央圖書館手稿本

二、總集之屬

古詩源　清沈德潛編、王蒓父箋註　衆文圖書公司
全漢三國晉南北朝詩　丁福保輯　世界書局
篋中集　唐元結編　臺灣大通書局

河嶽英靈集　唐殷璠編　臺灣大通書局
國秀集　唐芮挺章編　臺灣大通書局
御覽詩　唐令狐楚編　臺灣大通書局
中興間氣集　唐高仲武編　臺灣大通書局
極玄集　唐姚合編　臺灣大通書局
才調集　五代韋縠編　臺灣大通書局
搜玉小集　不著編人　臺灣大通書局
唐文粹　宋姚鉉編　商務景印文淵閣四庫全書
唐百家詩選　宋王安石編　商務景印文淵閣四庫全書
萬首唐人絕句選　宋洪邁編　商務景印文淵閣四庫全書
衆妙集　宋趙師秀編　商務景印文淵閣四庫全書
三體唐詩　宋周弼編、元釋圓至註　商務景印文淵閣四庫全書
唐詩鼓吹　金元好問編　商務景印文淵閣四庫全書
唐音　元楊士宏編　商務景印文淵閣四庫全書
唐詩品彙、拾遺　明高棅編　商務四庫珍本
古今詩刪　明李攀龍編　商務景印文淵閣四庫全書

詩歸	明鍾惺、譚元春編	萬曆間刊本
全唐詩	清康熙勅編	復興書局
唐賢三昧集	清王士禛編	商務四庫珍本
唐詩別裁	清沈德潛編	商務國學基本叢書
全唐文	清董誥、戴衢亨等奉勅編	臺灣大通書局
瀛奎律髓	元方回編	商務景印文淵閣四庫全書
瀛奎律髓刊誤	元方回編、清紀昀批	佩文書社
唐宋詩醇	清乾隆選	商務景印文淵閣四庫全書
西崑酬唱集	宋楊億編	商務景印文淵閣四庫全書
宋文鑑	宋呂祖謙奉勅編	商務景印文淵閣四庫全書
江湖小集、後集	宋陳起編	商務景印文淵閣四庫全書
宋藝圃集	明李蓘編	商務景印文淵閣四庫全書
宋詩鈔	清吳之振等編	世界書局
宋詩鈔補	清管庭芬、蔣光煦編	世界書局
中州集	金元好問編	商務景印文淵閣四庫全書
元詩選	清顧嗣立編	商務景印文淵閣四庫全書

明詩綜	清朱彝尊編	商務景印文淵閣四庫全書
明詩別裁	清沈德潛編	商務國學基本叢書
清詩別裁	清沈德潛編	商務國學基本叢書

三、詩文評之屬

文心雕龍注	梁劉勰撰、清黃叔琳註	臺灣開明書局
詩品	梁鍾嶸撰	漢京歷代詩話
二十四詩品	唐司空圖撰	漢京歷代詩話
本事詩	唐孟棨撰	藝文續歷代詩話
詩人主客圖	唐張爲撰	藝文續歷代詩話
六一詩話	宋歐陽修撰	漢京歷代詩話
溫公續詩話	宋司馬光撰	漢京歷代詩話
中山詩話	宋劉攽撰	漢京歷代詩話
後山詩話	宋陳師道撰	漢京歷代詩話
臨漢隱居詩話	宋魏泰撰	漢京歷代詩話
彥周詩話	宋許顗撰	漢京歷代詩話
紫薇詩話	宋呂本中撰	漢京歷代詩話

瑚珊鉤詩話	宋張表臣撰	漢京歷代詩話
石林詩話	宋葉夢得撰	漢京歷代詩話
藏海詩話	宋吳可撰	藝文續歷代詩話
風月堂詩話	宋朱弁撰	商務景印文淵閣四庫全書
歲寒堂詩話	宋張戒撰	藝文續歷代詩話
庚溪詩話	宋陳巖肖撰	藝文續歷代詩話
韻語陽秋	宋葛立方撰	藝文續歷代詩話
䂬溪詩話	宋黃徹撰	藝文續歷代詩話
觀林詩話	宋吳聿撰	藝文續歷代詩話
苕溪漁隱叢話	宋胡仔撰	商務景印文淵閣四庫全書
竹坡詩話	宋周紫芝撰	漢京歷代詩話
誠齋詩話	宋楊萬里撰	藝文續歷代詩話
滄浪詩話	宋嚴羽撰	漢京歷代詩話
詩人玉屑	宋魏慶之編	商務景印文淵閣四庫全書
後村詩話	宋劉克莊撰	商務景印文淵閣四庫全書
艇齋詩話	宋曾季貍撰	藝文續歷代詩話

娛書堂詩話　宋趙與虤撰　藝文續歷代詩話
草堂詩話　宋蔡夢弼撰　藝文續歷代詩話
對牀夜語　宋范晞文撰　藝文續歷代詩話
滹南詩話　金王若虛撰　藝文續歷代詩話
梅磵詩話　元韋居安撰　藝文續歷代詩話
詩法家數　元楊載撰　漢京歷代詩話
木天禁語　元范梈撰　漢京歷代詩話
詩學禁臠　元范梈撰　漢京歷代詩話
詩法正論　元傅與礪撰　詩學指南
歸田詩話　明瞿佑撰　藝文續歷代詩話
逸老堂詩話　明俞弁撰　藝文續歷代詩話
南濠詩話　明都穆撰　藝文續歷代詩話
文脈　明王文祿撰　叢書集成簡編
詩的　明王文祿撰　百部叢書集成
懷麓堂詩話　明李東陽撰　藝文續歷代詩話
談藝錄　明徐禎卿撰　漢京歷代詩話

升菴詩話	明楊愼撰	藝文續歷代詩話
藝苑巵言	明王世貞撰	藝文續歷代詩話
藝圃擷餘	明王世懋撰	漢京歷代詩話
四溟詩話	明謝榛撰	藝文續歷代詩話
詩藪	明胡應麟撰	廣文書局
詩鏡總論	明陸時雍撰	藝文續歷代詩話
薑齋詩話	清王夫之撰	藝文清詩話
詩紀匡謬	清馮舒撰	百部叢書集成
江西詩社宗派圖錄	清張泰來撰	藝文清詩話
秋星閣詩話	清李沂撰	藝文清詩話
而庵詩話	清徐增撰	藝文清詩話
載酒園詩話	清賀裳撰	藝文清詩話續編
圍爐詩話	清吳喬撰	藝文清詩話續編
答萬季埜詩問	清吳喬撰	藝文清詩話
逃禪詩話	清吳喬撰	廣文書局
蠖齋詩話	清施閏章撰	藝文清詩話

春酒堂詩話　清周容撰　藝文清詩話續編
詩辯坻　清毛先舒撰　藝文清詩話續編
詩筏　清賀貽孫撰　藝文清詩話續編
原詩　清葉燮撰　藝文清詩話
漢詩總說　清費錫璜撰　藝文清詩話
古歡堂雜著　清田雯撰　藝文清詩話續編
詩義固說　清龐塏撰　藝文清詩話續編
漫堂說詩　清宋犖撰　藝文清詩話
漁洋詩話　清王士禛撰　藝文清詩話
然鐙紀聞　清王士禛口授、何士堪述　藝文清詩話
師友詩傳錄　清何廷槐問，王士禛、張篤慶、張實居答　藝文清詩話
師友詩傳續錄　清劉大勤問，王士禛答　藝文清詩話
帶經堂詩話　清王士禛撰、張宗柟編　清流掃葉山房石印
古詩平仄論　清王士禛撰、翁方綱小石帆亭著錄　藝文清詩話
談龍錄　清趙執信撰　藝文清詩話
聲調譜　清趙執信撰　藝文清詩話

寒廳詩話 清顧嗣立撰 藝文清詩話
說詩晬語 清沈德潛撰 藝文清詩話
西圃詩話 清田同之撰 藝文清詩話續編
蘭叢詩話 清方世舉撰 藝文清詩話續編
龍性堂詩話 清葉矯然撰 藝文清詩話續編
甌北詩話 清趙翼撰 藝文清詩話續編
說詩菅蒯 清吳雷發撰 藝文清詩話
一瓢詩話 清薛雪撰 藝文清詩話
貞一齋詩話 清李重華撰 藝文清詩話
野鴻詩的 清黃子雲撰 藝文清詩話
容城詩話 清杭世駿撰 百部叢書集成
隨園詩話、補遺 清袁枚撰 漢京文化事業公司
石洲詩話 清翁方綱撰 藝文清詩話續編
小石帆亭著錄五種 清翁方綱撰 藝文清詩話
山靜居詩話 清方薰撰 藝文清詩話
葚園詩說 清冒春榮撰 藝文清詩話續編

靜居緒言	闕名	藝文清詩話續編
國朝詩話	清楊際昌撰	藝文清詩話續編
石園詩話	清余承教撰	藝文清詩話續編
老生常談	清延君壽撰	藝文清詩話續編
輟鍛錄	清方南堂撰	藝文清詩話續編
退庵隨筆	清梁章鉅撰	藝文清詩話續編
養一齋詩話	清潘德輿撰	藝文清詩話續編
白華山人詩說	清厲志撰	藝文清詩話續編
問花樓詩話	清陸鎣撰	藝文清詩話續編
筱園詩話	清朱庭珍撰	藝文清詩話續編
詩概	清劉熙載撰	藝文清詩話續編
聽訓齋語	清張英撰	百部叢書集成
石遺室詩話	陳衍撰	商務印書館
*唐詩紀事	宋計有功撰	鼎文書局
唐音癸籤	明胡震亨撰	鼎文書局
宋詩紀事	清厲鶚撰	鼎文書局

遼詩紀事　陳衍撰　鼎文書局
金詩紀事　陳衍撰　鼎文書局
元詩紀事　陳衍撰　鼎文書局
列朝詩集小傳　清錢謙益撰　世界書局
明詩紀事　清陳田撰　鼎文書局
湖海詩傳　清王昶撰　商務基本叢書
清詩紀事初編　鄧之誠撰　鼎文書局
道咸同光四朝詩史　孫雄撰　鼎文書局

四、其它（按四庫全書分類排列）

舊唐書　晉劉昫等撰　中華四部備要
新唐書　宋歐陽修、宋祁等撰　中華四部備要
宋史　元托克托等撰　中華四部備要
遼史　元托克托等撰　中華四部備要
金史　元托克托等撰　中華四部備要
元史　明宋濂等撰　中華四部備要
明史　清張玉等撰　中華四部備要

清史稿	趙爾巽等撰	洪氏出版社
建炎以來繫年要錄	宋李心傳撰	商務景印文淵閣四庫全書
東都事略	宋王偁撰	商務景印文淵閣四庫全書
中吳紀聞	宋龔明之撰	商務景印文淵閣四庫全書
直齋書錄解題	宋陳振孫撰	商務景印文淵閣四庫全書
四庫全書總目提要	清永瑢、紀昀等撰	藝文印書館
四庫未收書目提要	清阮元撰	藝文印書館
*童蒙訓	宋呂本中撰	商務景印文淵閣四庫全書
西溪叢語	宋姚寬撰	商務景印文淵閣四庫全書
墨莊漫錄	宋張邦基撰	商務景印文淵閣四庫全書
雲麓漫鈔	宋趙彥衛撰	商務景印文淵閣四庫全書
隱居通義	元劉壎撰	商務景印文淵閣四庫全書
香祖筆記	清王士禛撰	商務筆記小說大觀
說郛	明陶宗儀編	商務印書館
鈍吟雜錄	清馮班撰	商務景印文淵閣四庫全書
小學紺珠	宋王應麟撰	商務景印文淵閣四庫全書

國史補　唐李肇撰　商務景印文淵閣四庫全書
孫公談圃　宋劉延世撰　商務景印文淵閣四庫全書
湘山野錄　宋釋文瑩撰　商務景印文淵閣四庫全書
侯鯖錄　宋趙令畤撰　商務景印文淵閣四庫全書
歸潛志　元劉祁撰　商務景印文淵閣四庫全書
水東日記　明葉盛撰　商務景印文淵閣四庫全書
四友齋叢說　明何良俊撰　百部叢書集成
書林清話　清葉德輝撰　世界書局

乙、今人著作

中國文學發展史　劉大杰著　華正書局
中國文學史　葉慶炳著　臺灣學生書局
增定本現代中國文學史　錢基博著　文學出版社、臺灣來來書局翻印
中國詩歌發展史　梁石著　經氏出版社
中國文學批評史　羅根澤著　學海出版社
中國文學批評史　郭紹虞著　明倫出版社

中國文學批評史大綱　朱東潤著　臺灣開明書局
中國文學批評　方孝岳著　莊嚴出版社
最新增定本中國文學批評史　劉大杰著　文匯堂出版社
中國文學評論史編寫問題論析　晚明至盛清詩論之考察　楊松年著　文史哲出版社
中國文學理論　劉若愚著，杜國清譯　聯經出版事業公司
中國文學論集　徐復觀著　臺灣學生書局
中國文學論集續編　徐復觀著　臺灣學生書局
中國文學家與文學批評　朱東潤等著　臺灣學生書局
傳統文學論衡　王夢鷗著　時報文化出版公司
古典文藝美學論稿　張少康著　淑馨出版社
文學批評論集　張健著　臺灣學生書局
詩話與詞話　木鐸出版社
新編談藝錄　錢鍾書著
鷗波詩話　張夢機著　漢光文化事業公司
中國詩的神韻格調及性靈說　郭紹虞著　華正書局
詩史本色與妙悟　龔鵬程著　臺灣學生書局

比興物色與情景交融　蔡英俊著　長安出版社
近體詩發凡　張夢機著　臺灣中華書局
文學散步　龔鵬程著　漢光文化事業公司
文學理論　雷・韋勒克、奧斯丁・華倫合著，劉象愚、邢培明等譯　三聯書店
*當代西方文學理論　羅里・賴安等著，李敏儒、伍厚愷等譯　四川文藝出版社
隋唐五代文學思想史　羅宗強著　上海古籍出版社
唐詩研究　胡雲翼著　臺灣商務印書館
唐代文學全集　劉中和著　世界文物出版社
宋詩研究　胡雲翼著　宏業書局
宋詩派別論　梁昆著　東昇文化事業公司
宋詩選註　錢鍾書編　木鐸出版社
宋詩概說　吉川幸次郎著，鄭清茂譯　聯經出版事業公司
宋詩鑑賞辭典　于紹卿等著，蘇驊編　上海辭書出版社
禪學與唐宋詩學　杜松柏著　黎明文化事業公司
江西詩社宗派研究　龔鵬程著　文史哲出版社
滄浪詩話校釋　郭紹虞著　東昇文化事業公司

嚴羽及其詩論研究　黃景進著　文史哲出版社
嚴羽與滄浪詩話　陳伯海著　上海古籍出版社
宋金四家文學批評研究　張健著　聯經出版事業公司
元代文學批評之研究　朱榮智著　聯經出版事業公司
元好問研究　李長生著　文史哲出版社
遺山詩論詮證　王禮卿著　中華叢書
元明詩概說　吉川幸次郎著，鄭清茂譯　幼獅文化事業出版公司
明代文學批評　簡錦松著　臺灣學生書局
李攀龍文學研究　許建崑著　文史哲出版社
袁中郎文學研究　田素蘭著　文史哲出版社
清代詩學初探　吳宏一著　牧童文化事業公司
清代文學評論史　青木正兒著，陳淑女譯　臺灣開明書局
清初杜詩學研究　簡恩定著　文史哲出版社
王漁洋詩論之研究　黃景進著　文史哲出版社
隨園及其性靈說之研究　司仲敖著　文史哲出版社
袁枚研究　簡有儀著　文史哲出版社

趙甌北研究　王建生著　臺灣學生書局

讀杜新箋——律髓批杜詮說　張夢機著　漢光文化事業公司

*讀書隅記　龔鵬程著　華正書局

兩宋文史論叢　黃啓方著　學海出版社

北宋六大詞家　劉若愚著，王貴苓譯　幼獅文化事業公司

國史大綱　錢穆著　臺灣商務印書館

十力語要　熊十力著　洪氏出版社

中國哲學十九講　牟宗三著　臺灣學生書局

政道與治道　牟宗三著　臺灣學生書局

哲學概論　唐君毅著　臺灣學生書局

普通語言學教程　費爾廸南·德索緒爾著，弘文館出版社編譯　弘文館出版社

*百種詩話類編　臺靜農主編　藝文印書館

宋詩話輯佚　郭紹虞輯　華正書局

中國歷代文論選　郭紹虞等編　木鐸出版社

中國近代文論選　羅根澤、郭紹虞合編　木鐸出版社

隋唐五代文學批評資料彙編　羅聯添編　成文出版社

北宋文學批評資料彙編　黃啓方編　成文出版社
南宋文學批評資料彙編　張健編　成文出版社
金代文學批評資料彙編　林明德編　成文出版社
元代文學批評資料彙編　曾永義編　成文出版社
明代文學批評資料彙編　葉慶炳、邵紅編　成文出版社
清代文學批評資料彙編　吳宏一、葉慶炳編　成文出版社
黃庭堅與江西詩派資料彙編　傅璇宗編　九思出版社
中國文學百科全書　楊家駱編　鼎文書局
歷代書法論文選　華正書局
中國畫論類編　俞崑編　華正書局
*元好問論詩絕句析論　皮述民著　南洋大學學報一九六九年第三期
李攀龍及其「古今詩刪」研究　楊松年著　中外文學民七十年第九卷第九期
文學術語詞典：氣象　顏崑陽著　文訊月刊民七十四年二十一期
杜詩爲詩史說析評　楊松年著　古典文學七十四年第七集上册
知性的反省——宋詩的基本風貌　龔鵬程著　《意象的流變》一書中，民七十六年聯經出版
論文心雕龍「辯證性的文體觀念架構」——兼辯徐復觀、龔鵬程「文心雕龍的文體論」

「唐詩」、「宋詩」之爭研究　顏崑陽著　《文心雕龍綜論》一書中，民七十七年學生書局

黃庭堅詩歌的藝術成就　陳永正著　《宋詩論文選輯㈢》，民七十七年復文書局

清代同光詩派研究　尤信雄著　民五十九年師大碩士論文

南宋江湖詩派之研究　鄭亞薇著　民七十年政大博士論文

「原詩」析論　王策宇著　民七十七年高師碩士論文

「晚明文人」型態之研究　黃明理著　民七十八年師大碩士論文